A Simetria Oculta do Amor

Por Que o Amor Faz os Relacionamentos Darem Certo

Bert Hellinger
com
Gunthard Weber
e
Hunter Beaumont

A Simetria Oculta do Amor

Por Que o Amor Faz os Relacionamentos Darem Certo

Tradução
GILSON CÉSAR CARDOSO DE SOUSA

Revisão técnica
ESTHER FRANKEL, MILTON CORRÊA E MIMANSA FARNY

Editora
Cultrix
SÃO PAULO

Título original: *Love's Hidden Symmetry.*

6ª edição 2006 (catalogação na fonte).

12ª reimpressão 2024.

Dados Internacionais de Catalogação na Publicação (CIP)
(Câmara Brasileira do Livro, SP, Brasil)

Hellinger, Bert
A simetria oculta do amor : por que o amor faz os relacionamentos darem certo / Bert Hellinger com Gunthard Weber e Hunter Beaumont ; tradução Gilson César Cardoso de Sousa ; revisão técnica de Esther Frankel, Milton Corrêa e Mimansa Farny. -- 6. ed. -- São Paulo : Cultrix, 2006.

Título original : Love's hidden symmetry
ISBN 978-85-316-0603-8

1. Amor 2. Psicoterapia de família I. Weber, Gunthard. II. Beaumont, Hunter. III. Título.

06-3747 CDD-616.89156
NLM-WM 420

Índices para catálogo sistemático:
1. Psicoterapia familiar : Ciências médicas 616.89156

Direitos de tradução para a língua portuguesa adquiridos com exclusividade pela
EDITORA PENSAMENTO-CULTRIX LTDA., que se reserva a
propriedade literária desta tradução.
Rua Dr. Mário Vicente, 368 – 04270-000 – São Paulo, SP – Fone: (11) 2066-9000
http://www.editoracultrix.com.br
E-mail: atendimento@editoracultrix.com.br
Foi feito o depósito legal.

Impresso por : Graphium

Sumário

Agradecimentos

Muitas pessoas contribuíram generosamente para este empreendimento. Agradeço

a John B. Cobb por ensinar-me a refletir sobre o processo — holística e sistemicamente;

a K. E. e H. A. por prepararem o terreno;

a John Hobbs pelo precioso tempo e meticulosidade empenhados na correção de minha gramática e estilo, bem como no estreitamento de minhas relações vacilantes com a vírgula;

a Deb Busman pelas críticas francas e solícitas;

a Colleen, minha esposa, com quem aprendi quase tudo o que sei a respeito de relacionamentos, pela liberdade, discussão, amor e crítica;

a Erik e Jesse, meus filhos, por tornarem minha vida extremamente valiosa;

a meus pais, por terem possibilitado tudo;

a muitos outros não nomeados aqui — amigos, parentes, alunos, colegas, críticos —, que contribuíram bastante, direta e indiretamente;

a Bert Hellinger pelo trabalho, apoio e pela dedicação sem limites.

Minha profunda gratidão,
Hunter Beaumont

Apresentação do Livro para os Leitores de Língua Portuguesa

por ESTHER FRANKEL

Para mim, é um privilégio apresentar ao leitor de língua portuguesa o trabalho da alma da família, de Bert Hellinger, um trabalho psicoterapêutico que já vem sendo realizado em diferentes culturas e países e cuja prática, além da cura, traz-nos nova luz para a integração entre ciência, espiritualidade e amor.

A ordem oculta do amor traz revelações profundas e práticas sobre o que faz o amor fluir nos relacionamentos, demonstrando como forças profundamente entranhadas no sistema familiar podem ser redirecionadas para a cura, quando membros desse sistema são reconhecidos, respeitados e recolocados no seu devido lugar.

Segundo Hellinger, em vez de ter uma alma, participamos de uma alma. Isto nos ajuda a compreender o que acontece numa família, ou seja, que a mesma tem uma consciência comum que em grande parte é inconsciente e que pode ser observada pelos efeitos que tem sobre todos os membros da família.

A minha convivência com o trabalho de Hellinger fez-me compreender melhor e ir mais fundo nas minhas origens, como filha de uma sobrevivente de Aushwitz, ver o quanto isso ainda marca a minha vida, poder tocar profundas e inconscientes feridas e ainda dar lugar na minha alma para os meus queridos familiares que nunca tive a sorte de conhecer, reorganizando minha vida, tecendo assim partes esgarçadas da minha existência. Esta forma de terapia tem-me ajudado também a dar-me conta de como os descendentes dos predadores podem passar por sofrimentos semelhantes aos dos descendentes de suas vítimas. E isso motiva-me ainda mais a apresentar e compartilhar o trabalho de Hellinger e poder contribuir para fazer fluir o amor nos relacionamentos.

Como psicoterapeuta corporal, trabalhando na área clínica há mais de 20 anos, verifico como é fundamental a transdisciplinaridade e o quanto tem sido importante integrar em minha prática a Sistêmica de Bert Hellinger para poder trabalhar com os meus clientes os campos do amor, ou seja, da sua história familiar à psicoterapia somática individual.

Prefácio

por GUNTHARD WEBER

Em seu poema "Lendas das Origens do Livro Tao te Ching durante a Emigração de Lao-tsé", Bertolt Brecht conta que um funcionário de alfândega obrigou o sábio a declarar seu conhecimento antes de recolher-se às montanhas:

Depois de vagar quatro dias pelos montes,
Um funcionário barrou-lhe o caminho:
"Algo a declarar?" — "Nada."
O menino que conduzia os bois informou:
"Ele era professor."
Assim, seu conhecimento foi declarado.

Excitado, o homem perguntou:
"Mas ele tirou proveito disso?"
Replicou o menino: "Aprendeu que, com o tempo,
A água mole fura a pedra dura.
Bem sabes, o forte é fraco."

Mais tarde descobri que o livro de Lao-tsé é importante também para Bert Hellinger.

Durante anos, lamentei que quase nada se escrevesse sobre a obra de Hellinger, e muitas outras pessoas me confessaram que sentiam o mesmo. Posso, é claro, entender suas reservas em lançar por escrito algo que outros venham porventura a tratar como uma revelação ou uma confirmação de seus próprios preconceitos. "O espírito gira como o vento", disse ele. As coisas escritas rompem facilmente sua ligação com a vida real, perdem a vitalidade, tornam-se supersimplificadas e generalizam-se sem discernimento quando transpostas para esquemas fixos e frases vazias.

Bert Hellinger: "O melhor não pode ser dito; o melhor que vem em seguida é mal-interpretado." Minhas dúvidas quanto à eficácia da escrita como meio de comunicar as idéias desenvolvidas por Hellinger foram sendo aos poucos mitigadas pela experiência constante do valor dessas idéias — para mim e para meus clientes em psicoterapia. Sua intenção de aposentar-se — fez 72 anos em 1997 — fortaleceu tanto o meu interesse em vê-lo trabalhar ainda por algum tempo quanto a minha decisão de tornar suas lições acessíveis a outros. Perguntei-lhe, em 1990, se me permitiria ser um "funcionário de alfândega" — e ele concordou.

Meu projeto inicial consistia em filmar um de seus seminários e, depois, publicar as transcrições. Mas, quando já tinha em vídeo o segundo seminário e ele já me entregara cópias de suas conferências "As Ordens do Amor" e "Os Limites da Consciência", além de outros materiais, ficou claro que aquele plano não era adequado. O presente volume surge da tentativa de integrar as idéias de Hellinger sobre relações familiares e psicoterapia sistêmica, havendo também a intenção de dar uma visão geral de sua obra.

Nesse contexto, procurei transmitir as próprias palavras de Hellinger e, sempre que possível, incluí transcrições de seus seminários. Evitei comentários críticos nos pontos em que nossas idéias divergem, desejando que os leitores interpretem o texto cada qual a seu modo.

Por que resolvi tratar da psicoterapia sistêmica de Bert Hellinger? Em minha carreira, participei de inúmeros seminários e cursos de aperfeiçoamento com professores de diferentes escolas e orientações psicoterapêuticas, mas os três seminários com Bert Hellinger na década de 1970 permanecem indeléveis em minha memória. Em cada seminário, aprendi algo que continuou a motivar-me muitos anos depois, a trabalhar em meu íntimo, a devolver-me o equilíbrio, a trazer-me de volta a mim mesmo quando estava confuso. Fiquei impressionado com a precisão de sua maneira de ver — e ainda penso nele como um "vidente". Não conheço outro terapeuta capaz de identificar esquemas problemáticos com tanta rapidez e interrompê-los com tamanha eficiência, nem de reabrir a possibilidade de mudança, em áreas da alma pouco visitadas pela psicoterapia, com igual senso de oportunidade e delicadeza de humor.

Na qualidade de participante, eu não podia distanciar-me o bastante para descobrir como ele atua, como desperta o "bem presente em cada momento transitório", como elabora suas histórias, como consegue reduzir e concentrar as constelações familiares a ponto de fazer delas fortes intervenções terapêuticas. A princípio, achei estranhas suas idéias sobre as causas das tragédias de família e resisti ao seu estilo de comunicação sem entender realmente o que ele dizia.

Os participantes de seus seminários sentem-se num ambiente franco, estimulante, seguro e encorajador, ao mesmo tempo que livre de objetivos pessoais e de um determinado resultado. Ele se mostra simultaneamente reservado e acessível, evitando assim conflitos de poder. Seja qual for o tema que as pessoas lhe apresentem, Hellinger conduz inexoravelmente a exploração até as profundezas da natureza humana e à dimensão existencial de nossas vidas — temas como apego, sujeição, amor, relacionamentos bem-sucedidos ou fracassados, resignação, mortalidade e morte. As pessoas sentem-se por isso mesmo intensamente motivadas, quando não pela poesia de suas palavras, que lhes permite ir diretamente à alma.

Embora o que ele diga pareça às vezes referir-se ao passado, está constantemente, com seus sentimentos e intuição, perscrutando o horizonte em busca de soluções que possibilitem alcançar o bem almejado. As constelações familiares liberam sua forte capacidade natural de cura porque existe acesso a informações não-verbais, como no estado liminar de um rito de passagem. O velho, que deve ser posto de lado, e o novo, que ainda virá, passam a ser uma só coisa.

O conteúdo do livro está sujeito a interpretações equivocadas e à rejeição dos céticos ou indignados. Os crédulos se sentirão propensos a interpretar o que lêem como verdade universal. Hellinger costuma formular o que diz em termos de uma verdade eterna ou absoluta, mas a análise cuidadosa de sua obra revela que suas intervenções terapêuticas voltam-se para uma determinada pessoa num contexto terapêutico particular. Se o leitor insistir em transformar declarações específicas em verdades ou normas gerais de comportamento, ficará com a casca e jogará fora a fruta. Uma vez estabelecida a constelação familiar, Hellinger recomenda que nada de diferente se faça, mas que seja permitido à constelação continuar trabalhando a alma até que a ação conveniente e necessária se defina.

Pela leitura das transcrições, vê-se que Bert Hellinger recua apressadamente quando alguém tenta generalizar sem nenhum senso crítico. Evita também que suas idéias e observações sejam vertidas em moldes teóricos restritos. "O excesso de teoria interfere na prática." Tenho seguido esse conselho. Hellinger acha que seu trabalho é fenomenológico. Para ele, o que precisa ser feito brota da visão exata do que está acontecendo. "Entrego-me à situação no escuro, sem saber o que se passa. A pergunta é: Como chegar a uma verdade envolta em trevas? Mergulho num campo fluido; torno-me parte dele e ele me ultrapassa. As coisas se movem nesse campo, algumas em direção a regiões iluminadas, revelando algo do que É. Fico na expectativa do que quer que possa acontecer-me. Eis uma imagem desse processo: tateio o caminho na escuridão até encontrar uma porta. Se encontro uma área de luz, tento descobrir o que está me iluminando com uma palavra plena e madura. Uma vez achada a palavra certa, aqueles a quem ela é dita apreendem-na num nível além do pensamento racional. A palavra certa os comove e os estimula, mesmo que não saibam como."

Ficarei satisfeito se o livro for, para o leitor, essa "palavra certa".

Introdução

por HUNTER BEAUMONT

O terapeuta de família Bert Hellinger sabe prender a atenção, banir preconceitos e encorajar idéias lúcidas.

"A finalidade única do masculino é servir o feminino" — diz a um homem aborrecido ante a perspectiva de sua mulher não mais dispor de tempo suficiente para ele caso volte a estudar.

"Você sabe que muitas famílias funcionam melhor quando a mulher acompanha o homem" — diz a uma mulher revoltada contra a injustiça de ter de mudar de emprego porque seu marido foi transferido.

As duas frases atingem o alvo. O homem se convence de que Hellinger é um feminista e a mulher, de que é um chauvinista; e levam algum tempo para perceber o que ele tem em mente.

Hellinger mostra-se inabalável em sua serena compaixão quando trabalha com famílias que enfrentam os mais difíceis problemas — doenças graves e morte, suicídio, infidelidade, separação e divórcio, incesto, aborto —, sempre à espreita de soluções, de possibilidades que venham restaurar o amor. E é espantoso como, muitas vezes, ajuda as pessoas a alimentar esperanças e empreender ação construtiva em meio ao sofrimento. Todavia, pode ser rude na defesa dos fracos e excluídos. Certas observações suas são surpreendentes e provocantes:

> "Muitos machões dependem de uma mulher e muitas militantes feministas se agarram a um homem."
>
> "Inocência e culpa não são o mesmo que bem e mal. Atrocidades políticas e religiosas, por exemplo, são geralmente cometidas em plena consciência."

Hellinger: "Quando digo sem receio o que observo, as pessoas, ainda que chocadas, têm de acordar e refletir sobre onde estão, sobre o modo como *vêem* as coisas. A autoridade que devemos seguir está dentro de nossa própria alma." O despertar é a melhor defesa contra a manipulação. Ajudar as pessoas a consultar honestamente sua própria experiência traz mais resultados que obter sua aceitação irrefletida.

Certa noite, ao ouvir uma fita de Hellinger pela primeira vez, depois de dirigir um grupo de treinamento em psicoterapia, senti-me suspenso entre a indignação e o fascínio: "Como pode um psicoterapeuta dizer coisas tão dogmáticas e moralistas?" Mas o significado profundo de suas palavras logo prendeu-me a atenção. Depois dos lampejos iniciais de revolta, fiquei fascinado e concluí: "Ele não está moralizando, está descrevendo: descreve o interior das coisas, como vi tantas vezes meus clientes fazerem — e eu próprio. Está dizendo como as coisas realmente são." No dia seguinte, em vez de devolver a fita emprestada, ouvi-a de novo. Era a gravação de uma conferência de Bert Hellinger intitulada "As Ordens do Amor".

Nos dois anos seguintes, sempre que eu ouvia a fita em companhia de amigos e participantes de meus grupos de treinamento, notava que muitos deles apresentavam a mesma reação alérgica, suspeitando a princípio que o homem falava com falsa autoridade: "Agora vou lhes dizer qual é a verdade." No entanto, à medida que fomos ouvindo e discutindo suas observações, ficou claro que Hellinger tinha uma capacidade extraordinária para discernir e descrever os esquemas ocultos que fazem o amor fluir nas famílias.

O que ele de fato dizia era: "Isso é o que observei. Já ajudou muita gente a liberar o amor. Ofereço-lhes a minha experiência, mas não devem aceitá-la cegamente. Confirmem-na vocês mesmos." Dentro em pouco já não precisávamos de sua palavra — víamos acontecer no nosso próprio trabalho o que ele descrevia —, mas tivemos de renunciar a muitas de nossas crenças preconcebidas.

Bert Hellinger redescobriu, a respeito do amor nos relacionamentos íntimos, algo que impressiona as pessoas e muda suas vidas. E foi isto: Se você quiser que o amor floresça, deve fazer o que ele exige e evitar fazer o que o prejudica. O amor segue a ordem oculta da Grande Alma. O trabalho terapêutico documentado no presente livro mostra o que acontece quando agredimos o amor ou ignoramos o que ele requer. Mostra, ainda, que a cura sobrevém quando nossas relações íntimas são recolocadas nesta ordem. Revela como o amor inocente das crianças perpetua cegamente o que é prejudicial e como as agressões à Ordem do Amor, por membros mais antigos da família, afetam a vida dos demais, assim como as ondas provocadas por uma rocha submersa a montante de um rio vão se reproduzir bem abaixo de seu curso.

O sistema das Ordens do Amor influencia-nos do mesmo modo que o ambiente influencia uma árvore. Se esta consegue equilibrar-se entre a força da gravidade e a atração do Sol, cresce naturalmente na vertical, com os galhos igualmente distribuídos. Com essa forma, tem muita estabilidade. Se, porém, não consegue o equilíbrio, talvez por enraizar-se na parede de um penhasco, pode adaptar-se, crescendo tão verticalmente quanto o permita a conjunção de vento, solo, gravidade e Sol. Essa árvore não é pior que sua prima do vale, mais espigada, mas pode ser menos estável e alta que ela. Ambas estão sujeitas às mesmas leis da natureza, porém sofrem diferentes pressões de seu *habitat* e cada qual encontra o equilíbrio orgânico da melhor maneira possível.

Poderíamos ainda comparar as leis sistêmicas dos relacionamentos a um redemoinho: não o avistamos até que ele suga as areias do deserto e as folhas caídas, projetando-as rodopiantes no ar. Conhecemos o redemoinho apenas por seus efeitos no mundo visível. As Ordens do Amor são forças dinâmicas e articuladas que sopram e revoluteiam em nossas famílias ou relacionamentos íntimos. Percebemos a desordem que sua turbulência nos causa — como as folhas percebem o redemoinho — sob a forma de sofrimento e doença. Em contrapartida, percebemos seu fluxo harmonioso como uma sensação de estar bem no mundo.

Nem todos os sofrimentos e doenças são causados por distúrbios em nossos relacionamentos, é claro; mas, visto que podemos freqüentemente fazer alguma coisa contra as angústias que não brotam dessa turbulência sistêmica, elas são objeto de atenção especial em nosso trabalho. Quando compreendemos as leis sistêmicas que permitem a efusão do amor, capacitamo-nos a ajudar famílias e pessoas em sofrimento a encontrar soluções, e mudar seus ambientes psicológicos. É profundamente tocante observar clientes que entram em contato com as Ordens do Amor e, espontaneamente, se entregam a um íntimo e suave amor, mesmo depois de toda uma vida de ódios, rancores e agressões. Todavia, lutar apenas com as armas da vontade pode estabelecer o equilíbrio sistêmico num relacionamento, permitindo que o amor floresça. Como diz Bert Hellinger: "Penetrar as Ordens do Amor é sabedoria. Segui-las com amor é humildade."

Dado que as forças sistêmicas que regem o amor nos relacionamentos íntimos são invisíveis a olho nu — como a beleza dos anéis de Saturno ou o movimento de uma célula —, precisamos ampliar nossos poderes de percepção a fim de estudá-las. O instrumento que Bert Hellinger utiliza para tornar visível a dinâmica normalmente oculta dos sistemas de relacionamento é a constelação familiar.

Ao estabelecer uma constelação familiar, o participante escolhe outros integrantes do grupo para representar os membros de sua família, colocando-os no recinto de modo que as posições relativas de cada um reproduzam as da família verdadeira. Os representantes passam a ser modelos vivos do sistema original de relações familiares. O mais incrível é que, se a pessoa coloca a sua "família" com toda autenticidade, os representantes passam a sentir e a pensar de modo muito parecido com o dos membros verdadeiros — *sem conhecimento prévio.*

Não sabemos como é possível aos participantes da constelação sentir sintomas que lhe são alheios, e Bert Hellinger recusa-se a especular sobre o assunto: "Não estou capacitado a explicar esse fenômeno, mas ele existe e eu o utilizo." Aos céticos, custa acreditar que uma pessoa investida do papel de alguém que não conhece possa sentir na própria carne o que ele padece, aquilo de que precisa e o que pode ajudar. Há diversos exemplos desse fenômeno nas transcrições e relatórios que se seguem, mas se o leitor for um cético obstinado, não irá se convencer até ter a oportunidade de passar por isso pessoalmente. Também não compreenderá o material apresentado enquanto permanecer imune à possibilidade de que a dinâmica sistêmica oculta seja capaz de agir sobre os sentimentos dos representantes, numa constelação familiar, tal como o redemoinho agita as folhas caídas.

Terapeutas de diferentes escolas vêm usando constelações familiares há mais de três décadas, para fazer visível a dinâmica oculta que opera nos sistemas de relacionamento íntimo. Bert Hellinger não inventou o método, mas descobriu como ele pode ser estendido além da revelação de forças destrutivas. Ele mostrou que o método pode ser empregado para auxiliar pessoas a identificar o que deve ser feito e a utilizar as reações dos representantes para mudar a dinâmica familiar, de sorte a restabelecer as ordens sistêmicas ocultas do amor e permitir que ele flua livremente. Outro fato incrível: às vezes, o comportamento de membros da família que *nem sequer estiveram presentes* melhora depois que uma constelação familiar chega a bom termo.

Embora o presente livro seja um registro de fenômenos empiricamente observados,[1] vai muito além das convenções aceitas da literatura científica. A linguagem da ciência requer uma precisão que não chega a persuadir a alma, ao passo que a poesia e o conto, repletos como são de metáforas, estimulam a alma a explorar conteúdos, mas estão sujeitos a múltiplas interpretações. A pesquisa científica depura as coisas até que reste apenas um ponto de concordância, enquanto que um bom poema encerra inúmeros significados.

O amor de Hellinger pela língua; seu interesse por filosofia, narrativas e poemas; e sua capacidade de atingir os temas existenciais ocultos nas queixas diárias das pessoas dão ao livro uma imediaticidade não-científica. O estilo é vigoroso: ele deseja comover e instigar, não apenas informar. Nesse sentido, faz literatura ou filosofia prática, visando quem quer que se interesse por relacionamentos íntimos.

Bert Hellinger recusa-se também a separar a ciência e a literatura da espiritualidade. Em oposição à corrente psicoterapêutica dominante, usa livremente as palavras "alma" e "coração", mas num sentido muito específico. Para ele,

---

1. Bert Hellinger, Gunthard Weber e seus associados do Heidelberg Institute for Systemic Research estão organizando um grande arquivo de documentação em vídeo desse trabalho, ao mesmo tempo que orientam pesquisas de processo e resultado.

a alma reside na experiência; é sentida como algo real. Distingue-se da mente e do corpo, mas está à vontade entre ambos. O desejo e a saudade, por exemplo, não são apenas pensamentos, mas coisas que sentimos sob a forma de dor, golpe ou ardência. No entanto, não são idênticas às dores físicas de uma queimadura, um corte ou uma contusão. São algo de intermediário. A alma conhece estados como solidão, esperança, desejo, intimidade e lealdade. Se lhe prestarmos atenção, ela nos diz o que espera e o que ama. Este trabalho vem ensinando pessoas a distinguir, das pressões cegas do condicionamento social, preconceito religioso e ideologia política, o que a alma realmente necessita e ama.

A espiritualidade de Bert Hellinger é contígua à terra, corporificada, apaixonada, amante da vida. Abarca o cotidiano da gente comum em face de suas dores e grandezas. Mergulha-nos na vida em vez de nos erguer acima dela. Celebra o singelo e o comezinho, falando aos que lutam contra tudo o que impede a alma de concretizar seu potencial neste mundo. O livro ensina-nos a ouvir nossa própria alma e a Alma da Totalidade Suprema.

O livro nasceu quando Gunthard Weber, destacado psiquiatra e psicoterapeuta de sistemas familiares alemão, prontificou-se a gravar e editar alguns dos seminários de Bert Hellinger. Na época, pouco se publicara a respeito do trabalho de Hellinger. A idéia original de Weber era tornar o material acessível a um círculo restrito de psicoterapeutas profissionais. Mas, para surpresa de todos, a edição alemã de *Zweieerlei Glück* [Sorte Caprichosa] tornou-se um *best-seller* nacionalmente aclamado — e controvertido.

Bert Hellinger e eu começamos a preparar esta edição inglesa traduzindo o livro em alemão de Weber e, em seguida, recriamo-lo para o público em geral, processo que levou três anos. Em conseqüência de nosso diálogo, repensamos, reescrevemos e reorganizamos completamente o material. Acrescentamos também material novo, aprofundamos determinados pontos e esclarecemos ou omitimos outros. Para lembrar ao leitor que estamos tratando de pessoas reais, em relacionamentos reais, incluímos algumas transcrições de trabalho terapêutico. Tal como está, o livro é fruto de um esforço coletivo. Gunthard Weber e eu ajudamos a organizar, adaptar, elucidar e ampliar a obra de Hellinger em forma escrita, mas a articulação original é do próprio Hellinger.[2]

2. Diversas influências moldaram a obra de Hellinger na sua longa carreira, podendo o leitor identificar inúmeras técnicas e conceitos psicoterapêuticos conhecidos, alguns sob forma surpreendente. Em vez de apontá-los no texto, remetemos o leitor ao Apêndice para uma breve história da vida profissional de Hellinger, inclusive as influências principais na evolução do seu trabalho.

Há cinco tipos de material no livro.

Texto. O texto baseia-se, fundamentalmente, nas conferências de Hellinger. Nelas, sua linguagem é densa, poética, hipnótica, quase profética, pois tem a intenção de atingir mais a alma que a mente. Alguns pontos foram omitidos, mas nada se inventou. O material provém de práticas terapêuticas minhas e de Hellinger.

Contos e poemas. Todos os contos e poemas, salvo indicação contrária, são obras originais de Hellinger. O leitor reconhecerá alguns temas bem conhecidos, mas com tratamento surpreendentemente novo.

Perguntas e respostas. As perguntas e as respostas dadas por Hellinger foram extraídas de diversas fontes — seminários, grupos de terapia, conferências, entrevistas e conversas particulares, tendo sido editadas sem perder de vista a palavra escrita. Em alguns casos, cheguei a fazer perguntas cujas respostas achava necessárias por razões de clareza. Embora suas respostas não reproduzam exatamente o que ele disse durante os grupos de terapia, refletem de perto seu estilo e pensamento. Captam também o vivo intercâmbio característico de seus seminários.

Transcrições e videoteipes. São registros exatos do trabalho clínico real. Foram remanejados por questões de clareza, omitindo-se material não-pertinente; mas, na medida do possível, apresentam "o que de fato aconteceu". Como sucede a qualquer transcrição, só em parte pudemos preservar o sentido impecável de oportunidade, o calor humano, o humor e a presença de Bert Hellinger. Muitas pessoas nos disseram que os vídeos ampliaram bastante sua compreensão do material. Outras ficaram surpresas com a gentileza de Hellinger.[3] Acrescentamos perguntas e respostas relevantes, tiradas de outras fontes, ao final de algumas transcrições, o que é expressamente indicado. Utilizamos diagramas simples para dar uma idéia dos movimentos e relações espaciais dos representantes durante as constelações. Alguns leitores confessaram achar difícil acostumar-se a eles, mas os terapeutas crêem que sejam úteis para a compreensão do trabalho. São a melhor solução que encontramos. Há leitores que os passam por alto. Ao ler as transcrições, convém ter em mente que a maioria dos participantes não é de psicoterapeutas profissionais e sim de pessoas comuns ocupadas com os problemas que surgem em suas vidas.

Considerações adicionais. Algumas observações de Hellinger foram contestadas e malcompreendidas. Eu próprio registrei minhas reservas em certos pontos. Embora ele nem sempre as compartilhe, ambos esperamos que essas considerações adicionais sejam úteis ao leitor.

Na leitura do material, o leitor deve lembrar-se periodicamente de que, em *A simetria oculta do amor*, Hellinger fala do que as pessoas vivenciam nas cons-

3. Fitas de vídeo (em inglês) de Bert Hellinger em ação acham-se disponíveis em Zeig, Tucker & Co., 1935 East Aurelius, Phoenix, Arizona 85020, U.S.A.

telações familiares. Fala do que traz o profundo "sentimento íntimo" que brada: "Isso é o que me convém!" Hellinger não propõe princípios éticos que tenhamos de seguir, nem se dirige ao superego com mensagens como "você deve" ou "você não deve". Sua voz busca, na alma, um órgão de percepção diferente, um "ouvido" que possa captar a ressonância da ordem natural das coisas.

Leitores que mantêm relacionamentos não-tradicionais se perguntam até que ponto o material é importante para eles. Somos terapeutas de família e nosso trabalho se volta primordialmente para as famílias tradicionais, para os relacionamentos entre homem e mulher. Entretanto, muitos solteiros e casais sem filhos — heterossexuais ou homossexuais — se sentiram profundamente motivados pela perspectiva que oferecemos. O simples fato de existirem tantos solteiros e tantos casais sem filhos levando vidas felizes, afetuosas e significativas, prova que há ordens de amor em apoio dessas formas de relacionamento. Eles têm inúmeros problemas de relacionamento em comum com os membros de famílias tradicionais, mas também os seus próprios, que precisam resolver para liberar o amor. Não é que a pessoa precise ter uma família tradicional para ser feliz: se quiser que o amor floresça, ela tem de identificar as Ordens do Amor que o regem e amparam em sua situação particular de vida, seguindo-as com desvelo.

Hellinger estudou de preferência famílias socializadas em culturas européias. Reunimos alguns dados preliminares junto a membros das culturas asiática, islâmica e africana. É possível que, também ali, o amor obedeça às mesmas leis sistêmicas, embora variem grandemente os papéis e costumes próprios. Eis uma possibilidade intrigante que aguarda observações mais cuidadosas.

Os rios podem ser usados como metáforas para sistemas complexos e, neste livro, muitos deles fluirão ao longo de contos e casos. Quando nos sentamos à beira de um rio e permitimos que a correnteza se insinue em nosso espírito, percebemos a mudança na permanência e o eterno retorno — nuvens, chuva, rio, oceano e novamente nuvens, tudo são fases de um vasto sistema. A história que se segue foi inspirada por Bert Hellinger; dedico-a a ele em troca de tudo o que fez por nós. É também um convite ao leitor para que mergulhe e nade.

A Fonte

Um jovem sentou-se à margem de um rio e pôs-se a observar-lhe os torvelinhos e ondas. Sentindo-o penetrar suavemente em seu espírito, perguntou: "De onde virá este rio?" E se foi em busca da fonte.

Seguiu o rio até encontrar um braço mais longo que o resto. Mas, antes de poder comemorar a descoberta, começou a chover e surgiram regatos por toda parte. Procurou aqui, ali, até deparar-se com um braço que parecia mais longo que os outros. Já se felicitava quando avistou um pássaro pousado numa árvore, com o bico e a cauda a escorrer água. Estacou, voltou-se e olhou fixamente — o bico da ave estava um pouco acima da cauda. Então o jovem apressou-se a voltar para contar sua descoberta final.

Já em casa, as pessoas pediam-lhe para repetir a história de sua jornada e descoberta. Toda vez que a contava, eles se espantavam e admiravam a façanha. Com o tempo, a narrativa da aventura deixou-o tão fascinado que nunca mais voltou ao rio.

Um velho que o amava percebeu o perigo e correu em seu auxílio. Com voz clara e afetuosa, disse: "Eu gostaria de saber de onde vem a chuva."

E o jovem, em desespero: "Onde acharei uma escada para subir ao céu e contar tantas gotas de chuva? Como acompanharei as nuvens?" Afastou-se e, para esconder sua vergonha, mergulhou no rio e deixou que a corrente o arrastasse.

O velho pensou: "Aí está uma boa resposta, meu filho. Nade, sinta a corrente, deixe que o rio o leve. Ele quer voltar para casa, fluir para sua fonte."

PARTE I

A Fenomenologia dos Sistemas de Relacionamento Íntimo

Capítulo I

Culpa, Inocência e os Limites da Consciência

Aceitamos uma mentira quando não vemos pelo Olho que Nasceu numa Noite para perecer numa Noite quando a Alma Dorme em Raios de Luz.

— William Blake

Se observarmos cuidadosamente o que as pessoas fazem para ter uma consciência inocente ou culpada, perceberemos que a consciência não é o que pensamos que é. Perceberemos que:

- Uma consciência inocente ou culpada pouco tem que ver com bem e mal; as piores atrocidades e injustiças são cometidas sem peso de consciência, ao passo que nos sentimos extremamente culpados ao fazer o bem quando isso não condiz com o que os outros esperam de nós. Chamamos de consciência pessoal aquela que achamos culpada ou inocente.

- Nossa consciência pessoal tem diferentes padrões, um para cada tipo de relacionamento: um padrão para o relacionamento com o pai, outro para o relacionamento com a mãe, um para a igreja, outro para o trabalho, ou seja, um para cada grupo a que pertencemos.

- Além da consciência pessoal, estamos sujeitos também a uma consciência sistêmica. Não sentimos nem ouvimos essa consciência, mas notamos seus efeitos quando o dano passa de uma geração a outra. Esta consciência sistêmica invisível, sua dinâmica e as ordens da *Simetria oculta do amor* constituem o tema básico deste livro.

- Mas, além da consciência pessoal que sentimos e da consciência sistêmica, que opera em nós imperceptivelmente, há uma terceira, que nos guia rumo à totalidade suprema. Seguir essa terceira consciência exige grande esforço, talvez mesmo um esforço espiritual, pois ela nos afasta da obediência aos ditames de nossa família, religião, cultura e identidade pessoal. Exige, caso a amemos, que deixemos para trás tudo o que conseguimos aprender, para seguir a Consciência da Totalidade Suprema. Essa consciência é inefável e misteriosa, e não se curva às leis das consciências pessoal e sistêmica, que conhecemos mais intimamente.

A Pergunta

Conhecemos a nossa consciência como o cavalo conhece o cavaleiro que o monta ou como o timoneiro conhece as estrelas pelas quais traça o seu curso. Entretanto, muitos cavaleiros montam o cavalo — e muitos timoneiros conduzem o navio, guiando-se cada qual por uma estrela diferente. A pergunta é: quem governará os cavaleiros e que curso o capitão deve escolher?

A Resposta

Um discípulo perguntou ao mestre: "Que é liberdade?" "Mas que liberdade?", replicou o mestre. "A primeira liberdade é a estupidez. Lembra o cavalo que derruba o cavaleiro e relincha em triunfo, só para ter as correias da sela apertadas ainda mais.

A segunda liberdade é o remorso. Lembra o timoneiro que afunda com o navio depois de tê-lo arremessado contra os escolhos, em vez de salvar-se nos botes com os outros marinheiros.

A terceira liberdade é a compreensão. Ela só vem, ai de nós, depois da estupidez e do remorso! Lembra o caule que se dobra ao vento e, por dobrar-se no ponto fraco, resiste."

"E isso é tudo?", estranhou o discípulo.

Respondeu o mestre: "Muitos pensam que buscam a verdade com a sua própria alma, mas é a Grande Alma que pensa e busca neles. Como a natureza, ela aceita a variedade, mas substitui facilmente os que tentam trapacear. Aos que lhe permitem pensar e buscar neles, concede porém uma pequena liberdade, ajudando-os como o rio ajuda o nadador a alcançar a outra margem, desde que se submeta à sua corrente e se deixe levar."

CONSCIÊNCIA PESSOAL E NOSSOS SENTIMENTOS DE CULPA E INOCÊNCIA

Em todos os nossos relacionamentos, as necessidades fundamentais atuam umas sobre as outras de maneira complexa:

1. A necessidade de pertencer, isto é, de vinculação.[1]

2. A necessidade de preservar o equilíbrio entre o dar e o receber.[2]

3. A necessidade da segurança proporcionada pela convenção e previsibilidade sociais, isto é, a necessidade de ordem.

Sentimos essas três necessidades com a premência de impulsos ou reações instintivas. Elas nos subjugam a forças que nos desafiam, exigem obediência, coagem e controlam; elas limitam as nossas escolhas e nos impingem, queiramos ou não, objetivos que entram em conflito com os nossos desejos e prazeres pessoais.

Estas necessidades limitam nossos relacionamentos, mas também os tornam possíveis, pois tanto refletem quanto facilitam a necessidade humana fundamental de relacionamento íntimo com os outros. Os relacionamentos são bem-sucedidos quando conseguimos atender a essas necessidades e equilibrá-las; mas passam a ser problemáticos e destrutivos quando não o conseguimos. A cada ato que praticamos que afeta os outros, sentimo-nos culpados ou inocentes. Assim como o olho distingue continuamente a luz das trevas, um órgão interno discrimina a cada passo o que convém ou não convém aos nossos relacionamentos.

Quando o que fazemos ameaça ou prejudica os nossos relacionamentos, sentimo-nos *culpados*; mas, quando os beneficia, sentimo-nos livres de culpa, ou *inocentes*. Chamamos de *consciência pessoal* nossa experiência de culpa ou inocência, isto é, o que beneficia ou prejudica relacionamentos. Portanto, os sentimentos de culpa e inocência são, basicamente, fenômenos sociais que nem sempre nos impelem para valores morais superiores. Ao contrário, ligando-nos firmemente aos grupos necessários à nossa sobrevivência, *os sentimentos de culpa e inocência muitas vezes nos cegam para o bem e o mal.*

---

1. Konrad Lorenz descreveu o fenômeno do condicionamento entre os animais. John Bowlby e seus alunos descreveram a vinculação que ocorre entre a mãe e as crianças. Bert Hellinger reconheceu a importância da vinculação entre parceiros sexuais, que os amarra, independentemente do amor que podem sentir um pelo outro. Apesar de que a vinculação referida aqui é primeiramente uma vinculação social que liga um indivíduo ao seu grupo de referência.

2. A importância do equilíbrio entre o dar e o receber na dinâmica familiar, bem como dos laços ocultos e lealdades que atuam nos sistemas familiares, foi salientada por Ivan Boszormenyi-Nagy.

NECESSIDADES DIFERENTES EXIGEM COMPORTAMENTOS DIFERENTES

A necessidade de pertinência, o equilíbrio entre o dar e o receber e a convenção social trabalham juntos para preservar os grupos sociais a que pertencemos. Contudo, cada necessidade persegue seu próprio objetivo com seus sentimentos particulares de culpa e inocência, de sorte que sentimos a culpa ou a inocência de modo diverso, de acordo com a necessidade e o objetivo em mira.

- A culpa é sentida como exclusão e alienação quando nossa pertinência é ameaçada. Quando nada a ameaça, sentimos a inocência como inclusão e proximidade.

- A culpa é sentida como dívida e obrigação quando se rompe o equilíbrio entre o dar e o receber. Quando ele é mantido, sentimos a inocência como crédito e liberdade.

- A culpa é sentida como transgressão e medo de conseqüências ou castigos quando nos desviamos da ordem social. Sentimos a inocência perante a ordem social como consciência e lealdade.

A consciência exige, no atendimento a uma necessidade, o que ela proíbe no atendimento a outra e pode permitir-nos, no serviço de uns, o que ela nos proíbe no serviço de outros. Por exemplo:

Amor e Ordem

Certa mãe mandou o filho brincar sozinho durante uma hora, pois ele infringira uma norma familiar. Se o tivesse trancado no quarto, a necessidade de ordem social teria sido atendida; mas o menino, com toda razão, se sentiria sozinho porque o amor e a ligação teriam sido negligenciados. Por isso a mãe, como tantos outros pais, liberou-o de parte do castigo. Embora não obedecesse completamente às exigências da ordem social e fosse culpada por isso, ela serviu ao amor com inocência.

A consciência atende a essas necessidades mesmo quando elas se contrapõem. Nesse caso, sentimos os conflitos entre elas como conflitos de consciência. Quem visa à inocência em uma necessidade visa ao mesmo tempo à culpa em outra; quem aluga um quarto na casa da inocência logo descobre que foi morar também na casa da culpa. Não importa quanto nos esforcemos para seguir nossa consciência, sempre sentimos culpa *e* inocência — inocência com respeito a uma necessidade, culpa com respeito a outra. Inocência sem culpa é uma ilusão.

Como a Consciência Defende a Vinculação

Agindo em prol da necessidade de pertinência, a consciência nos liga às pessoas e grupos necessários à nossa sobrevivência, independentemente das condições que estabelece para essa pertinência. Embora o carvalho não escolha o chão em que vai crescer, seu ambiente o afeta e ele se desenvolve diferentemente em campo aberto, numa floresta densa, num vale protegido ou num monte exposto aos ventos. Do mesmo modo, as crianças se adaptam sem questionamento aos grupos dentro dos quais nascem, e apegam-se a eles com uma tenacidade que lembra o condicionamento. As crianças sentem sua ligação com a família sob a forma de amor e boa sorte, não importa se essa família as alimente ou as negligencie; para elas, os valores e hábitos familiares são bons, pouco importando as crenças e atos dessa família.

No serviço da pertinência, a consciência reage a tudo o que estreite ou ameace nossos vínculos. Ela é inocente quando agimos de modo a assegurar a integração, e culpada quando, depois de nos afastarmos das normas do grupo, temos medo de que o nosso direito a pertencer a ele esteja ameaçado ou anulado. Como a maçã amarrada à ponta de uma vara bem diante do focinho do cavalo e o chicote na mão do condutor, culpa e inocência têm o mesmo objetivo. Puxam-nos e empurram-nos na mesma direção, preservando ciosamente nossos laços com a família e a comunidade.

A consciência que defende a nossa vinculação não se sobrepõe às falsas crenças e superstições dos grupos a que pertencemos, guiando-nos rumo a uma verdade superior. Ao contrário, favorece e conserva essas crenças, tornando difícil para nós perceber, conhecer e recordar o que ela proíbe. O vínculo e a pertinência, tão necessários à nossa sobrevivência e bem-estar, preceituam também o que devemos perceber, crer e conhecer.

Negação Consciente do Óbvio

Um médico contou a um grupo que sua irmã telefonou-lhe certa manhã pedindo que fosse vê-la, pois não se sentia bem e desejava sua opinião profissional. Ele o fez, e ambos ficaram conversando por uma hora sem chegar a nenhuma conclusão. Ele recomendou que ela consultasse um ginecologista. A mulher seguiu a recomendação e, no mesmo dia, deu à luz um filho saudável.

O médico não notara que a irmã estava grávida e ela própria não o sabia, embora também fosse médica. Naquela família, as crianças não podiam ouvir falar em gravidez e nem todos os seus estudos médicos foram capazes de remover o bloqueio da percepção.

Um Padrão Diferente para Cada Grupo

Os *únicos* critérios utilizados pela consciência a serviço da vinculação são os valores do grupo a que pertencemos. Por isso, as pessoas oriundas de grupos diferentes possuem valores diferentes, e as pessoas que pertencem a diversos grupos agem de modo diferente em cada um deles. Quando o nosso contexto social muda, a consciência altera as suas cores como o camaleão, para nos proteger nas novas circunstâncias. Temos uma consciência para a nossa mãe, outra para o nosso pai; uma para a família, outra para o trabalho; uma para a igreja, outra para uma noitada. Em cada situação, a consciência se esforça para defender a nossa pertinência, protegendo-nos do abandono e da perda. Ela nos mantém no grupo como o cão pastor mantém as ovelhas no rebanho, ladrando e mordendo-nos os calcanhares até que nos reunamos aos demais.

Entretanto, o que nos deixa inocentes num relacionamento pode fazer-nos extremamente culpados em outro. Num grupo de ladrões, os membros precisam roubar, o que fazem em plena consciência. Em outro grupo, o roubo é proibido. Nos dois casos, os membros experimentam as mesmas sensações de culpa e inocência como castigo por violar as condições de integridade grupal.

O que beneficia um relacionamento pode prejudicar outro. A sexualidade, por exemplo, preenche um relacionamento e viola outro. Mas o que sucede quando os vínculos de um relacionamento colidem com os de outro? Quando o que nos torna culpados no primeiro relacionamento é exigido pelo segundo? Nesse caso, estamos diante de diferentes juízes pela mesma causa: um pode considerar-nos culpados, o outro, inocentes.

A Dependência Fortalece a Vinculação

A consciência liga-nos mais estreitamente ao grupo quando estamos mais impotentes e vulneráveis. À medida que conquistamos poder e independência, a vinculação e a consciência se afrouxam; mas, se permanecemos fracos e dependentes, permanecemos também submissos e leais. Nas famílias, as crianças ocupam essa posição; nas empresas, os funcionários do escalão inferior; em um exército, os recrutas; na igreja, o corpo de fiéis. Para o bem dos poderosos do grupo, todos arriscam conscientemente a saúde, a felicidade e a própria vida, fazendo-se culpados — mesmo quando seus líderes, em nome dos chamados "objetivos superiores", abusam deles inescrupulosamente. São os mansos que estendem o pescoço aos agressivos, os carrascos que fazem o serviço sujo, os heróis anônimos que permanecem no posto até o fim, os carneiros que seguem confiantemente o pastor ao matadouro, os inocentes que pagam pelos pecadores. São as crianças que brigam por causa dos pais e parentes, executam o que não planejaram, são castigadas pelo que não fizeram e assumem responsabilidades que não criaram.

Falta de Espaço

Um velho, percebendo que o fim se aproximava, procurou um amigo que o ajudasse a encontrar a paz. Quando jovem, repreendera moderadamente seu filho e este se enforcara na mesma noite. A reação do menino não estava em proporção com a censura paterna, mas o homem jamais se livrou do peso enorme da culpa e da perda.

Conversando com o amigo, lembrou-se subitamente de algumas palavras que trocara com o menino poucos dias antes do suicídio. Sua esposa comunicara, durante o jantar, que iria ter outro filho. O menino, de modo um tanto intempestivo, bradara: "Céus, não temos espaço suficiente!"

Evocando essa conversa, o velho situou sua tragédia num contexto mais amplo. O menino se enforcara para assumir parte do ônus da pobreza dos pais e para abrir espaço para a criança que estava a caminho — não como reação a uma censura leve. O velho, percebendo que também o filho havia amado, compreendeu tudo. E disse: "Finalmente encontrei a paz, como se estivesse sentado à beira de um lago da montanha."

A Pertinência Exige a Exclusão Dos Que São Diferentes

Se a consciência, agindo a serviço da pertinência, liga-nos uns aos outros no grupo, também nos leva a excluir os que são diferentes e a negar-lhes o direito de participação que reclamamos para nós. Então, tornamo-nos uma ameaça para eles. A consciência que defende a nossa pertinência induz-nos a fazer com essas pessoas diferentes o que tememos como a pior conseqüência da culpa: nós os excluímos. Mas, assim como os tratamos mal em sã consciência, eles nos maltratam em nome da consciência de seus grupos. A consciência que protege a pertinência inibe o mal no interior do grupo, mas suspende essa inibição com respeito aos estranhos. Fazemos-lhes, então, *em sã consciência*, o que a consciência nos impede de fazer aos membros de nosso próprio grupo. No quadro dos conflitos religiosos, raciais e nacionais, a suspensão das inibições que a consciência impõe ao mal, dentro do grupo, permite que os membros desse grupo cometam, em sã consciência, atrocidades e crimes contra quem pertença a grupos diferentes.

Portanto, *inocência e culpa não são a mesma coisa que bem e mal.* Perpetramos ações destrutivas e más em plena consciência quando elas favorecem os grupos necessários à nossa sobrevivência, e empreendemos ação construtiva com a consciência pesada quando ela ameaça a nossa participação nesses mesmos grupos.

Considerações Adicionais

O testemunho de ex-membros da polícia secreta sul-africana perante a Comissão pela Verdade e Reconciliação chamou a atenção do mundo e constitui excelente exemplo do fenômeno que examinamos aqui. A decisão do governo Nelson Mandela de garantir anistia aos ex-policiais que desejassem testemunhar publicamente a respeito de suas antigas atividades, criou uma atmosfera em que o efeito da percepção do bem e do mal, oriunda da participação em grupos sociais, fica bastante claro. No contexto de sua integração na polícia secreta, durante a vigência do *apartheid*, eles torturaram e assassinaram, supondo estar fazendo o bem, em defesa da nação ameaçada. Agora, num contexto político diferente, com a anistia garantida, vêem sob outro ângulo essas atividades, revelando profundo e genuíno remorso. [H. B.]

As Aparências de Culpa e Inocência Podem Ser Enganosas

A culpa e a inocência mudam freqüentemente de aspecto, de modo que a inocência pareça culpa e a culpa, inocência. As aparências enganam, e só pelos resultados conhecemos a verdade.

Os Jogadores

Eles se declararam
Adversários.
Face a face,
Disputaram
Num tabuleiro comum
Com diversas figuras
E regras complicadas,
Movimento a movimento,
O antigo Jogo dos Reis.

Cada qual sacrifica
Diversas peças
Em suas jogadas
E busca a vantagem
Até que não haja mais movimentos a fazer
E o jogo termine.

Em seguida, mudando de lado
E de cores,
Iniciam outra rodada
Do mesmo Jogo dos Reis.

Mas quem joga o bastante,
Muitas vezes ganhando,
Outras perdendo,
Torna-se um mestre

— Dos dois lados.

Assim como as aparências da culpa e da inocência podem enganar, a consciência do grupo aos poucos vai moldando a experiência de mundo das crianças. Ela colore, com as crenças da família, sua percepção do que *é*.

O Aprendizado do Bem

Uma criança vai ao quintal e se surpreende com a mudança que vê. A mãe diz: "Olhe como é bonito!" Agora a criança tem de prestar atenção a palavras; o olhar e o ouvir são interrompidos, sua ligação direta com o que existe cede lugar a juízos de valor. A criança já não pode confiar na sua própria experiência de fascínio ante o que é, mas deve obedecer a uma autoridade exterior que define o que é belo e bom.

A consciência torna-se o grande engodo, colocando sentimentos de culpa e inocência no lugar do conhecimento do bem e do mal. O bem que traz a reconciliação tem de superar as falsas aparências criadas pelas nossas ligações com diversos grupos. A consciência fala; o mundo *é*.

CONSCIÊNCIA E EQUILÍBRIO ENTRE O DAR E O RECEBER

Nossos relacionamentos, bem como nossas experiências de culpa e inocência, começam com o dar e o receber. Nós nos sentimos credores quando damos e devedores quando recebemos. O equilíbrio entre crédito e débito é a segunda dinâmica fundamental de culpa e inocência nos relacionamentos. Favorece todos os relacionamentos, pois tanto o que dá quanto o que recebe conhecem a paz se o dar e o receber forem iguais.

Um Presente de Amor

Um missionário, na África, foi transferido para outra área. Na manhã em que ia partir, recebeu a visita de um homem que caminhara várias horas para dar-lhe uma pequena quantia de dinheiro como presente de despedida. A quantia montava a cerca de 30 cents. Era claro, para o missionário, que o homem queria agradecer-lhe porque, estando doente, o missionário cuidara dele e o fora visitar muitas vezes. Compreendeu que 30 cents eram uma grande quantia para o pobre-homem. Sentiu-se tentado a devolver o dinheiro e, mesmo, a acrescentar-lhe um pouco mais; todavia, depois de refletir, aceitou o presente e agradeceu ao homem. Fora dado com amor e com amor devia ser recebido.

Quando aceitamos alguma coisa de alguém, perdemos a inocência e a liberdade. Quando recebemos, ficamos em débito e devedores para com o doador. Sentimos essa obrigação como desconforto e pressão, e tentamos nos aliviar dando algo em troca. De fato, não podemos aceitar nada sem sentir a necessidade de retribuir. O ganho é uma espécie de culpa.

A inocência a serviço dessa troca torna-se manifesta sob a forma de uma agradável sensação de crédito que sobrevém quando damos em troca um pouco mais do que recebemos. Sentimo-nos inocentemente desobrigados e aligeirados quando, tendo tomado tudo o que podia satisfazer por inteiro às nossas necessidades, retribuímos plenamente.

As pessoas adotam três padrões típicos para alcançar e preservar, em seus relacionamentos, a inocência nas trocas: abstinência, prestimosidade e troca total.

Abstinência

Algumas pessoas se agarram à ilusão de inocência minimizando sua participação na vida. Em vez de aceitar integralmente aquilo de que necessitam e se sentir obrigadas, elas se fecham, fugindo da necessidade e da vida. Sentem-se livres da necessidade e da obrigação e, por não sentirem necessidades, não precisam aceitar nada. Entretanto, apesar de se julgarem inocentes e desobrigadas, a inocência delas é a do observador distanciado. Não sujam as mãos, por isso se consideram superiores ou especiais. Seu gozo na vida, porém, é limitado pela estreiteza de seu envolvimento e elas se sentem, conseqüentemente, vazias e insatisfeitas.

Semelhante atitude pode ser notada em muitas pessoas que sofrem de depressão. Sua recusa em aceitar o que a vida oferece desenvolve-se primeiro no relacionamento com um dos pais, ou com ambos, e mais tarde transfere-se para outros relacionamentos e para as boas coisas do mundo. Algumas justificam a recusa queixando-se de que o que receberam não foi o bastante ou não lhes convinha. Outras apontam os erros e limitações do doador, mas o resultado é o mesmo — continuam passivas e vazias. Por exemplo, quem rejeita ou julga seus pais — independentemente do que possam ter feito — costuma sentir-se incompleto e perdido.

Vemos o contrário nas pessoas que conseguiram aceitar os pais como são, nada recusando deles. Elas experimentam essa aceitação como um fluxo contínuo de energia e alimento que lhes permite tecer outros relacionamentos em que também possam dar e receber — mesmo que seus pais as hajam tratado muito mal.

Prestimosidade

Há pessoas que tentam preservar a inocência negando suas necessidades, mesmo depois de receber o suficiente para se sentirem obrigadas. Dar antes de receber propicia uma sensação fugaz de crédito que desaparece quando aceitamos aquilo de que temos necessidade. Quem prefere conservar a sensação de crédito, em vez de deixar que os outros o presenteiem livremente, na verdade está dizendo: "É melhor você ficar devendo para mim do que eu para você." Muitos idealistas assumem essa postura, amplamente conhecida como "síndrome do prestimoso".

Essa luta egoísta para a libertação da necessidade é visceralmente hostil aos relacionamentos. Aquele que só deseja dar sem receber apega-se a uma ilusão de superioridade, rejeita o prêmio da vida e nega igualdade ao parceiro. Outros nada querem de quem se recusa a receber, tornam-se ressentidos e se afastam. Por isso, os prestimosos crônicos costumam ser solitários e até amargurados.

Troca Total

O terceiro e mais belo caminho para a inocência no dar e receber é o contentamento que se segue a uma troca total, quando damos e recebemos plenamente. Essa troca é o cerne dos relacionamentos: o doador recebe, o recebedor dá. Ambos são doadores e recebedores ao mesmo tempo.

Para a inocência, não importa apenas o equilíbrio entre o dar e o receber, mas também o seu volume. Um volume pequeno de doações e recebimentos traz pouco proveito; um volume grande nos torna ricos. O dar e receber em larga escala traz consigo um sentimento de abundância e felicidade.

Aumento de Volume

O marido ama a esposa e quer dar-lhe um presente. Por amá-lo também, ela o aceita de bom grado e, em conseqüência, sente necessidade de retribuir. Obedecendo a essa necessidade, presenteia por sua vez o marido e, para ficar em terreno seguro, dá um pouco mais do que recebeu. E porque deu com amor, ele aceita a oferta e, em troca, dá-lhe mais ainda. Dessa forma, a consciência mantém um equilíbrio dinâmico e o relacionamento amoroso do casal se intensifica com o volume crescente do dar e receber.

Semelhante alegria não cai do céu, mas é resultado da vontade de incrementar o amor pelo dar e receber nos relacionamentos íntimos. Graças a esse intercâmbio em larga escala, sentimo-nos leves e livres, justos e contentes. Entre todas as formas de alcançar inocência nas trocas, esta é de longe a mais satisfatória.

O Equilíbrio Entre o Dar e o Receber Quando a Reciprocidade É Impossível

Em certos relacionamentos, a discrepância entre doador e recebedor é insuperável; entre pais e filhos ou entre professores e alunos, por exemplo. Pais e professores são, basicamente, doadores; filhos e alunos, recebedores. É claro, os pais recebem algo dos filhos; e os professores, dos alunos. Isso, no entanto, apenas reduz a discrepância sem anulá-la. Em todas as situações nas quais o equilíbrio não pode ser alcançado pela doação recíproca, esse equilíbrio, junto com o contentamento, deve ser buscado por outros meios.

Os pais já foram filhos, os professores já foram alunos. Eles encontram o equilíbrio entre o dar e o receber quando passam à próxima geração o que ganharam da anterior. Os filhos e os alunos devem fazer o mesmo.

Börries von Münchhausen descreve isso, com muita beleza, no poema seguinte:

A Bola de Ouro

Pelo amor que meu pai me deu,
Nada dei.
Em criança, eu não soube avaliar o presente.
Homem feito, fiz-me duro como um homem.
Meu filho vai se tornando adulto, amado com desvelo
Como nenhum outro, sempre no coração do pai.
Dou o que outrora recebi àquele
De quem eu não descendo e nada recebo em troca.

Quando ele se tornar homem e pensar como homem,
Seguirá, como eu, o seu próprio caminho.
Vê-lo-ei, sem nenhuma inveja,
Transmitir ao filho o amor que lhe entreguei.
Meu olhar segue o jogo da vida
Até as profundezas do tempo:
Cada qual arremessa, sorridente, a bola de ouro
E ninguém a devolve às mãos daquele
De quem ela partiu.

O que é conveniente entre pais e filhos ou professores e alunos pode também ser aplicado quando o equilíbrio entre o dar e o receber não é atingido pela retribuição ou a troca total. Em todas essas situações — por exemplo, pessoas sem filhos —, conseguimos nos livrar da obrigação dando a outros o que recebemos.

Demonstração de Gratidão

Expressar gratidão autêntica é outra maneira de as pessoas que dão mais do que recebem alcançarem o equilíbrio entre as duas ações. Não devemos abusar da demonstração de gratidão para evitar dar outras coisas quando isso for possível e apropriado; mas, às vezes, é a única resposta conveniente: no caso, por exemplo, de deficientes físicos, doentes graves, moribundos e até amantes.

Nessas situações, além da necessidade de equilíbrio, um amor elementar entra em ação para unir os membros de um sistema social e mantê-los assim como a gravidade mantém os planetas e as estrelas. Esse amor acompanha o dar e o receber e se manifesta sob a forma de gratidão.

Quem sente a verdadeira gratidão afirma: "Você me presenteia sem pensar em retribuição e eu aceito o seu presente com amor." O alvo dessa gratidão, por sua vez, afirma: "Seu amor e sua valorização do meu presente valem mais para mim do que qualquer outra coisa que você pudesse me dar."

Pela gratidão, afirmamos não apenas o que damos uns aos outros, mas o que somos uns para os outros.

Gratidão Digna de Deus

Certa vez, um homem achou que tinha um grande débito para com Deus, pois fora salvo de um grave perigo. Perguntou a um amigo o que poderia fazer para expressar sua gratidão de um modo digno de Deus. O amigo contou-lhe a seguinte história:

Um rapaz amava uma moça de todo o coração e pediu-a em casamento. Ela recusou o pedido, alegando outros planos. Um dia, quando ambos cruzavam a rua, a moça teria sido atropelada por um carro se o rapaz não a puxasse. Ela se virou então para ele e declarou: "Agora podemos nos casar!"

"Como acha que o rapaz se sentiu?", perguntou o amigo. O homem fez uma careta e nada respondeu. "Aí está", prosseguiu o amigo, "talvez Deus sinta o mesmo em relação a você".

Somos propensos a sentir, como ameaça, uma boa sorte imerecida; surge a ansiedade e o receio de que a nossa felicidade vá despertar a inveja dos outros ou provocar o destino. Todos tendemos a pensar que a ventura quebra um tabu e nos torna culpados — como se, por sermos felizes, corrêssemos um risco. A gratidão autêntica minimiza essa ansiedade. No entanto, aceitar a felicidade em presença da desgraça alheia exige humildade e coragem.

De Volta da Guerra

Amigos de infância foram mandados para a guerra, onde correram perigos indescritíveis. Embora muitos morressem ou ficassem feridos, dois voltaram ilesos para casa.

O primeiro se tornou uma pessoa bastante calma, em paz consigo mesma. Reconheceu que havia sido salvo pelo capricho do destino e passou a aceitar a vida como um presente, um ato de graça.

O segundo contraiu o hábito de embriagar-se com outros veteranos e remoer o passado. Gostava de gabar suas façanhas heróicas e os perigos de que se safara. Parecia que toda a experiência fora inútil para ele.

O Dar e o Receber Governam e São Governados pelo Amor

O dar e o receber, nos relacionamentos íntimos, são regulados por uma necessidade mútua de equilíbrio. Entretanto, nenhuma troca significativa ocorre entre parceiros que se recusam a passar por desequilíbrios periódicos. É como andar — permanecemos de pé quando mantemos o equilíbrio estático, mas caímos e ficamos estirados no chão quando nos falta completamente a mobilidade. Se perdemos e recuperamos ritmadamente o equilíbrio, movemo-nos para diante. Logo que se alcança o equilíbrio, o relacionamento pode ser completado ou renovado, alimentando-se de novas trocas.

Nos relacionamentos íntimos, os parceiros são iguais — embora diferentes — no intercâmbio, e seu amor predomina e persiste quando o dar e o receber se equilibram negativamente tanto quanto positivamente. O intercâmbio cessa uma vez alcançado o equilíbrio estático. Se um recebe sem dar, o outro logo perde o desejo de dar mais. Se um dá sem receber, o outro logo perde o desejo de receber mais. As parcerias também se rompem quando um dá mais do que o outro pode ou quer retribuir. O amor limita o dar segundo a capacidade de receber, assim como limita o receber segundo a capacidade de dar. Isso significa que a necessidade de equilíbrio entre o dar e o receber limita ao mesmo tempo o amor e a parceria. Portanto, a necessidade de equilíbrio governa e limita o amor.

Todavia, o amor também governa o equilíbrio. Quando um parceiro faz algo que molesta o outro, a pessoa ferida deve replicar com uma ação que cause dor e dificuldades parecidas a fim de preservar o equilíbrio entre o dar e o receber — mas de um modo que não destrua o amor. Quando a pessoa ferida se sente demasiadamente superior para replicar segundo as exigências do amor, o equilíbrio torna-se impossível e o relacionamento é ameaçado. Por exemplo, uma das grandes dificuldades dos casais é o caso extraconjugal. Não se consegue a reconciliação após um caso desses se um dos parceiros teima em cultivar a inocência, polarizando inocência e culpa.

Por um lado, se o parceiro ferido quiser fazer-se igualmente culpado, devolvendo parte do dano, será possível ao casal retomar o relacionamento. Mas se amar o outro e desejar que o relacionamento persista, o dano devolvido não poderá ser exatamente o mesmo dano sofrido, pois então não permanecerá nenhuma desigualdade capaz de ligá-los. Nem poderá ser maior, porque o primeiro infrator se sentirá ofendido e se achará com direito a retaliar — o ciclo, então, não terá fim. O dano devolvido tem de ser um pouco menor que o sofrido. Desse modo, o amor e a justiça recebem seu quinhão, podendo o intercâmbio ser retomado e continuado. Portanto, o amor governa o equilíbrio.

Algumas pessoas acham incômodo reconhecer que, em tais situações, a reconciliação que permite ao amor fluir abundantemente não é possível a menos que o inocente se torne culpado por exigir justa compensação. Todavia, assim como conhecemos a árvore pelos frutos, basta-nos comparar os casais que recorrem a uma e outra abordagem para reconhecer o que realmente é melhor ou pior para a intimidade e o amor.

A Saída

Um homem contou ao amigo que sua mulher estava ressentida havia vinte anos. Disse que, poucos dias depois do casamento, os pais dele lhe pediram para acompanhá-los numa viagem de férias de seis semanas, pois precisavam que dirigisse o seu novo carro. Ele o fez, deixando a esposa em casa. Todas as suas tentativas para explicar esse comportamento e desculpar-se foram em vão.

O amigo sugeriu: "Peça-lhe que escolha ou faça alguma coisa para si mesma na proporção do dano que você lhe causou."

O rosto do homem se iluminou e ele descobriu a chave de seu problema.

Sucede às vezes que ambos os parceiros causem danos crescentes um ao outro, como se aquilo que prejudica o amor pudesse ser bom. Então seu intercâmbio negativo aumenta, ligando-os estreitamente em sua infelicidade. Eles preservam o equilíbrio no dar e receber, mas não no amor. Podemos determinar a qualidade de um relacionamento pelo volume da troca e, também, examinando se esse equilíbrio é usualmente alcançado no bem ou no mal. Isso mostra ainda como será possível restaurar uma parceria enfraquecida e torná-la satisfatória; os parceiros passam da troca no mal para a troca no bem e aumentam-na com o amor.

Falso Desamparo

Quando alguém é ofendido, sente-se desamparado. Quanto maior o desamparo da vítima, mais severamente julgamos o ofensor. No entanto, é raro que os parceiros ofendidos permaneçam completamente indefesos, uma vez passado o choque. Muitas vezes eles têm diversas opções de ação, para romper o relacionamento, se as ofensas foram demasiado graves, ou exigir reparação — e, assim fazendo, calar a culpa e possibilitar um recomeço.

Quando as vítimas não se valem da possibilidade de agir, outros agem por elas, mas com uma diferença: o dano e a injustiça que acabam provocando costumam ser piores do que se as vítimas agissem por si mesmas. Nos sistemas de relacionamento humano, os ressentimentos reprimidos demoram a vir à tona naqueles que se mostraram menos capazes de defender-se; o mais das vezes, são os filhos e netos que experimentam cóleras antigas como se fossem as suas próprias.

Falso Mártir

Um casal maduro compareceu a um seminário. Após a primeira sessão, a mulher entrou no carro e foi embora, reaparecendo no dia seguinte, bem a tempo de participar do grupo. Plantou-se diante do marido e anunciou, na presença de todos e com a maior insolência, que acabara de encontrar-se com o amante.

Na presença de outros membros do grupo, ela se mostrava tão gentil quanto o marido: atenta, simpática, sensível. Mas, presente o marido, era tão grosseira para com ele quanto agradável para com os demais. Ninguém sabia o que estava acontecendo, mesmo porque o homem não se defendia.

Ora, em criança, essa mulher viajava com a mãe e os irmãos para o campo durante as férias de verão, enquanto o pai permanecia na cidade com a amante. Pai e amante iam visitá-los de vez em quando, e a mãe os recebia amigavelmente, como se nada houvesse de errado. Por dentro, no entanto, estava furiosa. Reprimia a dor e a raiva, mas, mesmo assim, as crianças percebiam tudo.

Somos tentados a considerar recomendável o comportamento da mãe, mas tratava-se de falsa inocência, e seu efeito foi arrasador. A filha vingou a injustiça cometida contra a mãe castigando o próprio marido pelos erros do pai. Mas demonstrou amor pelo pai ao agir exatamente como ele agira: prejudicou seu marido assim como o pai prejudicara sua mãe. Melhor seria que a mãe tivesse reagido a seu marido com raiva. Ele teria então de tomar uma decisão e ambos chegariam a um acordo ou se separariam.

Sempre que o inocente continua a sofrer, mesmo havendo uma possibilidade de ação adequada, logo surgem mais vítimas inocentes e agressores culpados. É ilusão supor que evitamos a participação no mal pelo apego à inocência, em vez de fazer o possível para enfrentar esse mal — ainda que nós próprios o cometamos. Se um dos parceiros insiste no monopólio da inocência, não há fim para a culpa do outro e o amor fenece. Os que ignoram o mal ou a ele se curvam passivamente não conseguem preservar a inocência e, ao mesmo tempo, semeiam a injustiça. O amor exige que tenhamos a coragem de nos tornarmos convenientemente culpados.

Perdão Prematuro

De igual modo, o perdão prematuro impede o diálogo construtivo quando oculta ou adia o conflito, deixando que as conseqüências sejam enfrentadas por outros membros da família. Isso é especialmente destrutivo quando o ofendido procura livrar o ofensor da culpa, como se as vítimas tivessem semelhante autoridade. Caso se queira a reconciliação, o ofendido tem não só o direito, mas o dever de exigir reparação. E o ofensor tem não só o dever, mas o direito de arcar com as conseqüências de seus atos.

Segunda Vez

Um homem e uma mulher, casados com outros parceiros, apaixonaram-se. Quando a mulher engravidou, separaram-se dos respectivos parceiros e se casaram. A mulher não tivera filhos antes. O homem tinha uma filha de seu primeiro casamento, que deixou com a mãe. O homem e a nova esposa sentiram-se culpados em relação à primeira esposa dele e sonhavam com o seu perdão. Ela, de fato, estava muito ressentida com os dois, pois pagava juntamente com a filha o preço da felicidade do casal.

Quando confessaram a um amigo o desejo de ser perdoados, ele lhes pediu para imaginar o que sucederia se esse desejo fosse satisfeito. Perceberam então que haviam evitado o peso total de sua culpa e que sua ânsia de perdão não fazia justiça à dignidade e às necessidades da ex-esposa. Decidiram admitir, perante ela e a filha, que de fato tinham exigido um grande sacrifício por sua própria felicidade e que estavam dispostos a atender às justas exigências das duas pessoas lesadas. Foi essa a decisão que tomaram.

O amor é mais bem servido quando as exigências da vítima são justas.

Perdão e Reconciliação

O perdão realmente eficaz preserva tanto a dignidade do culpado quanto a da vítima. Ele requer que as vítimas não exagerem nos pedidos de reparação e aceitem uma indenização justa da parte do ofensor. Sem o perdão que reconhece o remorso genuíno e aceita a indenização adequada, não há reconciliação possível.

Uma Experiência "Hum"

Uma mulher divorciou-se do marido para ficar com o amante. Anos depois, começou a lamentar sua decisão. Percebeu que ainda amava o ex-marido e quis desposá-lo novamente, tanto mais que ele permanecia solteiro. Comunicou-lhe seus sentimentos, mas não obteve nenhuma resposta conclusiva. O ex-marido, entretanto, concordou em discutir o assunto com um conselheiro matrimonial. Este lhe perguntou o que esperava obter do encontro. Ele sorriu meio a contragosto e respondeu: "Uma... hum!... experiência!"

O conselheiro perguntou então à mulher o que tinha a oferecer que pudesse induzir o ex-marido a viver com ela de novo. Respondeu que realmente ainda não pensara nisso e nada disse de positivo. O homem, é claro, continuava cauteloso e distante.

O conselheiro sugeriu que, antes de tudo, ela reconhecesse o mal causado ao ex-marido e lhe desse motivos para acreditar que poderia repará-lo. A mulher pensou um pouco, depois encarou o ex-marido e disse, com grande convicção: "Lamento muito o mal que lhe causei. Quero ser sua esposa outra vez; vou amá-lo, fazê-lo feliz e fazer com que confie em mim."

O homem continuava distante. O conselheiro disse-lhe: "Você deve ter ficado muito ferido para arriscar-se novamente." O homem tinha lágrimas nos olhos; o conselheiro prosseguiu: "Uma pessoa como você, uma vez ferida, costuma sentir-se superior e reivindica o direito de rejeitar a outra." E concluiu: "Contra tamanha inocência, um culpado não tem nenhuma chance." O homem voltou-se sorrindo para a ex-esposa.

"Aí está a sua experiência 'hum' ", disse o conselheiro. "Pague meus honorários e faça o que quiser com o seu 'hum'. Não quero nem saber."

Quando Devemos Ferir

Quando as ações de um parceiro, num relacionamento íntimo, resultam em separação, tendemos a acreditar que ele fez uma escolha livre e independente. Mas sucede às vezes que, se esse parceiro não agisse, sofreria algum dano. Os papéis então se inverteriam, com a culpa e as conseqüências mudando de lado. Talvez a separação fosse necessária porque a alma exigia mais espaço para crescer e quem partiu já estivesse sofrendo. Em diversas situações, o sofrimento é inevitável. Nossas escolhas ficam limitadas a atos que façam brotar algo de construtivo da dor inevitável que devemos sofrer ou infligir. Não raro, o parceiro permanece numa situação dolorosa até padecer o bastante para compensar o sofrimento que sua partida causará ao outro.

Quando parceiros se separam, nem sempre o que parte é o único a ter novas oportunidades. O que fica também pode recomeçar. Mas aquele que se apega ao sofrimento e repele as possibilidades construtivas oferecidas pela separação torna difícil, para o parceiro que se foi, iniciar vida nova. Ficam então firmemente ligados um ao outro, apesar da separação.

Por outro lado, se aquele que partiu acolhe a oportunidade de fazer algo melhor, propicia também ao que ficou liberdade e alívio. Tirar alguma coisa realmente boa da desgraça é, talvez, a forma mais edificante de perdoar, pois, nesses casos, reconcilia mesmo quando a separação persiste.

Aceitação do Destino

As pessoas costumam sentir-se culpadas quando obtêm vantagem à custa de outrem — mesmo que nada possam fazer para impedi-lo ou alterá-lo. Eis dois exemplos.

Minha Vantagem à Sua Custa

A mãe morreu ao dar à luz. Ninguém pensou em incriminar a criança por essa morte, mas a certeza de sua inocência não calou nela o sentimento de culpa. Uma vez que o destino atara seu nascimento à morte da mãe, a pressão da culpa continuou inexorável e a criança, inconscientemente, instalou o fracasso em sua vida, na vã tentativa de reparar um dano que não causara.

Pneu Furado

O carro de um homem teve um pneu furado, derrapou e bateu em outro. O motorista do segundo carro morreu, mas o do primeiro sobreviveu. Embora houvesse dirigido com cuidado, sua vida permaneceu ligada àquela morte e ele não conseguia livrar-se do sentimento de culpa. Não gozou seu sucesso até perceber que o sofrimento, em vez de honrar o homem morto, degradava-o.

Ficamos desamparados ante a culpa e a inocência quando estamos nas mãos do acaso e do destino. Se fôssemos culpados ou merecêssemos prêmio por nossas ações livremente decididas, conservaríamos poder e influência. Mas, nessas situações, reconhecemos que estamos sujeitos a forças incontroláveis, forças que decidem se iremos viver ou morrer, ser salvos ou perecer, progredir ou decair — independentemente de nossas boas ou más ações.

A vulnerabilidade ao acaso é tão amedrontadora que muitas pessoas preferem renunciar a uma boa sorte imerecida e repudiar o quinhão da existência a aceitar tudo isso de bom grado. Muitas vezes tentam criar culpas para si mesmas ou acumular boas ações por antecipação, a fim de escapar à salvação ou ao sofrimento que julgam não merecer.

É muito comum, no caso de pessoas que gozam vantagens à custa de outras, tentar limitar essas vantagens pelo suicídio, a doença ou algum ato que as faça culpadas, para assim sofrer as conseqüências. Todas essas soluções se prendem ao pensamento mágico e não passam de uma forma pueril de encarar a fortuna imerecida. Na realidade, agravam a culpa ao invés de minorá-la. Por exemplo, quando uma criança — como no exemplo acima —, cuja mãe morreu ao dá-la à luz limita mais tarde sua felicidade, ou comete suicídio, o sacrifício da mãe foi inútil e ela se tornou implicitamente responsável também pela morte do filho.

Se o filho houvesse dito: "Mãe, sua morte não pode ter sido em vão. Vou fazer algo de minha vida em sua memória, pois conheço o valor dessa vida", a pressão da culpa nas mãos do destino teria se transformado numa força para o bem, permitindo ao filho alcançar objetivos vedados a outros. Nesse caso, a morte da mãe teria efeitos benéficos e daria ao filho paz durante muito tempo.

Ainda aqui os envolvidos estão sujeitos a uma pressão por equilíbrio: quem recebeu algo do destino quer retribuir na mesma moeda ou, sendo isso impossível, pelo menos compensar com fracassos. São, no entanto, tentativas vãs, pois o destino se mostra totalmente indiferente a nossas exigências de compensação e restituição.

Humildade Perante o Destino

A nossa inocência é que torna tão insuportável o sofrimento provocado pelo acaso. Se fôssemos culpados e castigados por causa de nossas próprias ações, ou inocentes e poupados, poderíamos presumir que as circunstâncias obedecem a uma ordem moral, a regras de justiça e jogo limpo. Poderíamos acreditar que, com um bom comportamento, controlamos a inocência e a culpa. Entretanto, quando somos poupados, independentemente de culpa ou inocência pessoal, ao passo que outros sucumbem merecida ou imerecidamente, compreendemos nossa total vulnerabilidade às forças do acaso e vemo-nos às voltas com os caprichos da culpa e da inocência. Quando a culpa e o dano atingem proporções trágicas, tornando-se o nosso destino, a reconciliação só será possível se renunciarmos inteiramente à compensação.

A única possibilidade que nos resta, então, é submeter-nos, ceder à força inexorável do destino, para vantagem ou desvantagem nossa. Podemos chamar a atitude interior que possibilita a submissão de *humildade*; ou seja, o perdão singelo e a aceitação da inevitabilidade. Nas situações em que o ofendido e o ofensor se curvam com humildade a seu destino incontornável, há um fim para a culpa e o resgate. Pode-se, a partir daí, gozar a vida e a felicidade — enquanto durarem — independentemente do preço pago por outros. Aceitamos, então, a nossa própria morte e as dificuldades da existência, sem olhos para a culpa e a inocência.

Onde Está o Meu Neto?

Um jovem que acabara de aprender a dirigir sofreu um acidente. A avó, que o acompanhava, ficou gravemente ferida. Voltando a si no hospital, pouco antes de morrer, perguntou: "Onde está o meu neto?" Quando este se aproximou, ela lhe disse: "Não se culpe. É a minha hora de morrer."

Esse pensamento se misturou nele com as lágrimas: "Aceito o fardo de ter sido o instrumento de sua morte", declarou o jovem, "e, chegada a hora, farei algo de bom em sua memória." E de fato o fez.

Essa humildade nos dá seriedade e ponderação. Quando sentimos a verdadeira humildade, compreendemos que determinamos o nosso destino, mas também somos determinados por ele. O acaso age em nosso benefício ou dano segundo leis cujos segredos não podemos — nem devemos — adivinhar. A humildade é a resposta certa à culpa e à boa sorte proporcionadas pelo destino. Coloca-nos no mesmo nível dos menos afortunados, permitindo que os respeitemos sem menoscabar ou desprezar as vantagens obtidas à sua custa, mas levando-nos a aceitá-las com gratidão a despeito do alto preço que eles pagaram e a fazer com que outros se beneficiem delas igualmente.

A CONSCIÊNCIA A SERVIÇO DA ORDEM SOCIAL

A terceira exigência para o êxito no amor, em relacionamentos íntimos, é a ordem. Em primeiro lugar, entendemos por "ordem" o conjunto de regras e convenções sociais que regem a vida comunitária de um grupo social. Todo relacionamento duradouro cria normas, regras, crenças e tabus que se tornam obrigatórios para seus membros. Desse modo, os relacionamentos transformam-se em sistemas de relações providos de ordem e estrutura. As convenções sociais representam o modelo superficial que todos os membros aceitam, mas varia amplamente de grupo para grupo. As ordens marcam os limites da integração: os que aceitam as convenções pertencem ao grupo, os que não as seguem logo o deixam. Podemos perceber claramente essa dinâmica sistêmica ao observar um bando de aves em pleno vôo. No bando, cada integrante segue seu próprio caminho, mas, se se desvia demais da direção geral dos outros, acaba isolado. As ordens sociais governam o nosso comportamento dentro do grupo e dão forma aos nossos papéis ou funções; e nunca sentimos tanta culpa por violá-las do que quando rompemos a integração ou o equilíbrio entre o dar e o receber.

Considerações Adicionais

Em tempos mais recuados, as conseqüências da exclusão do grupo ou família devem ter sido bem mais graves do que hoje (embora essa exclusão ainda acarrete conseqüências sérias em algumas áreas rurais). Vivemos num tempo em que as ordens sociais mudam rapidamente, e, se a evolução social promove maior flexibilidade, mobilidade e liberdade pessoal de escolha, aumenta ao mesmo tempo a alienação, a desorientação e a perda de raízes, podendo limitar a sensação de bem-estar gerada por uma integração perfeita. Muitos dos problemas individuais e familiares que as pessoas submetem aos terapeutas são resultado da ruptura de antigas ordens sociais e familiares, bem como da dificuldade de formular novas ordens capazes de resistir à prova do tempo e fomentar o amor. Por exemplo, as ordens tradicionais que definiam os papéis e a divisão do trabalho entre homens e mulheres estão se transformando tão velozmente que inúmeros casais precisam fazer um esforço enorme para criar outras que se apliquem às suas situações. Com freqüência, vemos quão imprevisíveis são os efeitos dessas novas ordens, a longo prazo, em seus filhos e em seu amor; nem sempre seus esforços têm êxito. Eles se empenham arduamente em formular, para sua união, uma ordem que antes emanava livremente das normas da comunidade. Muitos descobriram, com agrado, que podem manter os vínculos e o equilíbrio entre o dar e o receber, no seio de suas famílias, mesmo quando se afastam das ordens sociais tradicionais de seu grupo ou comunidade. [H. B.]

A CONSCIÊNCIA SISTÊMICA DA TOTALIDADE SUPREMA

Além dos sentimentos de culpa e inocência que experimentamos conscientemente a serviço da integração, do equilíbrio entre o dar e o receber, e da convenção social, há uma consciência oculta cuja atuação em nossos relacionamentos não logramos perceber. Trata-se de uma consciência sistêmica que prevalece sobre nossos sentimentos pessoais de culpa e inocência, estando a serviço de outras ordens. Estas são as leis naturais ocultas que modelam e regem o comportamento dos sistemas de relações humanas. Elas constituem, em parte, as forças naturais da biologia e da evolução; a dinâmica geral de sistemas complexos que se manifestam na nossa intimidade; e as forças da Simetria Oculta do Amor que operam no interior da alma.

Embora sem percebê-las diretamente, podemos reconhecer as ordens dessa consciência oculta pelos seus efeitos, pela dor resultante de sua violação, e pelo amor profundo e estável que elas alimentam. Freqüentemente, obedecendo à nossa consciência pessoal, violamos as Ordens do Amor. Tragédias em família e nos relacionamentos íntimos — como veremos nos próximos capítulos — estão muitas vezes associadas a conflitos entre a consciência que preserva a integração, o dar e o receber, e a convenção social, e a consciência oculta que preserva o sistema familiar. Mas o afeto floresce quando a consciência pessoal e a convenção social se curvam às ordens e à simetria oculta do amor.

A Quebra do Feitiço

Quem deseja esclarecer o mistério da Simetria Oculta do Amor penetra num labirinto intricado e precisa levar consigo muitos rolos de barbante para distinguir o caminho de volta à luz do dia dos que descem para os abismos. Somos obrigados a avançar nas trevas, enfrentando os enganos e ilusões que nos enredam, embotam nossos sentidos e paralisam nossa compreensão à medida que tentamos desvendar os segredos do bem para além da culpa e da inocência. As crianças são arrastadas para esse mundo surrealista quando lhes dizem que os bebês vêm no bico das cegonhas; e muitos prisioneiros exaustos devem ter sentido o mesmo quando leram no alto do portão do campo de extermínio: "O trabalho liberta."

Muitos, entretanto, têm a coragem de penetrar no labirinto, mergulhar na treva e quebrar o encanto da falsa expectativa. Parecem-se com o menestrel que aguarda tranqüilamente no canto da rua a passagem do flautista, para tocar a melodia que despertará as crianças enfeitiçadas. Ou com o menino que, vendo a multidão aplaudir o ditador ensandecido, gritou o que todos sabiam, mas tinham medo de admitir: "Ele está pelado!"

A Roupa Nova do Imperador

Num simpósio acadêmico, um conhecido professor de filosofia foi muito aplaudido após defender eloqüentemente a idéia de que a suprema liberdade é alcançada quando a pessoa não depende de ninguém.

Serenadas as palmas, um dos participantes levantou-se e disse em voz alta, com infantil simplicidade: "Isso não está certo!" Uma onda de espanto e indignação varreu a sala.

Depois que o público se acalmou, o homem prosseguiu: "Todos podem ver que, a qualquer momento, dependemos de inúmeras coisas: do ar que respiramos, da terra que fornece nosso alimento, dos amigos e da família. Somos partes de um todo maior e dependemos dele como ele depende de nós. Que liberdade haverá se nos recusarmos a ver o que *é* e formos condenados a viver na ilusão de que as coisas são diferentes do que são? A liberdade que estimo vem quando reconheço a realidade e a aceito. Então posso pagar integralmente o que devo e livrar-me da dívida, e posso aceitar tudo o que me for oferecido e de que me sinto livre de precisar."

A inteligência da simetria sistêmica do amor, que opera sem ser percebida em nossos relacionamentos, zela pelo amor. É mais fácil de seguir que de entender. Nós a reconhecemos, quando é importante para nós, nos movimentos sutis de nosso íntimo e na cuidadosa observação de nossos relacionamentos. Aceitamos suas leis apenas quando notamos as conseqüências do que fizemos para nós e para os outros — quando o amor diminuiu ou aumentou.

Nos capítulos seguintes, explicaremos como reconhecer os limites da consciência pessoal, em que ponto eles nos ajudam e em que circunstâncias devemos superá-los, e, finalmente, como conhecer a inteligência da Alma Superior que ampara o afeto.

Esse é o caminho do conhecimento do bem e do mal para além dos sentimentos de culpa e inocência, o caminho que alimenta o amor.

Revelações Úteis

Um jovem, em busca de conhecimento, partiu de bicicleta para o campo. Movia-o o prazer da exploração e seu entusiasmo não conhecia limites. Deixando bem para trás o território usual, encontrou um novo caminho. Já agora não havia marcos para guiá-lo, tendo de confiar no que os seus olhos viam e as suas pedaladas mediam. Então, o que fora apenas intuição transformou-se em experiência.

O caminho terminava num largo rio e ele saltou da bicicleta. Percebeu que, para ir além, teria de abandonar tudo o que possuía na margem, renunciar à segurança da terra firme, colocar-se à mercê de uma força mais poderosa que ele, deixar-se dominar e arrastar. Hesitou alguns instantes e recuou.

Foi essa a primeira revelação.

De volta a casa, admitiu que pouco sabia para ajudar os outros e mesmo esse pouco seria difícil de comunicar. Imaginou-se a seguir outro ciclista e a gritar-lhe: "Ei, seu pára-lama está solto!" O ciclista respondia: "O quê?" E ele, de novo: "Seu pára-lama está solto!"

O outro retrucava: "Não posso ouvi-lo; meu pára-lama está solto e fazendo barulho."

O jovem concluía: "Ele não precisa absolutamente da minha ajuda."

Foi a segunda revelação.

Algum tempo depois, perguntou a um velho mestre: "Como consegue ajudar o próximo? Muitos o procuram em busca de conselho e se vão satisfeitos, mesmo que você nada saiba de seus problemas."

O mestre respondeu: "Se alguém perde a coragem e se recusa a ir adiante, o problema raramente é falta de conhecimento, mas antes anseio de segurança quando se exige coragem e busca de liberdade quando já não há escolha. Assim, ele caminha em círculos. O mestre evita as aparências e a ilusão. Encontra o seu centro e aguarda uma palavra útil, como o barco de velas soltas espera o vento. Quando alguém aparece em busca de ajuda, o mestre observa para onde ele vai; e se lhe vem uma resposta, ambos se beneficiam dela, pois ambos são ouvintes."

E o mestre acrescentou: "Esperar no centro não custa nada."

Capítulo 2

Homem e Mulher: a Base da Família

A base da família é a atração sexual entre um homem e uma mulher. Quando um homem deseja uma mulher, deseja aquilo que, como homem, lhe é necessário e não possui. Quando uma mulher deseja um homem, também deseja aquilo que, como mulher, lhe falta. Macho e fêmea formam uma união de parceiros que se definem e completam mutuamente. Um é aquilo de que o outro necessita e cada qual necessita daquilo que o outro é. Para que o amor tenha êxito, precisamos dar o que somos e receber do parceiro aquilo de que necessitamos. Dando-nos, recebendo e possuindo o parceiro, tornamo-nos homem e mulher, e formamos um casal.

A expressão amorosa, na intimidade sexual (e, às vezes, apenas o intercurso sexual), freqüentemente liga os parceiros, quer eles queiram, quer não. Não é a intenção ou a escolha que estabelece o vínculo, mas o próprio ato físico. Essa dinâmica pode ser observada no sentimento de proteção que algumas vítimas de estupro ou incesto experimentam para com os agressores e nos encontros sexuais casuais que deixam traços duradouros.

A vergonha de mencionar e reconhecer esse aspecto muito íntimo do relacionamento de um casal prende-se ao fato de a paixão sexual ser vista ainda, em certos círculos, como algo abjeto e indigno. Não obstante isso, a consumação sexual constitui o maior ato humano possível. Nenhuma outra ação humana está mais em harmonia com a ordem e a riqueza da vida, expressa melhor nossa participação na totalidade do mundo ou traz consigo prazer tão intenso — e, em conseqüência, tão delicioso sofrimento. Nenhum ato oferece tantas recompensas ou acarreta tantos riscos, exigindo mais de nós e tornando-nos mais sábios, compreensivos e humanos, quanto a tomada do outro, o conhecimento do outro e a união com o outro no amor. Comparativamente, as outras atividades humanas parecem mero prelúdio, repetição, alívio ou conseqüência — uma imitação precária.

A expressão sexual do amor representa também o nosso ato mais humilde. Em nenhuma outra circunstância nós nos expomos tão completamente, denunciando a mais cabal vulnerabilidade. Nada preservamos com mais recato que esse local íntimo onde os parceiros revelam um ao outro o seu ser mais profundo, confiando-se mutuamente esse ser. Graças à expressão sexual do amor, homens e mulheres deixam pais e mães para se tornar, como diz a Bíblia, "uma só carne".

Gostemos ou não, o vínculo especial e, no sentido mais profundo, indissolúvel entre os parceiros surge da união sexual. Somente esse ato faz deles um casal, somente esse ato pode torná-los pais. Por isso, se sua sexualidade for limitada de alguma maneira — por inibições ou pela esterilização de um deles —, o vínculo não se completa, ainda que o casal o deseje. O mesmo se aplica aos relacionamentos platônicos, em que os parceiros evitam os riscos da sexualidade e sentem menos culpa ou responsabilidade quando se separam. Depois que os parceiros se ligaram pela intimidade sexual, a separação sem culpa ou sofrimento não é mais possível. Eles não podem partir como se sua união nunca houvesse existido. Embora esse apego seja um problema para os pais que se separam, também protege os filhos de separações precipitadas ou caprichosas.

O papel crucial que a sexualidade desempenha na união dos casais evidencia o primado da carne sobre o espírito, bem como a sabedoria da carne. Somos tentados a desvalorizar a carne em comparação com o espírito, como se o que se faz a partir da necessidade física, do desejo e do amor sexual tivesse menos valor que os benefícios da razão e da moralidade. Mas o desejo físico mostra a sua força, e mesmo sabedoria, no ponto em que a razão e a moralidade atingem seus limites e recuam. O desejo continua a manifestar-se depois que as frias exigências racionais se esgotaram ou embotaram. A razão superior e o significado profundo que emergem de nossas necessidades físicas instintivas superam e controlam a racionalidade e a vontade. Estão mais próximos do centro da vida e são mais resistentes.

Espírito é Vontade, Carne é Sabedoria

Dizem uns que o corpo,
Em comparação com o espírito,
Nada é.
Como se o fruto do desejo
E do sexo
Valesse menos
Que o fruto colhido
Da Razão e da Vontade.

Mas o desejo exibe
Coragem e sabedoria

Quando a Vontade e a Razão
Se acovardam
No serviço da Vida.

No Desejo da Carne
Oculta-se uma razão superior
E arde um significado profundo
Que brilha mais que a racionalidade
E é mais forte que a vontade.
O Desejo está mais perto do Coração da vida,
É mais obediente
E mais resistente.

Quem governa a vontade é a carne.
Digo, pois,
Que o Espírito é vontade, mas
A Carne é Sabedoria.

Considerações Adicionais

A insistência de Hellinger no desejo sexual como força de criação e afirmação da vida contrasta vivamente com a visão dos que consideram os "desejos da carne" um aborrecimento ou um pecado, e também com a dos que vêem na sexualidade um simples prazer desvinculado da procriação.

Os termos "macho" e "fêmea" denotam, entre outras coisas, a especialização fisiológica necessária para o ato de gerar. Nesse sentido, macho e fêmea precisam um do outro, completam e complementam um ao outro; mas seria grave erro reduzir a masculinidade e a feminilidade a essa única dimensão biológica. Entretanto, nosso trabalho psicoterapêutico revela que pessoas acostumadas a menosprezar ou ignorar sua importância encontram dificuldades nos seus relacionamentos íntimos. Quando Hellinger fala da expressão sexual do amor entre um homem e uma mulher, não exclui ou marginaliza outras formas afetivas de relacionamentos sexuais; ele apenas insiste em valorizar esse aspecto imprescindível à procriação.

Um número cada vez maior de homens e mulheres vive em famílias não-tradicionais. Há casais e pessoas solteiras que não têm nem desejam ter filhos — assim como há homens que desejam homens e mulheres que desejam mulheres. Ante a explosão populacional, a natureza passa a exigir e a apoiar casais sem filhos, oferecendo-lhes expressões alternativas de humanitarismo e amor. No entanto, muitas pessoas com quem trabalhamos experimentam uma forte sensação de perda por não terem filhos e procuram aceitar essa perda sem minimizá-la, adotando estilos de vida que tragam o significado e a satisfação espiritual próprias aos pais numa família saudável. Se logram êxito, compreendem que a vida se beneficia delas e as ampara no que fazem, pois participam plenamente de suas dádivas e mistérios. Algumas, porém, continuam a sonhar com filhos e se perguntam como seria se fossem pais. Isso é especialmente verdadeiro quando envelhecem e a hora da morte se aproxima. Sua perda, real ou imaginária, constitui um pesado fardo e deve ser encarada com compreensão e solidariedade. [H. B.]

RESPEITO PELO DESEJO

Se o desejo sexual de um dos parceiros não é correspondido, ele ou ela se vê numa posição frágil porque o outro tem o poder de rejeitar. Embora quem acede ao desejo não corra riscos, parece mais forte; e aquele que deseja parece necessitado e exigente, em vez de generoso e doador. É como se o parceiro que acede ao desejo, mesmo amando, desse e ajudasse sem nada receber. Nessa dinâmica, o que deseja mostra-se agradecido (como se recebesse sem dar) e o que acede ao desejo sente-se livre, talvez mesmo superior (como se a sua doação não implicasse nenhum ganho).

Muitos parceiros insistem em conservar o poder e a superioridade do doador, mas com isso prejudicam a união. Para que um relacionamento se mantenha, o risco de rejeição, bem como as alegrias e os prazeres da entrega, têm de ser compartilhados. Desejar é ainda difícil para muitas mulheres, pois têm de romper fortes tabus culturais e receiam ser rejeitadas ou temidas se expuserem seus desejos. Em terapia, porém, acontece uma coisa interessante: é quando uma mulher diz à mãe "Às vezes mal posso esperar para fazer amor com o meu marido" — mesmo que só diga isso em imaginação.

Os parceiros que zelam pelo desejo devem concordar que, quando o ser mais íntimo do outro está aberto e vulnerável — e é o que acontece quando o desejo é exposto —, devem respeitar esse desejo ainda que não o atendam. Nessa situação, ficamos absolutamente vulneráveis, de sorte que o parceiro não deve correr o risco de uma rejeição humilhante quando sente e expressa desejo. Se os casais levarem isso na devida conta, poderão desejar novamente, fazendo com que o relacionamento se estreite e se aprofunde. Ambos devem desejar, e cada qual precisa tratar o desejo do outro com respeito e amor. Quando a sexualidade promove o relacionamento e constitui o seu objetivo, tanto a sexualidade quanto a parceria afetuosa passam a ser mais profundas, mais livres, mais autênticas.

Dado que homens e mulheres temem essa intensa necessidade, com a crua dependência que ela implica e o perigo de uma rejeição avassaladora, são muitas as pessoas que procuram alimentar o sexo oposto em si mesmas. Os homens querem se transformar em mulheres e as mulheres querem se transformar em homens, como se isso fosse possível. Se o conseguissem, não precisariam mais de parceiro e seu relacionamento tornar-se-ia mera questão de conveniência.

Para que a parceria entre um homem e uma mulher cumpra a sua promessa, o homem tem de ser homem e a mulher tem de ser mulher. Nessas parcerias, a mulher se interessa pelo homem enquanto ele permanece homem, e vice-versa. Isso quer dizer que o homem desejoso de amar uma mulher como sua parceira, em igualdade de condições, tem de preservar a necessidade que tem dela preservando ao mesmo tempo sua incompletude. Em vez de desenvolver o feminino dentro de si, deve deixar que a parceira lhe ofereça isso como um presente e aceitá-lo. A mulher que tenciona amar um homem deve também aceitar o masculino de sua parte. Quando um homem e uma mulher anseiam por aquilo que o outro possui, possuindo por sua vez aquilo que o outro procura, tornam-se iguais na sua incompletude — e na sua capacidade de dar. Quando ambos respeitam as próprias limitações e preservam sua necessidade, essa necessidade mútua os complementa e completa, de sorte que o dar e o receber fortalecem a união.

A visão sistêmica é exatamente o oposto da idéia popular segundo a qual os homens devem desenvolver seu lado feminino e as mulheres, seu potencial masculino. Pessoas que agem assim não precisam de um parceiro que lhes dê o que lhes falta; na verdade, preferem viver sozinhas.

O Basso Continuo

O relacionamento do casal é como um concerto barroco: toda uma variedade de melodias maravilhosas soa no registro alto, enquanto, embaixo, um *basso continuo* as sustenta e conduz, dando-lhes peso e profundidade. No relacionamento do casal, o *basso continuo* é: "Eu te recebo, eu te recebo, eu te recebo por mulher, eu te recebo, eu te recebo, eu te recebo por marido. Tomo-te para mim e dou-me para ti com amor."

O AMOR ENTRE PARCEIROS

O amor entre parceiros exige a renúncia ao nosso primeiro e mais profundo amor, o amor por nossos pais. Somente depois que o apego do menino — afetuoso ou rancoroso — à mãe se resolve pode ele dar-se plenamente à parceira e ingressar na masculinidade. Também o apego da menina ao pai deve resolver-se antes de sua entrega ao parceiro e sua transformação em mulher. A união bem-sucedida exige o sacrifício e a substituição de nossos antigos vínculos com os pais — os do menino com a mãe, os da menina com o pai.

O menino vive seu período pré-natal e sua primeira infância sobretudo dentro da esfera de influência da mãe. Se continuar ali, essa influência permeará sua mente e ele privilegiará o feminino. Sob o domínio da mãe, poderá tornar-se um grande sedutor e amante, mas jamais será um homem que aprecie mulheres ou mantenha um relacionamento afetivo duradouro. Também não será um pai forte e dedicado para seus próprios filhos. A fim de ser um homem capaz de participar plenamente de um relacionamento entre iguais, deve renunciar ao primeiro e mais entranhado amor de sua vida — a mãe —, passando logo para a esfera de influência do pai.

Em tempos remotos, o processo graças ao qual o menino se separava da mãe era socialmente estruturado e amparado por ritos de iniciação e passagem. Depois de cumprir esses rituais, o menino conquistava uma posição sólida no mundo do pai e não podia mais viver em casa da mãe como uma criança. Na nossa cultura, os rituais formais que antes sustentavam esse processo desapareceram, de modo que a saída da esfera de influência materna costuma ser um passo doloroso e difícil. Mesmo o serviço militar, que outrora ajudava os rapazes a abandonar a esfera de influência da mãe e penetrar na do pai, deixou de ser viável para muitos jovens.

A menina também ingressa na vida sob a influência da mãe, mas experimenta o feminino e a atração pelo masculino de um modo diverso. O pai a fascina e, se tudo vai bem, ela consegue aprimorar a arte de atrair os homens na firme segurança do amor paterno. Se, porém, permanece na esfera de influência paterna, passa a ser a "garotinha do papai". Pode amar alguém, mas não alcança a maturidade plena da mulher; tem dificuldades para se relacionar em igualdade de condições com um parceiro ou ser uma mãe generosa e dedicada. Para tornar-se mulher, a menina precisa abandonar o primeiro homem de sua vida — o pai — e reaproximar-se da mãe.

Perguntas e Respostas

Pergunta: A criança pode ter um relacionamento igual com o pai e a mãe?

Hellinger: Sem dúvida. Isso acontece quando os meninos passam para a esfera de influência do pai e as meninas retornam à da mãe. Se você observar pessoas reais, verá que o filho ligado ao pai respeita e valoriza mais a mãe do que aquele que permanece apegado a ela — e a mãe nada perde. Do mesmo modo, a filha que saiu da esfera de influência do pai e regressou à da mãe não perde o pai, nem ele a perde. Ao contrário, passa a respeitá-lo e valorizá-lo ainda mais. Mais importante ainda, o relacionamento dos pais se fortalece quando os filhos se aproximam do pai e as filhas se reaproximam da mãe. Então, não há confusão na família.

Pergunta: Será que entendi bem? Quando tomo o meu lugar junto à minha mãe, afirmo o seu direito à feminilidade?

Hellinger: Não. A mulher que se julgar possuidora da autoridade de afirmar ou negar o direito da mãe à feminilidade coloca-se acima dela.

Pergunta: E se eu simplesmente a aceitar?

Hellinger: Aceitá-la implica uma generosidade superior de sua parte. Mas aceitar e afirmar a própria feminilidade como um presente é humildade.

Rainer *(membro do grupo)*: É estranho que tanto se escreva sobre a relação mãe — filho e tão pouco sobre a relação pai — filho.

Hellinger: Você tem filho ou filha?

Rainer: Uma filha de 8 anos.

Hellinger: Então já é tempo de deixá-la voltar para a esfera de influência da mãe.

Rainer: Sim, tenho pensado muito no processo de deixar minha filha ir; mas, ao mesmo tempo, acho que não há nada que eu possa fazer para que isso aconteça.

Hellinger: Claro que há.

Rainer: Quero dizer que não posso forçar. Devo deixar acontecer.

Hellinger: Não, você pode!

Rainer: Mas não é o que eu quero.

Hellinger: Bem, pelo menos a mensagem é clara. O que venho dizendo tem implicações definidas para a ação — de outro modo, economizaria minhas palavras.

Rainer: Então, o que eu deveria fazer?

Hellinger: Bem, quando você olhar para ela, poderia, por exemplo, admirar nela a sua esposa.

Rainer: Boa idéia. Gostei *(rindo)*.

Hellinger: Poderia ainda dizer à sua filha que ela é quase tão bonita quanto a mãe.

Rainer: Outra coisa que me incomoda é...

Hellinger *(interrompendo-o e voltando-se para o grupo)*: Ele está mudando de assunto; mas, tudo bem. Percebeu que a coisa estava ficando séria e que precisa encará-la. Às vezes, quando o pai se apega à filha, fica difícil para esta regressar à esfera de influência da mãe. Ela se sente importante e acredita ser capaz de atender à necessidade do pai, mas isso é tarefa pesada demais para uma criança. Em comparação com uma esposa, uma filha não passa de prêmio de consolação.

Pergunta: A noite passada, na cama, pus-me a pensar sobre as "esferas de influência" da mãe e do pai. Você disse que o homem macho é aquele que permaneceu na esfera da mãe por muito tempo. E o homem efeminado? Você diria que essa tendência é resultado da permanência excessivamente longa na esfera do pai?

Hellinger: Não. Sob esse aspecto, o machão e o efeminado são a mesma coisa: ambos permaneceram na esfera de influência da mãe. Um Don Juan é também um filhinho da mamãe que não chegou à masculinidade. Ele acha que, possuindo muitas mulheres, vai continuar a participar para sempre da feminilidade. A necessidade de parceiros múltiplos surge da permanência na esfera materna. O homem que escapa dessa esfera pode tirar de sua parceira aquilo de que necessita e entregar-se a ela, tornando-se por sua vez parceiro. Fanfarrões, conquistadores e machões são todos queridinhos da mamãe.

Pergunta: Poderia explicar melhor o seu conceito de esfera de influência?

Hellinger: Sempre evito definir conceitos. O que estamos discutindo não são conceitos verdadeiros ou falsos. Eu tento descrever experiências difíceis de um modo que nos possibilite encará-las melhor e seja mais útil às pessoas com problemas. Nada mais. Se pretendermos que nossas descrições são a "Verdade", elas logo serão uma teoria falsa e desacreditada. O que digo não é absolutamente "verdadeiro": é apenas uma abordagem fenomenológica de certas dinâmicas que venho observando há anos em meu trabalho com casais e famílias. Eu quero que as coisas parem por aí. Por favor, não exijam do que digo mais do que quero dizer.

Portanto, estar na esfera de influência de uma pessoa significa simplesmente estar sob a influência dessa pessoa. Por exemplo, quando é muito importante para uma menina agradar o pai, ela está em sua esfera de influência. Já em muitas famílias, mãe e filho tramam para desdenhar o pai ou ser condescendentes com ele. Eis, em suma, o que quero dizer.

Pergunta: A menina também tem seu primeiro relacionamento com a mãe. Se ela precisa voltar à sua esfera de influência é porque a deixou, passando para a do pai.

Hellinger: Exatamente! *(Rindo)* Por isso, tudo é mais fácil para as mulheres: basta-lhes voltar. Mas o homem acha o feminino tão poderoso, tão atraente e tão insinuante que lhe é difícil renunciar a ele. Ele não pode fazê-lo sozinho. Se quiser deixar de ser menino para tornar-se homem, terá de se associar ao pai, ao avô e ao mundo masculino. Só aí encontrará forças para escapar à esfera da mãe.

Pergunta: A menina não perderá alguma coisa se permanecer sempre na esfera de influência da mãe? Não será importante para ela sair dessa esfera e depois voltar?

Hellinger: Sem dúvida. Primeiro, ela tem de se aproximar do pai e, depois, se reaproximar da mãe. Se ela conhecer apenas a influência da mãe, não sentirá atração pelo masculino encarnado no pai.

Pergunta: Você disse que é difícil para a mulher aceitar plenamente um homem se não se afastar do pai. Isso me intriga.

Hellinger: Quando a mulher ainda está apegada ao pai, costuma acreditar secretamente que seria melhor parceira para ele do que sua mãe. É uma crença infantil. Se examinar honestamente as conseqüências para ela de semelhante parceria inserirá essa crença infantil num contexto adulto. Há uma frase que pode ajudá-la a romper os laços malsãos com o pai. Ela irá dizer-lhe: "Mamãe é um pouquinho melhor para você do que eu."

Pergunta: Que é o masculino numa mulher e o feminino num homem? Que são o masculino e o feminino, afinal de contas? Pelo menos, qual é a sua opinião?

Hellinger: Eis aí uma coisa que ainda não descobri *(rindo)*. Para o homem, sempre há algo de oculto numa mulher, e vice-versa. Nem mesmo chego a compreender inteiramente o masculino. Mas o que estamos discutindo nada tem que ver com compreensão conceitual. Eu não estou propondo uma teoria da masculinidade e da feminilidade. Estou tentando examinar o que as pessoas sentem nas constelações familiares e em seus relacionamentos, como também abrir espaço para que vocês entrem em contato com fatos que só podem ser conhecidos por experiência. Tentar compreender intelectualmente uma experiência é como tentar segurar o fogo. Se vocês insistirem em apreender essas coisas intelectualmente, vão ficar apenas com as cinzas da fogueira.

Pergunta: Parece-me que o que você descreve é apenas a velha questão de Édipo em linguagem diferente. Não vejo diferença entre o que diz e o complexo psicanalítico de Édipo.

Hellinger: Há um equívoco fundamental de natureza fenomenológica na sua pergunta. Se inserir uma experiência nova no contexto do que já conhece, não perceberá nada de novo.

Sem dúvida, a psicanálise tem uma compreensão profunda do que acontece nas relações entre pais e filhos, mas o que digo aqui não é a mesma coisa que o complexo de Édipo. O pensamento psicanalítico difere do pensamento sistêmico. Mal você diz "complexo de Édipo", a fenomenologia da dinâmica sistêmica desaparece e só o que resta é o construto psicodinâmico que já conhece. Você está se movendo num mundo de pensamento diferente. Eu não estou falando do modo como uma coisa provoca outra, nem tentando descrever processos inconscientes: só descrevo o que vejo as pessoas fazerem realmente. Examino os sentimentos e comportamentos reais, investigando como estão sistemicamente associados uns com os outros. Não postulo nenhuma causalidade, apenas uma associação sistêmica. É, pois, um nível de abstração diferente da teoria psicanalítica.

Se você estiver interessado em observar a dinâmica sistêmica dos relacionamentos humanos, precisará concentrar a atenção no que as pessoas de fato fazem. Esse é o método fenomenológico. De outra forma, só terá palavras e conceitos dissociados da experiência, o que não basta para ajudar realmente as pessoas.

RENOVAÇÃO DA MASCULINIDADE E DA FEMINILIDADE

Quando os parceiros estabelecem um relacionamento, cada qual traz a sua individualidade para a união e, nessa união, a perde. A esposa confirma o marido como homem, mas, ao mesmo tempo, desafia sua masculinidade e a arranca dele, de sorte que essa masculinidade decresce no curso da parceria. De igual modo, o marido confirma a feminilidade da esposa, mas também desafia sua feminilidade e a despoja dela, de sorte a torná-la menos mulher. Para que a parceria continue excitante para os dois, eles devem renovar continuamente sua masculinidade e feminilidade.

O homem renova sua masculinidade na companhia de outros homens; a mulher renova sua feminilidade na companhia de outras mulheres. Por isso, devem ambos suspender periodicamente o relacionamento para reavivar sua masculinidade e a feminilidade. O conteúdo real das trocas entre homens e mulheres é irrelevante. Elas podem ocorrer num bar, num clube, num grupo de conscientização ou numa quadra de esportes. O que importa é homens estarem com homens e mulheres com mulheres, fazendo o que costumam fazer quando se reúnem. Se o casal fizer isso, o relacionamento conservará sua tensão criativa, continuando a aprimorar-se e a aprofundar-se. Esse elemento costuma ser ignorado no ideal romântico do amor, segundo o qual o parceiro apaixonado é capaz de dar ao outro tudo o que ele necessita.

O VÍNCULO ENTRE PARCEIROS

O vínculo entre parceiros exige que o homem deseje a mulher como *mulher* e que a mulher deseje o homem como *homem*. O vínculo não se estreita completamente quando os parceiros se desejam por motivos diferentes: por passatempo ou adorno, como provedores, por ser um deles rico ou pobre, católico ou protestante, judeu ou muçulmano, hindu ou budista; porque um quer conquistar, proteger, melhorar ou salvar o outro; porque um quer que o outro seja, sobretudo, pai ou mãe de seus filhos. Parceiros que se juntam com esses objetivos em vista não consolidam uma união capaz de resistir a crises graves.

Se o homem continua a ser um filho em busca de uma mãe e a mulher continua a ser uma filha em busca de um pai, suas relações, embora possam ser intensas e afetuosas, não são relacionamentos de homens e mulheres adultos. As pessoas que estabelecem relacionamentos na esperança, reconhecida ou não, de que ganharão algo que não recebem do pai ou da mãe, estão na verdade procurando pais. O apego que então se desenvolve é o apego entre filhos e pais. Sucede às vezes que um homem em busca de uma mãe encontre alguém em busca de um filho, ou que uma mulher em busca de um pai encontre alguém em busca de uma filha. Esses casais podem ser muito felizes durante algum tempo, mas, se tiverem filhos, cônjuges e filhos encontrarão dificuldade para ajustar sua parceria.

O amor é limitado da mesma maneira quando um parceiro age com o outro valendo-se da autoridade paterna, tentando educá-lo, melhorá-lo ou ajudá-lo. Todo adulto já foi educado e sabe como comportar-se, de modo que qualquer tentativa para repetir a lição está fadada a prejudicar o amor. Não admira que o parceiro tratado como criança reaja cortando o relacionamento — o modo de as crianças romperem com a família — e busque alívio em outra parte. A maioria dos conflitos de poder em relacionamentos íntimos ocorre quando um parceiro insiste em tratar o outro como filho, mãe ou pai.

Vínculos no Segundo Relacionamento

A segunda parceria amorosa é diferente da primeira, porque o novo parceiro se ressente dos antigos vínculos do outro. Percebe-se isso pela cautela com que nos aproximamos do novo parceiro e, também, pela lentidão com que nos damos a ele e o tomamos, sem a mesma liberdade que presidiu ao relacionamento anterior. Ambos os parceiros vivem a segunda parceria à sombra da primeira, mesmo que o antigo cônjuge já tenha falecido. Por essa razão, o segundo amor só logra êxito quando o vínculo com o primeiro é reconhecido e valorizado, quando os novos parceiros compreendem que sucedem aos anteriores e ficam em débito para com eles.

A segunda união não tem a mesma força e qualidade da primeira, nem isso é necessário. Mas não quer dizer que seja menos feliz ou afetuosa. Na verdade, costuma ser até mais feliz e satisfatória. Todavia, a densidade do vínculo geralmente decresce a cada relacionamento sucessivo. Eis por que a culpa e o senso de responsabilidade resultantes do segundo divórcio são geralmente menores que os provocados pelo primeiro; o segundo divórcio, de fato, tende a ser mais fácil e menos doloroso. Podemos avaliar a força do vínculo pela porção de culpa, dor e perda que acompanha a separação.

Minha Segunda Esposa

Um homem contestava a afirmação de que a densidade do vínculo decresce a cada relacionamento. Ele garantia que se apegara mais à segunda esposa do que à primeira.

Todos viam que ele e a segunda esposa se davam muito bem, que seu amor era verdadeiro e profundo. O homem afirmava que o primeiro casamento fora doloroso e nocivo, ficando claro que não queria mais ser tão vulnerável quanto fora então. Ele suportara aquele casamento, em parte, por causa do filho. Do segundo, não tinha filhos.

Indagado sobre o que aconteceria se o segundo casamento degenerasse e se tornasse como o primeiro, respondeu que, embora não pensasse que isso fosse possível, iria embora antes de repetir a experiência anterior. Compreendeu então que, embora amasse mais a atual esposa, estava menos ligado a ela do que à primeira.

Namorados

Numa cidadezinha, uma mulher casou-se com o primeiro namorado logo depois da formatura do colégio. Tiveram quatro filhos e uma vida normal. O marido faleceu com pouco mais de 50 anos, mas ela sobreviveu a ele outros 25. Ela jamais olhou para outro homem nem pensou em casar-se novamente. Dizia: "Não posso me imaginar com outro homem. Sempre vivi com o meu marido."

Uma senhora de 84 anos contou que sobrevivera a três maridos. Perdera os dois primeiros em duas guerras diferentes, mas o terceiro morrera de velhice. Disse: "O terceiro foi o melhor e tive-o por mais tempo, mas sinto mais saudade do primeiro. Éramos tão jovens e estávamos tão apaixonados!"

Exemplos de Seminários

Pergunta: Perguntei a meu marido sobre sua primeira esposa. Foi doloroso ouvi-lo falar sobre isso, mas fez-me bem.

Hellinger: Há pouco tempo, um homem compareceu a uma sessão com sua namorada. Queriam casar-se. Ele já fora casado e tinha um filho. Estabelecemos a constelação de sua família atual, que incluía a primeira esposa, o filho e a namorada. Quando lhe perguntei o que estava faltando, ele respondeu: "Ah, sim, eu tive outra mulher antes do último casamento, mas tudo não passou de amor de estudantes, sem nenhuma importância." Colocamos essa primeira mulher na constelação e logo ficou claro que ela era a pessoa decisiva. Não fora valorizada ou honrada. À medida que a constelação se desenvolvia, foi ficando claro também que a segunda esposa o abandonara em solidariedade inconsciente com a primeira. Quando inserimos a namorada e o futuro marido na constelação, ela se sentiu incomodada a seu lado e preferiu afastar-se um pouco: é a posição típica da segunda ou terceira esposa.

A segunda esposa não confia em si o bastante para tratar o marido como uma primeira esposa o faz. Ela o possui, mas só porque a primeira esposa e os filhos anteriores renunciaram a ele. O sentimento de culpa é o preço que tem a pagar. Afastando-se dele, reconhece que é apenas a terceira, sucessora de outras duas. Nessa posição, acha mais fácil valorizar o papel das antecessoras na vida do marido.

Na sessão seguinte, a namorada confessou que não se sentia nada bem. Quando pensava nas outras esposas, achava que não tinha nenhuma chance. Eu lhe disse: "Há aqui três mulheres que precisam ser plenamente valorizadas; a primeira, a segunda *e* a terceira."

Pergunta: Acontece o mesmo quando um novo casal se forma depois de se divorciar dos primeiros parceiros?

Hellinger: Tudo está relacionado com a discrepância entre ganho e perda, independentemente de motivações, valores morais ou histórico pessoal. Os primeiros parceiros perderam seus cônjuges, os segundos os ganharam. Havendo filhos que perderam um dos pais, a situação se agrava. Os novos parceiros tomam o lugar dos antigos, mas a sua obrigação sistêmica para com estes e os seus sentimentos de culpa impedem-nos de assumir os novos parceiros tão plenamente quanto assumiram os antigos.

A situação melhora se admitirem para si mesmos que o seu ganho é a perda dos primeiros parceiros e que não poderão assumir os novos a menos que os antigos renunciem a eles. Respeitar os outros no sistema é crucial para o estabelecimento do equilíbrio sistêmico. O marido e a segunda esposa podem então aproximar-se mais, mas continuam obrigados para com a primeira esposa e seu relacionamento nunca será como o primeiro. O mesmo se aplica, é claro, à esposa que conquistou o marido à custa de outra mulher. O novo relacionamento tem maior probabilidade de êxito quando os parceiros reconhecem que devem muito aos antigos cônjuges, conscientizam-se de seus sentimentos de culpa e reconhecem a culpa e o débito legados pelo atual relacionamento. Este se aprofunda a partir daí e os parceiros alimentam menos ilusões.

O EQUILÍBRIO ENTRE O DAR E O RECEBER

O amor floresce entre os parceiros quando ambos se equilibram mutuamente como dois pratos de balança em que se colocam alternadamente objetos diferentes com pesos iguais. Como esses pratos, o seu sistema de relacionamento pende ora para um lado, ora para o outro, na medida em que as necessidades ou as doações de cada um se tornam temporariamente mais importantes. Se um dos parceiros está fortalecido, o amor exige que o outro se fortaleça também em outra ocasião; se um deles tem potenciais ou compromissos, o outro deve oferecer o equivalente. Quando ambos combinam bem, o amor se transforma numa parceria de iguais.

Combinar bem significa que os parceiros se dão um ao outro igualmente e, igualmente, recebem um do outro; significa que precisam um do outro e satisfazem um ao outro na mesma proporção; e que cada qual reconhece e respeita de modo idêntico as funções e valores um do outro. Embora sejam iguais, são também diferentes. Só então o seu relacionamento se torna uma parceria de iguais.

Combinar bem permite aos parceiros manter o equilíbrio entre o dar e o receber, no qual cada um dá ao outro o que tem a oferecer e dele recebe o que necessita. O equilíbrio básico entre o dar e o receber, que o amor exige, é ameaçado quando um parceiro habitualmente dá ou recebe mais ou quando o que é dado por amor não é recebido com amor.

Superação de Regras e Papéis Limitadores

Uma vez que os papéis e funções de homens e mulheres dependem, em larga medida, das normas de cultura, classe e grupo social, eles variam amplamente de grupo para grupo e de cultura para cultura. O amor, entretanto, segue leis naturais mais importantes que hábitos e costumes culturais, exigindo de nós, com freqüência, o que a nossa família e a nossa cultura proíbem.

Talvez uma imagem nos ajude a compreender a diferença entre hábitos culturais e o que o amor exige. Em todos os países, as pessoas preparam o alimento segundo receitas particulares, com certas ervas e certos temperos. As crianças que nascem num determinado país tomam gosto por essas comidas. Pode acontecer que uma pessoa criada com alimentos leves não suporte pratos preparados com temperos fortes de outras terras. As enguias e peixes gordos, apreciados por uns, desagradam a outros. As receitas adotadas e os pratos apreciados são, em grande parte, escolhas adquiridas. A sabedoria da natureza, por outro lado, ensina o que devemos comer para viver e o que devemos evitar para não morrer envenenados. O que e como comer são, amplamente, questões de convenção e disponibilidade de alimento, podendo ser modificadas quando a oportunidade e a necessidade o permitirem. A má nutrição, provocada pela carência ou pelo excesso, resulta em doença e até em morte. Eis uma lei natural inalterável. Os costumes sociais, que determinam os papéis de homens e mulheres, variam significativamente de grupo para grupo, como variam as receitas e os temperos. Mas, em todas as culturas, há coisas que alimentam o amor e outras que o prejudicam.

Quando duas pessoas se encontram, cada qual traz consigo um modelo de relacionamento, bem como de funções e papéis masculinos e femininos, baseados nos valores de sua família; e ambos seguem, por hábito, essas regras, padrões e normas. Sentem-se bem quando obedecem a esses padrões antigos, mesmo que perniciosos, e sentem-se mal quando os trocam por outros, ainda que melhores. Para que o amor tenha êxito, muitas vezes é necessário que os parceiros superem os ditames de consciência que os atam aos seus grupos de referência. Assim, o preço do amor é freqüentemente a culpa.

Culpa Consentida: 1

Um jovem casal, muito apaixonado, decidiu que sua parceria devia basear-se na igualdade. Em vez de atentar cuidadosamente para o seu senso de equilíbrio sistêmico, os parceiros adotaram um rígido conceito de justiça e passaram a dividir, meio a meio, todas as tarefas. Esse acordo funcionou, sem grandes problemas, até resolverem ter filhos. Exaustos e frustrados, quase a ponto de separar-se, buscaram aconselhamento. Aos poucos, foram compreendendo que a única medida de igualdade num relacionamento é o sentimento mútuo de equilíbrio e satisfação. Depois de dividir suas tarefas e responsabilidades segundo esse sentimento íntimo de equilíbrio, e não segundo o seu conceito de justiça, logo recobraram a saúde, e o amor voltou a fluir entre eles.

Culpa Consentida: 2

Outro jovem casal, também muito apaixonado, decidiu viver a parceria de acordo com os princípios de sua religião fundamentalista. Dividiram os papéis e as funções de homem e mulher segundo os postulados dessa fé. A esposa permanecia em casa, fazendo o que faziam as outras mulheres da mesma religião, enquanto o marido trabalhava e agia como deviam agir os homens naquele sistema. Porém, ao contrário de outros casais correligionários, a quem esse tipo de convívio trazia alegria e fortalecimento do amor, os dois jovens se tornaram infelizes. A esposa, que tinha uma profissão, descobriu que sentia falta do trabalho e da companhia de outros profissionais, ao passo que o marido, afetuoso e jovial, lamentava não ter mais tempo para os filhos. Os dois procuraram a ajuda de um amigo e conseguiram, depois de um longo e penoso processo, superar o antigo conceito de equilíbrio, perceber o fluxo íntimo de sua união e, assim, encontrar um equilíbrio mais completo, capaz de sustentar o seu amor.

Os dois casais enfrentaram o mesmo problema sistêmico e o resolveram consentindo na culpa. Embora as necessidades específicas de suas consciências fossem diferentes, cada um teve de colocar-se acima das opiniões sociais que influenciavam seu relacionamento e aprender a sentir a presença ou a ausência de um verdadeiro equilíbrio sistêmico.

Dois Estilos de Amor

Uma mulher sul-americana casou-se com um europeu do Norte. Ela sonhava com a estabilidade que os bens do marido prometiam, enquanto ele ansiava pelo calor emocional e a vivacidade que ardiam na esposa. Ainda assim, começaram a ter dificuldades logo depois do nascimento do primeiro filho. O marido insistia em manter distância e respeitar o espaço pessoal da esposa. Ele tinha medo de uma intimidade excessiva. Mas ela sentia esse distanciamento, não como respeito, mas como abandono, e reagiu com pânico e ressentimento. Ele ficou assustado ante essa "chama irracional" e afastou-se ainda mais, para escapar das exigências e do controle da esposa. Cada qual desejava que o outro adotasse um modo diferente de agir. As diferenças entre eles se agravaram a ponto de já não conseguirem conversar.

O amor que sentiam um pelo outro e pelo filho não bastava para estancar a dor do desacordo. Acharam a solução só quando decidiram renunciar em parte às suas identidades — hábitos culturais e familiares, estilos de comunicação — e encontrar juntos uma terceira forma de conviver.

A consciência sistêmica que preserva a igualdade na parceria não é abalada por boas intenções e racionalizações do desejo. Só é possível perceber se os papéis e funções dos parceiros estão em equilíbrio pelo grau de seu amor e satisfação, não pelo que eles alegam ou por aquilo em que acreditam. Às vezes o desequilíbrio só se revela com o passar do tempo.

Para que uma parceria logre êxito, os parceiros devem repensar os valores e padrões que herdaram da família e trocar alguns deles por outros que convenham melhor ao relacionamento. Nesse processo, as duas famílias precisam ser respeitadas, mesmo quando uma não atende aos padrões da outra. Por exemplo, se não pertencem à mesma religião, hoje é bem mais fácil para os parceiros respeitarem ambas as famílias e harmonizarem seus credos num novo nível, talvez adotando uma fé diferente ou prestando serviços sociais.

Uma imagem explica o processo: duas pessoas estão postadas nas margens opostas de um rio. Se apenas gritarem uma para a outra: "Este lugar é meu!", nada mudará, e o rio continuará a fluir, indiferente a seus gritos. Se quiserem conhecer o amor possível a parceiros iguais, devem ambos atirar-se ao rio e deixar-se arrastar pela correnteza. Só então irão se unir, sentir a força das águas, saber o que a vida oferece e exige.

Quando as pessoas foram feridas ou prejudicadas no seio de sua família original, levam a mágoa e a suspeita para o novo relacionamento. Não podem evitar a intrusão do velho sistema no novo. De fato, apegos não-resolvidos à família de origem são uma das causas principais da dificuldade nos relacionamentos.

Meu Marido, Minha Avó

Marido e mulher sentiam-se muito unidos, mas, mesmo assim, tinham freqüentes atritos que não conseguiam compreender. Apesar de terem três filhos, separaram-se por seis meses. Um dia, em presença do terapeuta, este notou que a expressão da mulher ia se modificando até ficar parecendo uma anciã, absurdamente mais velha que o marido. O terapeuta perguntou: "Quem é essa velhinha?" A mulher pensou por alguns instantes e, de repente, se lembrou de que o avô, dono de um botequim, costumava arrastar a avó pelos cabelos, humilhando-a diante dos fregueses.

Evocando isso, ela reconheceu uma semelhança entre o ódio que muitas vezes sentia contra o marido e o ódio de sua avó contra seu avô. Quando enraivecida com o marido, via-o como a avó costumava ver o avô, mas agora podia vê-lo tal qual ele realmente era.

Às vezes, as pessoas tratam sua parceria do mesmo modo que tratam a participação num grupo voluntariamente escolhido. Em lugar de atender com desvelo ao que o senso de pertinência exige, agem como se pudessem estabelecer arbitrariamente as metas, a duração e as estruturas de seu relacionamento — e mudá-las à vontade. Talvez reconheçam, tarde demais, que uma parceria afetuosa só floresce quando os parceiros respeitam seus vínculos e as coerções que esses vínculos lhes impõem. A interdependência entre amor e ordem sistêmica é incontornável.

O preceito de Santo Agostinho, "Amai primeiro e depois fazei o que quiserdes", está fadado ao fracasso. Muitos, equivocadamente, acreditam que o amor basta por si só, podendo compensar o que quer que falte num relacionamento. Essa ilusão impede-nos de perceber os limites do que podemos ou não podemos fazer.

O Meu Amor Irá Mudá-lo

Contra a vontade dos pais, uma jovem desposou um homem dado à bebida, ao jogo e às mulheres. Depois de anos de convívio deplorável, ele morreu, deixando-a pobre e com quatro filhos, três dos quais ainda necessitados de seus cuidados. Conversando com um amigo, lembrou-se de que, quando jovem, pensava que podia mudar o marido se o amasse suficientemente. Em vez de admitir o erro dessa crença, permanecera com ele, dando-lhe mais e mais, e pagara caro o seu excesso com sofrimento. Também percebeu que sua mãe tentara melhorar seu pai, o qual, como o seu marido, resistira a todos os esforços para mudar.

Por ser uma qualidade intrínseca da ordem sistêmica, o amor se desenvolve, flui e desabrocha apenas num ambiente de equilíbrio sistêmico. As tentativas de compensar o desequilíbrio sistêmico com um amor cada vez maior estão destinadas ao fracasso. Como a semente em solo fértil, o amor não tenta modificar o local onde se enraíza. O amor se desenvolve entre seres humanos e é essencial para nós — não pode, porém, influenciar o sistema mais vasto que lhe deu nascença, e o amor entre duas criaturas desempenha apenas um papel menor no formidável universo de estrelas e galáxias.

Hierarquia entre Pais

Algumas danças, como a valsa e o tango, são mais bonitas quando os parceiros combinam bem em desenvoltura e estilo, e quando um conduz o outro. Os bons dançarinos usualmente concordam que se sentem melhor quando suas respectivas habilidades tornam natural para o homem conduzir e, para a mulher, ser conduzida.

O tempo, a importância e a função se juntam para determinar quem comanda e quem obedece nos relacionamentos íntimos. Uma vez que os parceiros entram na relação simultaneamente, o fator tempo é neutralizado; mas, entre irmãos, os mais velhos têm precedência sobre os mais novos.

Apesar das aparências, a mulher quase sempre tem mais importância nos relacionamentos entre pais. Talvez em virtude da imediaticidade do envolvimento de seu corpo na gravidez, no parto e na criação dos filhos, sua ligação com eles é naturalmente íntima e forte. Por intermédio dos filhos, ela se liga também à vida e sente uma importância que o marido dificilmente adquire. Essa mulher é o centro ao redor do qual a família se organiza, e, embora possa ser mais limitada que o marido, exibe um contentamento seguro e uma liberdade confiante que, paradoxalmente, lhe são garantidos pela sua maior importância.

Entretanto, os filhos que permanecem à volta da mãe por muito tempo acham difícil obter autonomia; e o amor maduro e pessoal de parceiros bem-entrosados não se desenvolve quando um ou outro predomina. De igual modo, observamos repetidamente em constelações que os membros da família logo se sentem melhor quando o centro de gravidade da família se desloca para a esfera do homem — os filhos sentem a exuberante segurança necessária para explorar o mundo; o amor do casal se apura e revive.

O amor é, em geral, bem-servido quando a esposa segue o marido no seu linguajar, na sua família e cultura, e quando aceita que seus filhos o sigam também. Essa concessão torna-se natural e boa para as mulheres se seus maridos governam no interesse do bem-estar da família e compreendem a misteriosa lei sistêmica de que o masculino serve o feminino. Os homens e suas famílias sofrem conseqüências graves quando esse serviço é evitado, distorcido ou não-executado.

Além da hierarquia estabelecida pelo tempo e pela importância, a divisão de funções também desempenha um papel na escolha do parceiro que irá liderar. Embora isso em muitos países esteja mudando, as famílias com as quais trabalhamos em geral funcionam melhor quando a mulher assume a responsabilidade principal pelo bem-estar interno da família e o homem se encarrega de sua segurança no mundo exterior, sendo seguido aonde quer que vá.

Obviamente, essa divisão tradicional de funções não pode e não deve ser mantida em algumas famílias. Às vezes o homem não consegue proteger sua família por circunstâncias de guerra, falta de dinheiro, doença ou incapacitação. Alguns homens não têm forças para liderar com firmeza porque ainda não completaram o movimento de libertação da esfera de influência da mãe e aproximação da esfera do pai, do avô e do mundo sadio dos homens. Algumas mulheres recusam-se a obedecer porque permanecem na esfera paterna, nunca tendo podido ligar-se à mãe, à avó e à força primordial da feminilidade. Outras não conseguem obedecer porque continuam a desempenhar uma função importante em sua família de origem, talvez por causa de algum acontecimento excepcionalmente complicado ou trágico. Nesses casos, a esposa não deve seguir o marido, mas ao menos permitir que os filhos o sigam para a esfera mais segura de sua família. Às vezes o dano na família do marido é tão grande que sua família atual só pode encontrar a paz se ele e os filhos passarem para a esfera da esposa e submeterem-se a ela. Esses casais precisam cuidar mais para que o dar e o receber permaneçam em equilíbrio e para que a mulher não se torne um substituto do pai ou mãe do marido.

Exemplo

Num seminário, uma participante reagiu indignada à idéia de que o amor flui mais facilmente quando os homens lideram e as mulheres obedecem. Ela contou, com muito brio, que seu primeiro marido era violento, que o segundo molestara sexualmente sua filha e que o terceiro, embora bondoso e afável, não tinha ambições e estava satisfeito com a vidinha simples que levava. Disse: "O senhor está me dizendo que eu deveria obedecer a esses homens?" O líder do grupo respondeu, após uma pausa: "Sem dúvida, sua obediência não beneficiaria o amor. Mas imagine, por um momento, que seu parceiro atual mudasse como você deseja e assumisse plena responsabilidade por você e pela família. Como se sentiria?" A mulher declarou prontamente: "Então eu poderia enfim descansar."

Muitas mulheres se surpreendem ao descobrir o profundo alívio, a grande satisfação e a tranqüilidade que sentem espontaneamente quando o sistema familiar adquire simetria e elas, com toda a naturalidade, seguem um marido que está verdadeiramente a serviço da família. Os homens, por sua vez, experimentam uma estranha transformação quando seus serviços são reconhecidos e devidamente valorizados.

Considerações Adicionais

Essa observação de Hellinger provocou forte controvérsia, pois algumas pessoas supuseram, erroneamente, que ele advogava o retorno das mulheres a seus papéis e funções tradicionais. Sem dúvida, essas observações parecem à primeira vista impugnar muitas coisas boas que o movimento feminista conquistou. Cerca de dois terços das famílias com que trabalhamos são mais felizes e funcionam melhor quando descobrem a simetria oculta que permite ao homem conduzir bem e à mulher, segui-lo apropriadamente. Longe de ser uma atitude moral, esta descreve uma reação física espontânea, bastante visível em todos os membros da família quando a simetria é encontrada, principalmente as crianças. Como representantes de uma constelação, várias mulheres ficaram surpresas (e às vezes um tanto embaraçadas) com a sensação de "correção" que essa simetria sistêmica oculta lhes dava, ao mesmo tempo que libertava seus filhos. A necessidade de preservar o bem-estar da família é um dos mais vigorosos sentimentos dos homens, e a impossibilidade de consegui-lo deixa feridas profundas. Muitos homens também ficaram surpresos (e um tanto embaraçados) com o assomo de dignidade e emoção quando seus esforços eram "suficientemente bons", e seus serviços reconhecidos e valorizados.

Não se sabe ao certo se isso é mera questão de socialização ou se fatores evolucionários estão igualmente presentes. Podemos aventar, do ponto de vista evolutivo, que, após a fertilização, o pai é mais dispensável que a mãe e o filho e que ele continua a desempenhar uma função de preservação da vida ao contribuir para sua sobrevivência e bem-estar. Bert Hellinger não explica o fenômeno, apenas diz: "Ignoro por que as coisas são assim, mas noto que se trata de um movimento profundo da alma com efeitos fortemente benéficos, sobretudo nos filhos, e eu o respeito."

Muitas pessoas confundem o termo "obedecer" com ser subserviente ou inferior; outras confundem prepotência e beligerância com "liderar". O amor, ao contrário da evolução, exige que ambos os parceiros estejam igualmente presentes e sejam igualmente importantes no relacionamento. Exige que a simetria de sua união seja autêntica, imune às falsas conclusões e às boas intenções.

Cada situação é única e as constelações servem para determinar quem deve liderar ou obedecer numa determinada família. [H. B.]

A CAMINHO DA MORTE

Quanto mais profundo e duradouro for um relacionamento, mais a morte o penetra e faz parte dele. Podemos estabelecer uma parceria na esperança de que ela irá nos completar e pôr fim às nossas necessidades ou solidão. Mas a verdade é que ela nos conduz à morte. Ainda quando o amor prevaleça, um vazio de alma, que a união não consegue preencher, subsiste em cada parceiro. A constatação dessa incompletude profunda e muito humana arrasta-nos para os mistérios supremos da vida, para a dimensão espiritual e religiosa. Quando as ilusões se esfumam e morrem, os casais cujo amor resiste ao avanço da idade se confrontam com os limites da parceria e com esses mistérios. Os parceiros, sacrificando a esperança de que possam receber um do outro o que nenhum parceiro pode dar, começam a olhar-se com mais afeto, isentando-se mutuamente das antigas expectativas e submetendo-se a um processo cujo desfecho não pode ser previsto.

Todo relacionamento íntimo é levado pela corrente do tempo, vogando para o seu próprio fim e abrindo espaço para o que virá em seguida. Os pais, por exemplo, perdem a liberdade quando nascem os filhos, mas a alegria de tê-los e a sensação de plenitude que advém da procriação substituem o que renunciaram. O auge da intensidade num relacionamento entre homem e mulher ocorre usualmente por ocasião do nascimento do primeiro filho. Depois disso, o relacionamento toma outra direção, exterioriza-se; outros fatores, aos poucos, vão se impondo; e, também aos poucos, a intensidade da união original vai decrescendo. Esses sacrifícios da intimidade são convenientes: trazem-nos de volta à terra e livram-nos de fantasias ingênuas quanto ao que o amor possa ser.

Toda crise habilita o casal a exercitar-se na morte. Ela exige que os parceiros esqueçam sonhos que acalentaram, mas seu amor prossegue num nível mais profundo e mais sólido. À medida que as roupagens das esperanças irrealistas vão sendo depostas, os parceiros ficam cada vez mais expostos, podendo ser vistos e amados — e ver e amar — como são. Um amor assim está além da ilusão e vale pelo que é.

A cada renúncia e perda, o novo que penetra nos relacionamentos mostra-se mais modesto e mais sereno. Ao mesmo tempo, o amor torna-se mais estimulante para a alma que o amor dos recém-casados. Quando a união do casal volta à terra e se faz mais modesta, os parceiros se encaminham para a morte e a saúdam. Por isso, vemos tantas vezes expressões de completa serenidade no rosto de pessoas idosas bem-casadas, pois elas já não temem a perda nem a morte.

Plenitude

Um jovem perguntou a um velho:
"Que diferença existe entre nós
Se és quase parte do que foi
E eu ainda estou me tornando?"

O velho respondeu:
"Eu já fui mais.

O dia que surge parece maior
Do que o anterior porque
O dia, no ocaso, é quase passado.
Mas o novo dia, embora esteja por vir,
Só pode ser o que já é —
Por isso, também cresce ao desvanecer-se.

Ascende, como o ontem,
Em direção ao zênite,
Atingindo-o pouco antes da canícula.
Estaca por instantes no alto, ao que parece,
Até que, arrastado pelo próprio peso,
Que aumenta com o correr das horas,
Mergulha profundamente na noite.
E, como o dia que veio antes,
Alcança a plenitude quando também se foi.

Contudo, nada do que foi pode realmente desaparecer.
Ele permanece porque existiu.
Embora já seja passado, seu efeito persiste
E aumenta graças ao novo que se lhe segue.
Como uma gotícula que cai da nuvem passageira,
Dissolve-se num oceano eterno.

Só o que não pôde surgir
Porque o sonhamos sem agir,
Porque o pensamos sem construir —
Tudo o que escapa à nossa experiência,
Tudo cujo preço receamos pagar —
Se perde.
A experiência não-vivida vai-se para sempre.

Assim, o deus do momento certo
Surge-nos como um jovem
Com uma mecha de cabelos na frente
E uma nesga de calvície atrás.
Agarramo-lo pelos cachos da frente,
Mas, atrás, tateamos o vazio."

O jovem então perguntou: "Que devo fazer
Para me tornar o que tu foste?"

O velho respondeu: "Seja!"

PERGUNTAS E RESPOSTAS SOBRE TEMAS ESPECIAIS

O Aborto e Seu Efeito na Parceria

Pergunta: De que modo um aborto espontâneo ou induzido afeta o sistema familiar?

Hellinger: Em geral, o aborto espontâneo não afeta absolutamente o sistema, desde que a saúde da mãe tenha sido preservada. Pelo que observo, o aborto induzido não costuma afetar os outros filhos, mas afeta o relacionamento dos pais. Talvez as coisas se passem de modo diferente em outras culturas, mas, na nossa, ele traz para a alma conseqüências profundas, independentemente das crenças conscientes dos pais a respeito do aborto — embora, é claro, isso varie um pouco de família para família.

O problema principal surge quando as pessoas recorrem ao aborto como se ele pudesse remediar algo que já aconteceu. Na verdade, os parceiros sempre acham que o peso da culpa e das conseqüências do aborto é maior que o peso de ter o filho.

Em certas situações, o aborto pode ser a menos destrutiva das opções disponíveis, mas é uma opção que custa caro. Trabalhei com casais cuja decisão de abortar admiro e respeito — fizeram a escolha conscientemente e suportaram as conseqüências dessa escolha com um sentimento de reverência para com o filho. A criança não-nascida parecia-lhes uma pessoa que precisava e merecia ser vista. Se a decisão de abortar é tomada na presença do filho não-nascido, com toda a dor e culpa que acarreta, com plena consciência do que está sendo exigido da criança, então essa decisão traz um forte sofrimento. Esse tipo de aborto é bem diferente do que se pratica para evitar as conseqüências de nossas próprias escolhas. Ele afeta os parceiros por muito tempo, mas pode também aproximá-los ainda mais e aprofundar-lhes o amor.

Uma das conseqüências comuns do aborto é o fim do relacionamento: os pais têm de começar de novo se quiserem continuar juntos. Quando não são casados, costumam afastar-se. Se o aborto ocorre na vigência do casamento, as relações sexuais ficam difíceis ou cessam por completo. Não é inevitável que assim seja, pois existem soluções; mas se os parceiros tentam contornar as conseqüências de seus atos e sentimentos de culpa — talvez minimizando a gravidade do que fizeram ou evitando encarar o filho não-nascido como pessoa —, acabam pagando o preço dessa negligência em outra ocasião.

Ambos os pais têm igual responsabilidade pelo aborto, assim como foram igualmente responsáveis pela gravidez, e nenhum pode incriminar o outro sem prejudicar a si mesmo ou ao relacionamento.

Pergunta: Tenho refletido sobre a situação dos membros da família que foram excluídos. Pergunto-me se não é importante para os irmãos saber que houve um aborto.

Hellinger: Não é problema deles. É algo de particular entre os pais e deve ficar entre eles. Raramente vi casos em que um aborto trouxesse problemas para os outros filhos.

Pergunta: O senhor disse que relacionamentos se desfazem depois de um aborto. Será isso verdadeiro mesmo quando o aborto é do quarto ou sexto filho?

Hellinger: Sim, é o que eu tenho observado.

Pergunta: E quando o filho é de outro homem ou de outra mulher?

Hellinger: Nesse caso, o casamento, tal qual era, já acabou. Mesmo que os parceiros continuem juntos depois do aborto, seu relacionamento certamente não será o mesmo de antes. Quando um filho é concebido com outra pessoa na vigência do casamento, isso é o começo de um novo sistema, e a antiga parceria se desfaz de qualquer maneira. Há quem trate o aborto como um incidente inofensivo, mas quando trabalhamos com homens e mulheres que o praticaram, descobrimos que tem conseqüências bem mais sérias do que eles supunham.

Pergunta: Que acontece quando o pai ignora o fato?

Hellinger: Se a mãe não lhe conta, seu relacionamento já está terminado. Se ele sabe, deve tomar uma posição. O aborto é um caso extremo de dar e receber porque o filho dá tudo e os pais recebem tudo. Pais que nada sabem sobre um aborto lucram com a morte da criança, e seus atos ainda trazem conseqüências. Têm o direito de saber, de ser informados.

Algumas pessoas condenam-se à morte depois de um aborto. Contraem realmente doenças graves ou cometem suicídio. Essas decisões não são tomadas apenas por causa da depressão ou de sentimentos superficiais de culpa, e merecem ser compreendidas em toda a sua profundidade e amplitude. Se se pede a uma criança não-nascida que renuncie à vida, os pais têm a obrigação de zelar para que isso não seja em vão. Vivendo plenamente, honram mais o filho do que se morressem.

Quando uma criança abortada é instalada numa constelação familiar, o fato tem efeito marcante sobre os representantes dos pais e da criança. Como você se sentiu, Claude? *(Claude representara um filho abortado, no começo da sessão.)*

Claude: Eu me senti completamente solitário. Sem nenhuma sensação de vida.

Hellinger: É uma reação típica. A criança se sente sozinha, abandonada, ignorada, enjeitada. A solução, para um ou ambos os pais numa constelação, é fazer contato com a criança (isso acontece simbolicamente por meio do toque) acolhendo-a em seus corações. Então a criança pode aceitar seu destino. Essa solução só é possível quando os pais sofrem realmente e aceitam a sua dor. A aceitação da dor e da tristeza honra o filho e reconcilia-os com ele.

Crianças pequenas têm uma disposição básica para morrer pelos pais. Instintivamente, percebem que vida e morte caminham juntas e são inseparáveis, de modo que não se sentem compelidas a aferrar-se à vida a qualquer preço. Quando os pais conseguem reconhecer um filho abortado como uma pessoa e compreender que se sacrificou por eles, há paz no sistema. Essa paz só sobrevém depois que a criança foi reconhecida como um "outro" real e entrou no coração dos pais.

Numa constelação, um ritual de cura pode ser executado com o representante do filho sentado diante dos pais e inclinado para eles. Os pais podem então pousar-lhe as mãos na cabeça e sentir essa conexão com amor e tristeza. Isso, com freqüência, atua beneficamente sobre a constelação toda e nota-se uma mudança profunda nos pais quando conseguem permitir que o filho se torne uma pessoa real para eles. Se ambos os pais se permitem sentir a dor da perda e daquilo que pediram ao filho, a expiação e a reconciliação podem sobrevir. Sua dor honra o filho e este se sente incluído, encontra o seu lugar e a paz. Aceitando a dor e a culpa, os pais encontram a plenitude e essa plenitude lhes dá força. A parceria pode intensificar-se novamente, mas num outro nível. Quando apenas um dos parceiros sofre, a parceria se rompe e eles comumente se separam.

Outro exercício de cura para os pais, depois de um aborto, consiste em imaginar-se tomando o filho pela mão e mostrando-lhe as coisas belas do mundo. Durante um ano ou dois, podem imaginar-se mostrando-lhe o que fazem e os lugares que freqüentam, tal como fariam com uma criança viva. Depois disso, o filho pode morrer verdadeiramente e encontrar a paz.

Esse é um exercício que deve ser feito com grande precaução e máximo respeito. Graças ao sofrimento plenamente consciente e consentido, alcança-se uma plenitude muitas vezes impossível quando as pessoas se escondem por trás de uma fachada de alegria e descontração. Essa plenitude é a recompensa dos pais por aceitarem a gravidade de sua culpa e perda. Algo de bom e especial também pode decorrer da recordação do filho. Nada de exagerado é necessário aqui, mas deve ser alguma coisa que de outra forma não se faria.

Quando o tema do aborto é mencionado em seminários, faço o possível para evitá-lo. Nessas situações, é praticamente impossível saber quais são, afinal, os ganhos e perdas; portanto, fica difícil indicar a solução melhor — ou menos destrutiva. O que apresentei foram umas poucas generalizações. Cada caso, porém, é diferente, e os terapeutas precisam observar com cuidado as pessoas em situações reais.

Relatei apenas o que tenho observado no meu trabalho com famílias, e nada mais pretendo dizer a respeito. É um problema difícil. *(Longo silêncio.)* Vou contar-lhes uma história. Reflitam sobre ela.

O Convidado

Nos tempos do Velho Oeste, um homem de mochila às costas vagava pela imensidão do deserto. Caminhava há horas, o Sol ia alto no céu e sua sede aumentava. Avistou uma casa de fazenda no horizonte e pensou: "Graças a Deus, finalmente outro ser humano nesse ermo! Vou parar lá e pedir água, talvez sentar-me na varanda e conversar um pouco antes de retomar o caminho." E imaginou como isso seria bom.

Mas, ao aproximar-se da casa, viu o fazendeiro trabalhando no jardim e começou a mudar de idéia. "Ele deve estar muito ocupado e, se eu o aborrecer, ficará irritado. Pensará que sou um grosseirão." Quando, finalmente, alcançou o portão do jardim, apenas acenou para o fazendeiro e passou de largo.

O fazendeiro percebera-o à distância e ficara contente. "Graças a Deus", pensara, "finalmente outro ser humano neste ermo! Tomara que venha até aqui. Beberemos alguma coisa, quem sabe nos sentaremos na varanda e conversaremos um pouco antes de ele retomar seu caminho." O fazendeiro entrou em casa e preparou uma bebida gelada.

Mas, quando o estranho se aproximava, pensou: "Ele certamente está com pressa. Se eu o convidar, vou colocá-lo numa situação difícil. Achará que estou sendo atrevido. No entanto, talvez tenha sede e venha por vontade própria. O melhor que tenho a fazer é voltar ao jardim e fingir-me ocupado. Ele sem dúvida me verá e, se desejar alguma coisa, me pedirá." Quando o estranho apenas acenou de passagem, pensou: "Isso é mau!"

O viandante prosseguiu. O Sol dardejava, a sede o pungia. Passaram-se horas antes que avistasse outra casa no horizonte. E disse para si mesmo: "Desta vez vou falar com o fazendeiro, ainda que isso o aborreça. Estou sedento e preciso beber água de qualquer maneira."

Quando o fazendeiro o avistou à distância, resmungou: "Deus do céu! Justamente agora que tenho tanto trabalho a fazer! Não posso receber ninguém." E continuou a trabalhar sem levantar a cabeça.

O viandante viu-o sair para o campo e seguiu-o, dizendo: "Estou com muita sede. Poderia, por favor, dar-me algo para beber?" O fazendeiro pensou: "Não posso despachá-lo. Não seria direito." Assim, levou o estranho para casa e deu-lhe de beber.

Disse o estranho: "Reparei no seu jardim. É claro que quem cuida dele sabe o que faz e ama as plantas." O fazendeiro perguntou: "Então você gosta de jardinagem?" Sentaram-se na varanda e conversaram por muito tempo. Finalmente, o estranho declarou: "Agora devo ir-me." E o fazendeiro: "O Sol está se pondo. Fique por aqui esta noite. De manhã tomaremos café e você poderá partir." O visitante concordou.

Caía a tarde. Sentados na varanda, os dois contemplavam a vastidão do céu do Oeste, transfigurado ao lusco-fusco. No escuro, o visitante confessou que o mundo mudara para ele, depois que percebera alguém acompanhando-o sempre, passo a passo. A princípio, disse, recusara-se a acreditar que era seguido constantemente: quando parava, o outro parava; quando prosseguia, o outro prosseguia. Só depois de algum tempo reconhecera o seu companheiro. "Esse companheiro é a morte", explicou. "Acostumei-me tanto com sua presença que sentiria saudades se ele não estivesse mais aqui. É o meu melhor e mais fiel amigo. Quando não sei o que é certo ou o que devo fazer, detenho-me e espero sua orientação. Entreguei-me a ele. Sei que estamos juntos. Sem apegar-me a meus desejos, aguardo sua mensagem. Quando me sinto forte e confiante, ele me diz uma palavra que, como um raio, dissipa a treva e me ilumina."

O fazendeiro achou essa conversa muito estranha e olhou silenciosamente a noite. Depois de longo tempo, avistou sua própria morte e curvou-se diante da nova companheira. E, ao cumprimentar a sua morte, foi como se toda a sua vida houvesse mudado: tornara-se preciosa como o amor que antecipa o adeus, e, como esse amor, transbordou.

Na manhã seguinte, tomaram juntos o desjejum e o fazendeiro disse: "Você pode partir, mas a minha amiga ficará." Saíram, apertaram-se as mãos e despediram-se. O viajante partiu, o fazendeiro regressou ao seu campo.

Exemplos de Seminários

Adrian: *(Adrian deixara esposa e filhos para viver com Jennifer, que, em seguida, engravidara.)* Quero dizer apenas que Jennifer, minha parceira, talvez esteja fazendo um aborto hoje e não posso interferir. *(Sua voz enfraquece.)* Sinto-me confuso e impotente. Gostaria de fazer algo, mas eis-me aqui, sentado, a 400 quilômetros de distância. Só me resta aceitar o fato.

Hellinger: Adrian, se ela fizer o aborto contra a sua vontade, você será tocado pela morte. Parte de você morrerá também *(pausa)*. Significará, provavelmente, que o seu caso com Jennifer terminou. Talvez não a perca, mas seguramente perderá a sua primeira família. Você é livre para consentir nisso ou não. Se consentir nessa morte, uma nova força poderá manifestar-se em você, oriunda da culpa compartilhada, do sacrifício da criança não-nascida e da perda de sua família. Se consentir nisso tudo, um peso deslizará de seus ombros, mas, se tentar descobrir a saída mais fácil, terá de carregar esse peso. *(Adrian arqueja e assume uma atitude de autopiedade.)*

Hellinger *(ao grupo)*: O que ele está fazendo agora é autodestrutivo. Mostra uma atitude nada apropriada de abatimento e egoísmo; sua perda é certamente menor que a do filho.

Adrian *(em voz fraca)*: O senhor está pedindo muito...

Hellinger: A opção da cura nem sempre é a mais fácil. *(Pausa.)* Sua reação, um tanto teatral, não lhe convém. Você está canalizando suas energias para a autopiedade e não para a ação eficaz. Não há vantagem nisso. Assim, vamos deixá-lo remoer o assunto por algum tempo.

June: Fiquei bastante impressionada com o que o senhor disse a respeito do aborto. Sofro muito por ter feito um *(começa a chorar)* e sinto muita raiva.

Hellinger *(depois de uma longa pausa)*: Esse tipo de raiva é uma manobra de diversão. Mostra que você está tentando transferir a responsabilidade para outra pessoa. Você tem de aceitar a sua quota de responsabilidade porque, quando se trata de um aborto, não é possível passá-la ao seu parceiro — ou a quem quer que seja.

June: Tenho refletido sobre o assunto, procurando lembrar quando meu marido e eu começamos a pensar em separação. Sim, foi exatamente há um ano e meio, pouco depois do aborto. Teria sido o nosso terceiro filho.

Hellinger *(referindo-se à constelação familiar de June, que estivera olhando em outra direção, evitando o marido)*: Vocês estavam pensando no filho, June. *(June recomeça a chorar, agora com mais sinceridade.)* Deixe que a dor ocupe dentro de você o espaço que merece. É uma dor saneadora, que faz honra a esse filho. Ela irá ajudá-la a descobrir o que deve ser feito para que o sacrifício da criança não tenha sido em vão. *(Pausa.)* Mais perguntas sobre este assunto?

Louis: Poderá dizer algo mais a respeito do papel do aborto espontâneo no sistema familiar?

Hellinger: Como já disse, o aborto espontâneo geralmente não afeta o sistema familiar e poucas vezes compromete o relacionamento do casal. Ele deve ser encarado como uma coisa que acontece e nada tem que ver com culpas pessoais. Por exemplo, uma mulher que abortou espontaneamente pode sentir-se culpada e perguntar: "O que eu fiz para que isso acontecesse?" Esta é uma pergunta despropositada, presunçosa e que só gera loucura. Se o terapeuta disser: "Você teve cinco abortos espontâneos; portanto, deve ter alguma culpa", eu considerarei essa intervenção perniciosa.

Louis: Perguntei por causa de um antigo cliente meu. Um de seus sonhos levou-me a suspeitar que houvera abortos espontâneos em sua família, o que ele depois confirmou. Eu queria saber se isso poderia ser importante.

Hellinger: Irmãos dele?

Louis: Sim.

Hellinger: Parece que esse homem é uma exceção ao que acabo de dizer. Talvez os irmãos fossem importantes para ele. Nesse caso, como única solução, deveria reverenciar o destino deles e dizer-lhes: "Vocês não vieram ao mundo. Eu vim. Vocês estão mortos, eu estou vivo." Então teria de haver-se com a culpa de ter sobrevivido, de estar vivo, enquanto os outros estavam mortos, mesmo que nada pudesse fazer a respeito. Todos aqui já conhecem a fórmula mágica: "Você está morto. Eu viverei um pouco mais e também morrerei." Essa fórmula reaproxima vivos e mortos, e os vivos não precisam mais sentir que, de algum modo, levam vantagem sobre os mortos.

O exemplo que você citou mostra como é perigoso tentar construir uma teoria abrangente a partir de uma observação limitada. Estou lhes dando aqui uma orientação geral, mas ela não deve impedi-los de observar qual é realmente o caso das pessoas com quem trabalham.

Inseminação Artificial

Pergunta: Que dizer da inseminação artificial? Estou trabalhando com um casal sem filhos que está fazendo de tudo para que isso seja possível. Quais serão as conseqüências?

Hellinger: Não haverá problema algum se o sêmen for do marido.

Pergunta: Não; eles querem recorrer a um banco de sêmen.

Hellinger: Mas por que diabos fariam isso? Se usarem o sêmen de outro homem, ultrapassarão as fronteiras de seu relacionamento e correrão o risco de se separar. De qualquer maneira, o relacionamento deles já está ameaçado. Sei que muitas pessoas afirmam que isso não tem importância, mas minhas observações são diferentes. Quando os parceiros se defrontam com um destino particularmente difícil, como não poder ter os filhos que queriam, devem ser muito cuidadosos com o que fazem para mudar esse destino. Não é tão fácil mudar destinos por meio de intervenções tecnológicas, como muitos gostam de pensar; as conseqüências para o sistema são inesperadas e, em geral, mais graves do que possam admitir. Por exemplo, se o marido não pode ter filhos e a mulher se deita com outro homem, ou faz inseminação artificial para engravidar, ela não está aceitando o marido tal qual é, o que prejudica o relacionamento. Se desejar manter a parceria, andará bem em aceitá-lo inclusive com suas limitações. De outro modo irá separar-se dele e sofrer todas as conseqüências que isso traz.

Quero Me Casar com Ele

O marido, que não podia ter filhos em razão de doença, pediu à esposa que encontrasse outro homem para engravidá-la. Criariam o filho como se fosse seu. Ela conheceu um ator famoso, que concordou com o plano. A mulher engravidou e deu à luz uma menina saudável. Pouco tempo depois, o casamento ruiu. Ela encontrou outro homem, engravidou de novo e casou-se com ele. A menina achava que seu pai era o primeiro marido da mãe. Mas, coisa estranha, toda vez que via o ator na televisão, dizia: "Quero me casar com ele." A mulher, por fim, teve de contar-lhe a verdade.

O Casal Vem Antes dos Filhos

Pergunta: Trabalho com muitas famílias cujos parceiros colocam as necessidades dos filhos acima de tudo o mais. Tenho a impressão de que as crianças não se sentem seguras quando dispõem de liberdade excessiva ou de atenção exagerada. Poderia dizer alguma coisa a respeito do relacionamento entre pais e filhos, tal como o vê?

Hellinger: O relacionamento básico numa família é entre o pai e a mãe. Ele constitui o alicerce do papel de pais. A força necessária para que desempenhem bem esse papel vem do relacionamento do casal. Enquanto o relacionamento for bom e alicerçar a família, os filhos se sentirão seguros.

A criança se sente melhor quando, na família, o pai estima e respeita a si próprio e à mãe, e quando a mãe estima e respeita a si própria e ao pai. Então, o relacionamento dos pais com os filhos é a continuação e a realização do seu relacionamento mútuo; os filhos são o coroamento e a plenitude do amor um pelo outro. Os filhos se sentem livres quando seus pais se amam.

Aqui, são importantíssimos o direcionamento e a qualidade do amor. Quando o amor do pai pela filha é eficiente, flui para ela através da esposa; faz um desvio pela esposa. O mesmo se aplica ao amor da mãe pelo filho, que flui para ele através do marido. Quando os pais amam os filhos dessa maneira, a união se consolida e os filhos se sentem livres e seguros.

Primeiro, homem e mulher são um casal; só depois se tornam pais. O relacionamento entre parceiros vem antes do relacionamento parental; por isso, tem precedência. Sua união se manifesta nos filhos, que são a expressão de sua masculinidade e feminilidade. O homem e a mulher estão física e notoriamente unidos nos filhos.

Embora a continuação da vida da espécie seja a função biológica do casamento, o relacionamento dos cônjuges precede sistemicamente o relacionamento com os filhos. O amor dos pais pelos filhos deve ser a continuação e o coroamento de seu amor um pelo outro como casal. As coisas se passam assim porque seu amor mútuo vem primeiro e, como as raízes da árvore que sustentam e nutrem os galhos, esse amor nutre e sustenta os filhos.

Quando numa família os pais permitem que o amor pelos filhos se torne mais importante que o amor de um pelo outro, como casal, a ordem do amor é perturbada e a família fica sujeita a disfunções. A solução consiste em priorizar o relacionamento do casal. Se isso acontece numa constelação, pode-se notá-lo imediatamente. Os filhos que vêem os pais como um casal descontraem-se e todos se sentem melhor.

Quando o Pai Age como Homem

Um homem e uma mulher se casaram porque ele esperava ver atendidas necessidades de infância e ela queria amá-lo como uma mãe. Viveram muito satisfeitos até lhes nascer um filho. O amor da mulher, como era de esperar, voltou-se para o filho biológico. O marido começou a sentir-se negligenciado e ciumento, passando a competir com o filho pela atenção da esposa. Esta, por sua vez, sentiu-se abandonada pelo marido e desejosa de um parceiro que fosse igual a ela.

Dividida entre os pais, a criança não conseguia ligar-se a nenhum dos dois e entrou em grave depressão.

Livrou-se dessa depressão quando o pai assumiu o seu devido lugar ao lado da esposa, como um homem em parceria com uma mulher e como um pai em relação a um filho. O menino encontrou a paz e pôde, enfim, ser criança.

Solteiros e Casais sem Filhos

Pergunta: Sou solteiro e velho demais para ter um filho. Sinto-me excluído e desvalorizado pelo que o senhor está dizendo. Não haverá lugar para pessoas como eu na simetria que descreve?

Hellinger: Solteiros e casais sem filhos obviamente não estão excluídos da possibilidade de encontrar amor e sentido em suas vidas. Há, porém, certos problemas que precisam enfrentar e resolver. Como você já deve saber por experiência própria, suportar a solidão e encontrar sentido na vida pode ser muito doloroso para uma pessoa solteira e sem filhos. Uma situação realmente difícil. Meu interesse é descobrir o que as pessoas, nessas circunstâncias, podem fazer a fim de resguardar seu potencial para amar e encontrar sentido na vida.

Nas constelações que montamos, vimos que todos partilhamos o destino e a culpa de nossas famílias. Isso significa que sofremos também as conseqüências do que outros fazem no nosso sistema, assim como o que fazemos os afeta. As pessoas que ficam solteiras por livre escolha também aceitam livremente as conseqüências dessa escolha e, em geral, não buscam terapia. Entretanto, muitas pessoas não são solteiras porque querem, mas porque foram apanhadas num emaranhado sistêmico, ou estão pagando uma dívida que não fizeram. Por exemplo, o marido atormenta a mulher e ela suporta tudo sem abandoná-lo porque se sente dependente dele. A filha desenvolve uma persistente desconfiança dos homens e da intimidade, e continua solteira. Ficando solteira para ser feliz, tem de organizar a vida de um modo muito diferente do que o faria se fosse casada. De certa maneira, goza de mais liberdade que suas amigas casadas, mas também paga um alto preço. Não pode conhecer a liberdade que, paradoxalmente, advém da união com um parceiro e das responsabilidades de ser mãe.

Sei que isso está fora de moda, mas a verdade é que existem mulheres que se realizam, alcançando o máximo de consistência psicológica e dignidade, quando têm muitos filhos e uma família grande e afetuosa. Ainda se pode vê-las na zona rural de vários países. Elas irradiam um ar de profunda serenidade, de paz e ligação com a vida. Sua grandeza é simples e perfeitamente natural. Nota-se o mesmo em seus maridos, embora em grau menor. As pressões sobre esses pais são enormes; eles tiveram de aprender a renunciar, a ser pacientes e a contentar-se com o que a vida oferece.

O caminho para encontrar realização numa família grande foi bloqueado na nossa cultura, tanto para as mulheres quanto para os homens, mas isso não significa que devamos desmerecê-lo. Uma vez que essa profunda e natural realização humana já não é possível, as mulheres precisam recorrer a outras formas de obtê-la, principalmente no trabalho. Há uma ilusão culturalmente gerada que as ajuda nisso: a de que ter uma carreira satisfaz mais a mulher do que ficar trancafiada em casa com os filhos. Não acredito que ficar o dia inteiro num escritório, diante do computador, possa ser intrinsecamente mais gratificante do que permanecer em casa com os filhos. Entretanto, creio que a ilusão é necessária para que as mulheres consigam fazer o que a evolução cultural exige delas e ainda encontrar satisfação na vida.

Freqüentemente, as mulheres nem sequer têm consciência dessa perda de oportunidade; muitas vezes negam que seja uma perda ou consideram-na sem importância. Com isso, desmerecem o que outrora foi a plenitude da feminilidade e desdenham o que não é mais possível. Ter filhos não é nada; cuidar da casa não é nada; os homens não são nada. Isso faz com que as mulheres se atirem a uma carreira, mas ao preço de perder a ligação com um aspecto fundamental da condição feminina e não o respeitarem mais.

É sempre assim: fazer uma coisa significa não fazer outra. Tudo o que fazemos está cercado pelo que decidimos evitar — os potenciais desdenhados que permanecem irrealizados. Se o que foi desdenhado é desprezado e desmerecido, o que foi escolhido perde valor e importância. Por outro lado, se respeitamos e valorizamos as possibilidades desdenhadas e não-realizadas, o que foi escolhido aumenta de valor.

Há situações em que não é possível nem desejável ter filhos ou manter relacionamentos. Mulheres plenamente conscientes do valor daquilo a que renunciaram e que fazem suas escolhas com lucidez podem resgatar o feminino dessa desvalorização implícita e encontrar realização no seu novo estilo de vida. Os homens, do mesmo modo, podem resgatar o masculino. Respeitar o que foi desdenhado dá um tom diferente às suas vidas. Conquistou-se algo graças à renúncia consciente a possibilidades perdidas.

Quando a perda é aceita e se toma a decisão consciente de amparar a família e o relacionamento sem *desvalorizá-los*, o que foi desdenhado acrescenta alguma coisa ao que se escolheu. O processo de aceitar perdas opera na alma e pode trazer algo de positivo num nível completamente diverso. Mesmo que permaneça irrealizado, o que foi desdenhado continua a atuar quando o respeitamos e valorizamos.

Atender às Necessidades Não Basta para o Amor

Pergunta: Tomei consciência da minha necessidade de ternura e cuidados. Apaixono-me e tenho, por algum tempo, a sensação de que encontrei o parceiro certo e que todas as minhas necessidades serão atendidas. Então alguma coisa muda e, ou ele me deixa, ou perde o interesse por mim.

Hellinger: Muitas uniões realmente começam assim, com alguém em busca de um parceiro capaz de satisfazer às suas necessidades e anseios. O problema é que o outro parceiro também pode estar em busca da mesma coisa. Suspeito que a paixão reativa as necessidades de nossa criança interior e o parceiro tende a ser encarado como mãe. Quando homens e mulheres procuram alguém que satisfaça às suas necessidades, no nível mais profundo, estão procurando uma mãe, o que leva fatalmente ao desapontamento.

A parceria é uma empresa difícil, muito diferente de um "caso", ainda que duradouro. A parceria, pelo menos como a entendo, tem outra dimensão. Você disse que pode ficar com um homem por alguns meses, mas ele não a leva a sério no sentido de querer construir uma vida com você. Uma vez que o vê como uma oportunidade de conseguir o que deseja, ele considera o relacionamento uma oportunidade passageira de levá-la a atender igualmente às necessidades dele.

Essa visão é ampla o bastante para um caso amoroso, mas estreita demais para uma parceria. Contudo, se do fundo do coração você tiver uma visão digna de sua plena dignidade, e do poder e dimensão de sua feminilidade — uma visão à altura de todo o seu potencial humano —, então aparecerá um homem apto a lhe dar a resposta conveniente. Se o amor se desenvolve — e talvez mesmo um pouquinho de paixão —, ótimo. A paixão é cega, mas o amor vê. O amor aceita e deseja o outro tal qual ele é. Isso toca em algo muito profundo e permite que o amor floresça.

Eis o conselho de um velho a uma jovem.

Bruno: Já que falamos de sentimentos, tenho um que não compreendo e sobre o qual eu gostaria de falar. Não me lembro de ter tido esse sentimento antes e não sei exatamente como lidar com ele: o sentimento de que encontrei a mulher certa para mim. Só isso. A mulher certa. Não há paixão nem desejo, apenas o sentimento de que ela me convém.

Hellinger: Desconfio muito dessa frase. Se fosse "Ela é maravilhosa", a coisa seria diferente; mas quando você diz "Ela é a mulher certa", sem paixão nem desejo, parece dar a entender que se trata da pessoa junto à qual você precisa mudar o mínimo possível.

Bruno: Na mosca! *(Risos no grupo.)* Por outro lado, isso é ótimo, pois eu posso continuar como eu sou.

Hellinger: Não, não é nada bom, e logo se tornará um fardo. O sentimento de que a mudança não é necessária limita a sua parceria de um modo pouco saudável. Melhor seria se ela fosse apenas "boa" e você também.

Casais Homossexuais

Pergunta: Sou homossexual e parece que não há lugar algum para nós na sua tese. De que me vale ouvi-lo dizer que o homem "se torna homem" no relacionamento com uma mulher, ou que a mulher "se torna mulher" no relacionamento com um homem? Isso transforma a heterossexualidade na única forma de sermos criaturas humanas.

Hellinger: Em primeiro lugar, eu gostaria de transmitir alguns conceitos gerais sobre a visão sistêmica. Toda pessoa é parte integrante dos sistemas de relacionamento a que pertence e tem igual valor no funcionamento desses sistemas — *todos*, no sistema familiar, são essenciais para o sistema.

As diferenças aumentam a durabilidade e estabilidade de um sistema social. A consciência que procura excluir pessoas do grupo porque são diferentes atua num nível diferente do da consciência sistêmica, que procura equilibrar o sistema como um todo preservando o direito de cada membro pertencer a ele. Há sérias conseqüências para os membros mais jovens de uma família quando alguém é excluído do sistema por ser diferente. Tenho visto inúmeros casos de jovens que sofrem amargamente por terem de se identificar com um parente mais velho que foi afastado da família por ser homossexual. Esse compromisso básico com a dignidade e o valor intrínsecos de todas as pessoas faz com que vejamos as diferenças abertamente.

Dito isso, existe um fato que os casais homossexuais não podem evitar: seu amor não permite que tenham filhos juntos. A concentração da procriação na heterossexualidade tem conseqüências que não podem ser ignoradas como se não existissem. Em toda união sem filhos, os parceiros se separam com menos culpa: eles apenas se ferem um ao outro. Mas quando pais se separam, as conseqüências são graves para os filhos; eles precisam cuidar para que seus atos não magoem os filhos. Essa culpa extra dificulta ainda mais a separação dos pais mas, paradoxalmente, reforça o relacionamento. Casais sem filhos — inclusive homossexuais — não contam com o apoio dessas conseqüências para permanecer unidos nas crises.

Os casais homossexuais, como outros casais sem filhos interessados em parcerias duradouras e afetuosas, precisam tomar decisões absolutamente claras e conscientes quanto aos objetivos de seu relacionamento. Certos objetivos promovem mais estabilidade a longo prazo que outros. Querer evitar a solidão ou a sensação de vazio, por exemplo, não é um objetivo que sustente uma parceria duradoura de iguais.

Cada qual tem o seu caminho — em parte escolhido, mas em parte decorrente da vida, portanto involuntário. Essa é a parte com a qual é difícil lidar. Os homossexuais com quem trabalhei — mesmo aqueles que sustentam ter escolhido livremente sua orientação sexual — haviam sido envolvidos por dinâmicas sistêmicas, experimentando em suas vidas as conseqüências do que outros, em seus sistemas, haviam feito ou sofrido. Eles tinham sido impelidos ao serviço do sistema e, em criança, não podiam defender-se das pressões sistêmicas a que se viam submetidos. Eis a segunda coisa com que tinham de haver-se: estavam dando alguma coisa à família.

Raramente trabalhei com alguém que quisesse "deixar" de ser homossexual. Quando trabalho com homossexuais, a homossexualidade não é a questão principal. Tento apenas trazer à luz algum bloqueio que esteja limitando a plenitude da vida, mas não tenho nenhuma intenção de mudar a orientação sexual da pessoa.

Observo três padrões de bloqueio sistêmico em conjunção com a homossexualidade, porém ignoro se eles realmente estão em causa:

- A criança era pressionada a representar uma pessoa do sexo oposto no sistema porque uma criança do mesmo sexo não estava disponível. Por exemplo, um menino tinha de representar uma de suas irmãs mais velhas que havia morrido porque nenhuma menina sobrevivera. Outro menino tinha de representar a primeira noiva de seu pai, que fora tratada injustamente. Esse é o mais doloroso e difícil padrão que já observei.

- A criança era pressionada a representar alguém do mesmo sexo que fora excluído do sistema familiar — ou vilipendiado por esse sistema. Os homossexuais que vivem em semelhantes condições são considerados "estranhos". Por exemplo, um menino era sistematicamente identificado com o primeiro noivo da mãe, que contraíra sífilis e rompera o compromisso. Embora o noivo tivesse agido de maneira correta, fora desprezado pela mãe do menino. A sensação de ser desprezado era, para o menino, muito parecida com a que devia ter atormentado o noivo — como se fosse dele próprio.

- A criança permaneceu na esfera de influência do genitor do outro sexo, mostrando-se incapaz de realizar o movimento psicológico rumo à esfera do genitor do mesmo sexo.

Se Ajudasse, Eu Suportaria a Dor

Num grupo de treinamento para terapeutas, uma mulher tomou lugar numa constelação de sua família de origem e foi visualmente confrontada, pela primeira vez, com o que já sabia, mas nunca aceitara: o grau de perda, necessidade e dano no seu sistema familiar. Em três gerações, não se vira nenhum relacionamento intacto. A união de seus pais era caracterizada pelo ódio e o desdém; ela fora escolhida para satisfazer às necessidades emocionais e sexuais do pai desde quando tinha 8 anos até a época em que conseguiu sair de casa, aos 18. Os atos sexuais eram brutais e dolorosos, ocorrendo com o conhecimento e consentimento implícito da mãe.

Em terapia anterior, ela explorara a raiva, a dor e o sentimento de traição; encontrara alívio, mas não solução final. Agora, diante do homem que representava o seu pai, o terapeuta sugeriu: "Diga-lhe: Isto dói!" Enquanto dizia isso, os soluços assomavam-lhe das profundezas e explodiam, e ela acrescentou espontaneamente: "E não ajuda. Eu não podia aliviar a sua solidão. Eu suportaria a dor, se ela ajudasse a combater aquela terrível solidão." Abraçou com ternura o homem que representava seu pai, que também chorava abertamente, e assim ficaram ambos por longo tempo. Ela sentiu conscientemente, pela primeira vez e como adulta, seu amor infantil pelo pai e sua secreta disposição para sacrificar-se pelo bem da família.

Em seguida, disse-lhe: "Prometo-lhe que nenhuma outra criança será magoada como eu fui. Pagarei o preço. Paro por aqui." Quando se voltou para o grupo e declarou "Sou lésbica", ela o fez com a máxima simplicidade e dignidade humana possíveis naquela situação.

Um ano depois, ainda sentia os efeitos liberadores da aceitação do papel que lhe fora imposto pelo destino, acatando como uma escolha consciente aquilo que antes, inconscientemente, carregava consigo e não podia mudar.

Encarada dessa forma, a homossexualidade cobra um alto preço. Aqueles que conseguem afirmar sua orientação sexual e construir uma vida feliz, afetuosa e significativa têm um apoio íntimo bem diferente do daqueles que lutam contra o destino e menosprezam a perda — quer o façam conscientemente ou procurem mudá-lo, se puderem.

Infidelidade e Triângulo Amoroso

Pergunta: Meu marido teve um caso com outra mulher durante anos. No princípio, achei difícil aceitar isso, mas com o tempo desisti de mudá-lo. O senhor poderia falar algo a respeito de infidelidade e relações extraconjugais?

Hellinger: Quando a mulher trata o marido como uma criança, tentando melhorar seu comportamento e agindo como se soubesse o que é melhor para ele... ele acaba arrumando uma amante. Esta passa a ser, então, a sua verdadeira parceira. Se ele mantém um bom relacionamento com a esposa, mas conserva a amante, é provável que a amante represente a sua mãe. Talvez o mesmo seja verdadeiro para a mulher que arruma um amante — ou está sendo tratada pelo marido como criança ou procura no amante alguém que represente seu pai ou sua mãe.

Em regra, a esposa que consente no triângulo amoroso é a filhinha do papai. Se estivesse em busca de uma solução, abandonaria a esfera de influência do pai e voltaria para a da mãe. O homem que vive um triângulo amoroso é muitas vezes o filhinho da mamãe, e a solução, para ele, consiste em voltar à esfera do pai.

O relacionamento fora do matrimônio é quase sempre visto como moralmente inaceitável. Nessa situação, o chamado parceiro inocente costuma acreditar que seu direito ao outro é exclusivo e permanente. Pura presunção. A consciência que vela pelos relacionamentos não se impressiona com semelhantes reivindicações. Ela respeita apenas a qualidade real do vínculo e a ecologia do dar e receber. Em vez de reconquistar o parceiro pelo amor, o cônjuge ofendido tende a atormentá-lo como se essa exigência de exclusividade, sem olhos para a satisfação das necessidades e do desejo, o fizesse querer voltar.

Eu aspiro a algo mais realista. Respeito muito a fidelidade, mas não aquela que pontifica: "Eu sou a única pessoa que pode ser significativa para você e a única que pode satisfazer as suas necessidades." Sucede muitas vezes encontrarmos alguém que se torna importante para nós; esse fato precisa ser respeitado, como respeitados precisam ser os sentimentos de mágoa e perda que daí se originam. Esse encontro pode ter efeitos bastante positivos num relacionamento. Não importa qual vá ser o desfecho; uma solução plenamente satisfatória só é possível com amor.

Ciúme

Pergunta: O senhor pode dizer algo sobre o ciúme? Tenho crises de ciúme e imagino meu parceiro fazendo todo tipo de coisa.

Hellinger: A natureza sistêmica do ciúme pode ser observada quando examinamos cuidadosamente o que ele provoca. Às vezes, o ciúme aproxima ainda mais o casal. Isso acontece, por exemplo, quando o ciúme da esposa protege os filhos e marido de uma aventura caprichosa ou da interferência de outra mulher na família. Mas em geral faz o contrário: afasta os parceiros. Se você tem crises de ciúme, observe a situação honestamente e talvez descubra uma secreta pressão sistêmica empurrando-a para longe do seu parceiro. A pessoa ciumenta deseja inconscientemente que o parceiro se vá.

Existem inúmeras dinâmicas sistêmicas inconscientes que nos induzem a repelir nossos parceiros:

- Para confirmar uma antiga crença de que não merecemos o amor, por exemplo, ou de que iremos causar infelicidade. Certas pessoas têm medo de serem abandonadas e, inconscientemente, afastam os parceiros. Criam o que receiam, como se o abandono fosse preferível à separação voluntária.

- Para ser fiel às crenças e exemplos da família: digamos, agir como agiram os pais quando não conseguiram se aceitar plenamente, quando se separaram ou quando um deles morreu no começo do relacionamento.

- Para operar uma identificação inconsciente com outra pessoa prejudicada pelo sistema. Por exemplo, uma mulher não se casou porque tinha de cuidar dos pais já velhos. Sua jovem sobrinha identificou-se inconscientemente com ela e também não se casou.

- Para cumprir uma obrigação pessoal. Um homem abandonou a antiga família para assumir o atual relacionamento. A segunda esposa, muito enciumada, quis abandoná-lo também. Na constelação familiar, percebeu claramente que se sentia obrigada para com a primeira família do marido, solidária com ela.

Muitas vezes, quando um dos parceiros tem ciúmes, o relacionamento já terminou, mas eles não o admitiram ainda ou não querem admiti-lo. Se se dispuserem a isso, não raro é possível retomar a parceria depois que o ciúme desaparece; mas isso exige que enfrentem as pressões sistêmicas que os estão distanciando. Muitas vezes eles precisam enfrentar experiências dolorosas, talvez culpa, solidão, medo de perdas, inadequação. Os parceiros podem dizer um ao outro: "Cedo ou tarde, vou perder você." Essa é uma frase difícil de dizer com sinceridade, mas pode devolver a ordem ao relacionamento.

Freqüentemente é impossível para os parceiros restaurar o relacionamento depois que o ciúme veio à tona. Devem, então, escolher entre dois tipos de dor: o da separação e o da manutenção de uma parceria pouco satisfatória. Se optarem pela segunda, melhor será aceitar as coisas como são do que alimentar esperanças de que tudo irá mudar. A pior escolha que podem fazer é permanecer num relacionamento desgastante esperando que um dia seja diferente. No entanto, esse é o caminho que a maioria dos casais prefere.

Aproveite-o Enquanto É Tempo

Uma mulher confessou, em seu grupo de terapia, que atormentava o marido com ciúme e, embora soubesse que esse comportamento era irracional, não conseguia parar. Enquanto discorria sobre seu ciúme, a função sistêmica deste tornou-se clara para o líder do grupo, que apontou-lhe a solução. Disse ele: "Você vai perder seu marido cedo ou tarde. Aproveite-o enquanto é tempo." Dias depois, o marido telefonou para o líder e comunicou-lhe: "Voltei a ter uma esposa. Muito obrigado."

O marido participara de um grupo liderado pelo mesmo terapeuta algum tempo antes, com uma mulher com quem viveu por sete anos. Contara então à mulher que tinha uma namorada mais jovem e planejava casar-se com ela. Ele participou de um segundo grupo com a nova parceira, que desposara logo depois de ela engravidar. Exteriormente, esta passou a agir como se o marido não tivesse vínculo algum com a antiga esposa e a sustentar seus direitos a ele por meio de ciúme e pressões públicas. No fundo, ela percebia os laços entre o marido e a ex-esposa, bem como sua própria parcela de culpa na separação de ambos. Portanto, seu ciúme não era conseqüência dos atos do marido e, sim, do secreto reconhecimento de sua dívida para com a antiga parceira. Esse ciúme resultou num distanciamento íntimo do marido: refletindo o vínculo que ele ainda mantinha com a primeira parceira, expressava solidariedade para com ela.

A despeito dessa compreensão, o casal acabou se separando alguns anos depois.

O Amor Limita a Liberdade

Pergunta: Pelo que o senhor disse sobre limitações sistêmicas, parece que tudo é predeterminado. Os parceiros ansiosos por viver o que chama de "uma parceria de iguais" dispõem de alguma liberdade pessoal, ou tudo é estabelecido por coações sistêmicas?

Hellinger: Em cada relacionamento os limites são estabelecidos de modo diferente; alguns são mais flexíveis, mais permissivos, enquanto outros são mais rígidos. A culpa começa logo que cruzamos as fronteiras do nosso sistema de relacionamento. Sentimo-nos livres e inocentes dentro das fronteira, e não existe liberdade ou inocência quando elas não são claramente definidas. Esse processo é óbvio com garotos de escola, que muitas vezes se tornam impertinentes se o professor não os contém. Quando os limites foram nitidamente estabelecidos e testados, a área de liberdade é reconhecida com a maior facilidade.

A realização e a satisfação encontram-se dentro dos limites do relacionamento. Se os ultrapassamos, prejudicamos o relacionamento, às vezes de maneira tão grave que é impossível recuperá-lo. Sucede, por exemplo, que num relacionamento os limites sejam tão estreitos que um dos parceiros, ou ambos, arranjem um amante para ampliá-los e criar um novo espaço livre. Ao contrário, se os limites são frouxos e o que os parceiros têm em comum é indefinido, o relacionamento fica ameaçado. Eles então devem recuar e redefinir os limites — ou separar-se.

O fato de pertencerem um ao outro refreia a sua liberdade, o que é um aspecto inerente a todo sistema de relacionamento. Há um ponto em que nossa liberdade de escolha é limitada pelas conseqüências da escolha para nosso senso de união. Podemos decidir ir além das fronteiras de um relacionamento, mas não sem pagar o preço da culpa; não sem as conseqüências para nossa própria felicidade ou a do parceiro; não sem pôr em perigo o relacionamento. Isso reflete uma lei natural dos sistemas: a de que existem limites além dos quais o sistema não pode mudar sem transformar-se em outro.

Separação

Pergunta: Trabalho com muitos casais em processo de separação. Às vezes tudo vai bem, mas às vezes ocorrem problemas horríveis. Existe uma dinâmica sistêmica que influencia isso?

Hellinger: As pessoas não raro optam por sofrer durante muito tempo, antes de se sentirem livres para liqüidar uma má situação, porque não querem ferir o parceiro ou porque receiam o que os outros vão dizer ou pensar. Usualmente, a pessoa deseja um espaço novo e maior, mas não acha justo trabalhar por isso porque assim irá magoar alguém. Ela age como se o seu próprio sofrimento pudesse neutralizar o sofrimento do parceiro ou justificar suas ações aos olhos dos outros. Por isso o processo de divórcio é tão demorado.

Quando a separação se dá finalmente, ambos os parceiros se vêem diante das possibilidades e riscos de um novo começo. Se um deles rejeitar a oportunidade de um novo começo e ignorar a possibilidade de criar algo de bom, preferindo apegar-se à dor, fica difícil para o outro parceiro libertar-se. Por outro lado, se ambos aproveitarem as oportunidades surgidas e fizerem alguma coisa com elas, ambos se libertarão e ficarão aliviados do fardo. Entre todas as possibilidades de perdão nas situações de divórcio e separação, esta é a melhor porque traz harmonia mesmo quando a separação ocorre.

Se a separação é dolorosa, há sempre a tendência a procurar alguém para incriminar. Os envolvidos tentam aliviar o peso do destino arranjando um bode expiatório. Em regra, o casamento não se desfaz porque um parceiro é culpado e o outro inocente, mas porque um deles está assoberbado por problemas de sua família de origem ou ambos caminham em direções opostas. Se se incrimina um parceiro, cria-se a ilusão de que algo diferente poderia ter sido feito ou de que um comportamento novo resgataria o casamento. Nesse caso, a gravidade e a profundidade da situação são ignoradas, os parceiros começam a recriminar-se e a acusar-se mutuamente. A solução para combater a ilusão e a crítica destrutiva é resignar-se à forte dor provocada pelo fim do relacionamento. Essa dor não dura muito, mas é lancinante. Se os parceiros se dispuserem a sofrer, poderão tratar do que merece ser tratado e dispor as coisas que precisam ser dispostas com lucidez, ponderação e respeito mútuo. Numa separação, a raiva e a censura em geral substituem o sofrimento e a tristeza.

Quando duas pessoas não conseguem se separar civilizadamente, isso se dá, às vezes, porque não souberam tomar plenamente um do outro aquilo que lhes foi oferecido. Devem, pois, dizer-se: "Recebi o que de bom você me deu e vou guardá-lo como um tesouro. Tudo o que dei para você, dei-o com gosto; portanto, guarde-o também. Assumo a minha parcela de responsabilidade pelo que saiu errado entre nós e deixo-lhe a sua. Agora partirei tranqüilo." Se conseguirem dizer-se isso com toda sinceridade, podem separar-se em paz.

Nessas situações, talvez seja útil contar uma história simples.

O Fim

Duas pessoas, com suas mochilas bem cheias, saíram juntas a passear. Atravessaram jardins floridos e searas, e ambos iam felizes. Depois, o caminho foi ficando íngreme. Um deles, já sem provisões, sentou-se. O outro prosseguiu, subindo um pouco mais. O caminho agora era pedregoso e áspero, e também ele, consumido o último bocado, sentou-se. Contemplando as gloriosas cores dos campos lá embaixo, pôs-se a chorar.

Muitas vezes os parceiros agem como se a sua participação no relacionamento fosse como a associação a um clube, associação livremente escolhida e que pode terminar livremente. Mas a consciência secreta e infatigável que zela pelo amor ensina outra coisa. Se fôssemos livres para cancelar nossas parcerias, a separação não magoaria tanto. Frederich Hölderlin descreve isso num poema:

Os Amantes

Separados! Parecia tão acertado e bom!
Por que então o choque, como se houvéssemos assassinado o amor?
Ah, tão pouco nos conhecemos!
Há um deus oculto que em nós governa.

Numa parceria séria de iguais, estamos ligados um ao outro e não podemos nos separar sem sofrimento e culpa. As conseqüências disso são invariavelmente destrutivas quando os parceiros se separam sem um sentimento de responsabilidade. Se, por exemplo, um deles disser: "Estou fazendo alguma coisa por mim e pelo meu aperfeiçoamento; o que acontecer com você é problema seu", não será difícil que uma criança morra ou cometa suicídio após a separação. Esta é sentida pela criança como um crime que merece castigo. A união é tanto o prêmio quanto o preço do amor.

Mãe, Deixo para Você as Conseqüências de Sua Partida

Uma mulher se separara levianamente do marido e sua filha ficara gravemente enferma após a separação. Na constelação familiar, a representante da mãe sentiu-se melhor fora do círculo, com os filhos perto do pai. Quando a filha lhe disse: "Mãe, deixo para você as conseqüências de sua partida", ela se sentiu livre e todos, na constelação, passaram a gozar de uma sensação de harmonia.

Pergunta: Quem decide se a separação é irresponsável?

Hellinger: Ninguém decide; é algo que se sente. Quando a separação ocorre, todos percebem imediatamente se foi irresponsável ou não.

Transcrito

ERNEST E O SUICÍDIO DE UM FILHO

Numa constelação familiar, Ernest reage à sugestão de colocar o retrato de um filho morto na parede da casa.

Ernest: Se eu dependurasse o retrato de meu filho [que cometera suicídio], as outras crianças ficariam muito perturbadas. Não querem nada com o irmão morto, nem lembrar-se do suicídio.

Hellinger: Se eles se sentem assim, correm o perigo de suicidar-se também. Poderíamos montar uma constelação de sua família e descobrir o que está acontecendo. Gostaria de fazer isso?

Ernest: Sim.

Hellinger: Ótimo. Vamos montar a sua família atual. Quantos filhos tem?

Ernest: Dois.

Hellinger: Qual era a posição do filho que se matou na família?

Ernest: Era o mais jovem.

Hellinger: Você ou sua mulher tiveram outro relacionamento antes?

Ernest: Não.

Hellinger: Precisamos então de você, de sua mulher e dos três filhos. Agora comece. Você já sabe como fazer. Pegue o seu representante e leve-o para o lugar adequado. Concentre-se em você mesmo. O que disser não nos ajudará em nada. Encontre o caminho para a situação e coloque todos onde lhe pareça melhor. *(Ernest instala todos os representantes, menos o de sua mulher.)* E sua mulher?

Ernest: Não posso colocá-la aí.

Hellinger: Mas o que significa isso?

Ernest: Ela não quer ver isso.

Hellinger: Então, coloque-a no lugar onde quem não quer ver deve ficar.

Hellinger: O que está acontecendo com o pai?

Representante de Ernest: Sinto-me muito tenso nesta situação e não sei informar mais nada.

Hellinger: O que está acontecendo com a esposa?

Esposa: Minha garganta se fecha e meus braços estão paralisados.

Hellinger: O que está acontecendo com o filho mais velho?

Primeiro Filho: Sinto um peso enorme e meu coração palpita.

Terceiro Filho: Tenho medo de meu irmão mais novo. Temo que alguém esteja espiando em alguma parte, mas ninguém olha ninguém nos olhos.

Hellinger: Como se sente o mais novo?

Filho Morto: Meu coração dispara e estou trêmulo. Sem ar.

Hellinger *(ao filho morto)*: Saia e feche a porta.

---

* Legenda: Marido — representante de Ernest; Esposa — representante da esposa de Ernest; 1 — primeiro filho, homem; 3 — terceiro filho, homem; +4 — quarto filho, homem, morto na infância.

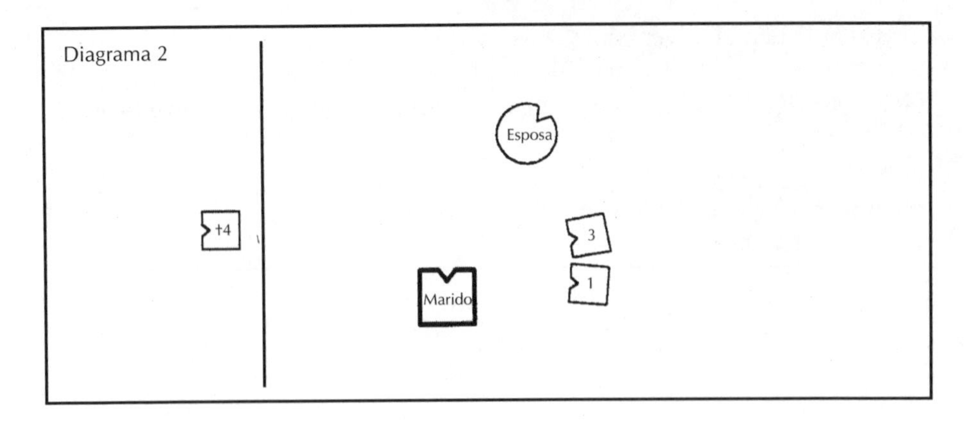

Hellinger: Isso muda alguma coisa para o pai?

Representante de Ernest: É um alívio.

Hellinger: E para a mãe?

Esposa *(surpresa)*: Sinto-me melhor.

Hellinger *(para o primeiro filho)*: E para você?

Primeiro Filho: Sinto-me pior.

Terceiro Filho: Muito melhor. Posso respirar com mais facilidade.

Hellinger *(para o grupo)*: Por que uma criança comete suicídio? Por amor. A reação de alívio dos representantes mostra que, para essa família, era necessário que alguém desaparecesse. A pergunta é: Quem de fato precisava partir? *(Para Ernest.)*: Então, quem estava sendo pressionado a ir embora?

Ernest: Muitas pessoas. Mesmo na geração de meus avós.

Hellinger: E quem morreu?

Ernest: Um tio e minha avó. Ambos por suicídio.

Hellinger: O tio era irmão de quem?

Ernest: De minha mãe. A avó era mãe de meu pai.

Hellinger: Então ambos cometeram suicídio?

Ernest: Sim. Depois dois de meus irmãos morreram ainda crianças, além de uma filha pequena.

Hellinger: Sua filha?

Ernest: Minha filha. Bem pequenina *(murmúrios de surpresa no grupo)*.

Hellinger *(para o grupo)*: Estão vendo como pessoas esquecidas continuam presentes, mesmo mortas? *(Traz de volta ao grupo o representante do filho mais novo.)* *(Ao representante do filho mais novo.)*: Como se sentiu lá fora?

Filho Morto: Melhor.

Hellinger: Volte e retome exatamente o mesmo lugar de antes. Ouviu que tem uma irmãzinha?

Filho Morto: Ouvi.

Hellinger *(para Ernest)*: A menina que morreu era a mais velha?

Ernest: A segunda.

Hellinger: Ponha-a na constelação. *(Ernest coloca-a perto do filho morto.)* *(Para Ernest.)*: Concentre-se. Onde ela deve ficar exatamente? Observe a constelação toda e procure sentir qual é o lugar dela.

Ernest: Aqui *(perto do irmão)*; ela está junto do morto. Ali *(perto dos outros irmãos)*, ela está com os vivos.

Hellinger: Isso é uma idéia, não um sentimento.
(Para o grupo.): Quando as pessoas montam uma constelação de acordo com um conceito, não funciona.

Ernest: Ela fica aqui, junto do morto.

Hellinger: Isso é apenas uma teoria a que você se apegou. *(Para o representante de Ernest.)*: Qual é o lugar dela?

Representante de Ernest: Ao lado da mãe.

Hellinger: De que lado?

Representante de Ernest: À esquerda. *(O representante vai para a posição indicada.)*

Hellinger *(para a representante da esposa)*: A seu ver, onde exatamente ela deve ficar?

Esposa: De repente, fiquei gelada. Não consigo vê-la.

Hellinger: Onde ela precisa ficar, segundo você?

Esposa: Na minha frente.

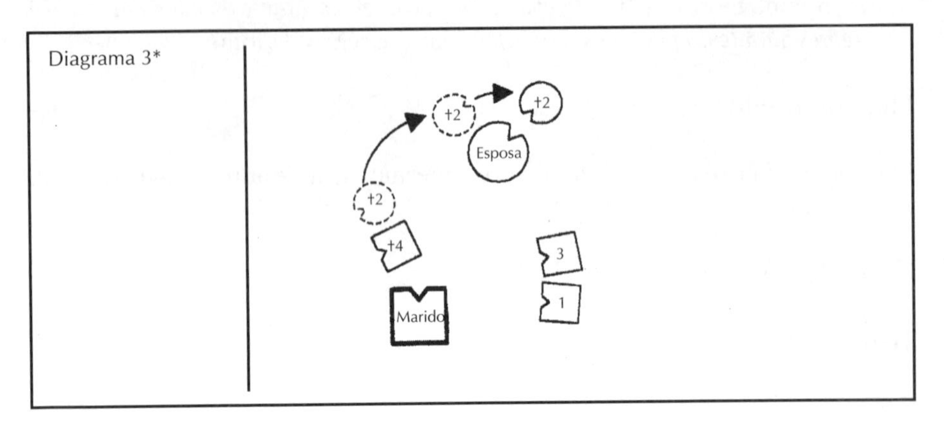

Hellinger *(para a esposa)*: Tome-a nos braços. Respire. *(Mãe e filha se estreitam ternamente.)*
(Para Ernest.): De que ela morreu?

Ernest: Não conseguia respirar. Seus pulmões eram atrofiados. Respirou apenas por dois dias.

Hellinger *(para o representante de Ernest)*: Como está agora?

Representante de Ernest: De coração transbordante.

Hellinger *(para o filho mais novo)*: E você?

Filho Morto: Bem melhor.

Hellinger *(para o grupo)*: Quando ela está lá, ele pode ficar. *(Para o filho mais velho)*: E você?

---

* Acréscimo à legenda: †2 — segundo filho, mulher, morta na infância.

Primeiro Filho: Aliviado.

Terceiro Filho: Eu também, mas gostaria que ela se aproximasse de nós.

Hellinger: Faremos isso mais tarde. *(Para a filha morta)*: Como se sente?

Filha Morta: Estou me lembrando de que, quando era bebê, quase morri. Eu não podia respirar e ia muitas vezes para o sanatório com asma e bronquite.

Hellinger: É a sua lembrança pessoal. Por enquanto, apenas desempenhe o papel. Obviamente, Ernest não escolheu você por simples acaso. Mas como se sente junto de sua mãe?

Filha Morta: Bem.

Hellinger: E a mãe, como se sente?

Esposa: Mais calma. Está quente aqui.

Hellinger *(para o grupo)*: Agora podemos tentar achar uma ordem para a família, isto é, procurar o que possa ser uma boa ordem para ela.
(Hellinger coloca os pais um ao lado do outro, com a menina morta sentada no chão e as costas apoiadas neles. Os outros filhos se perfilam no lado oposto.)

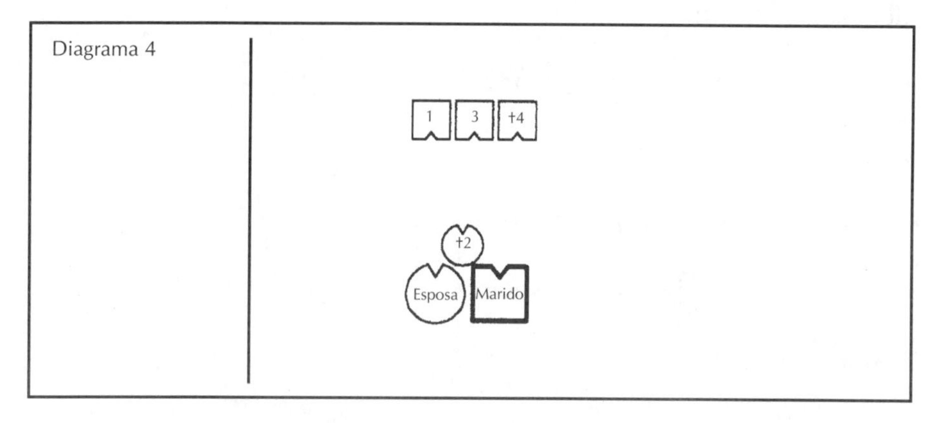

Hellinger *(para os pais)*: Pousem as mãos carinhosamente na cabeça ou ombros da menina morta, para que ela fique realmente junto de vocês. Olhem um para o outro enquanto sentem a presença da filha.
(Para a filha morta): E agora, como se sente?

Filha Morta: Sinto-me ameaçada.

Hellinger: Ameaçada? Então vá para perto de seus irmãos. Tome o seu lugar no meio deles.

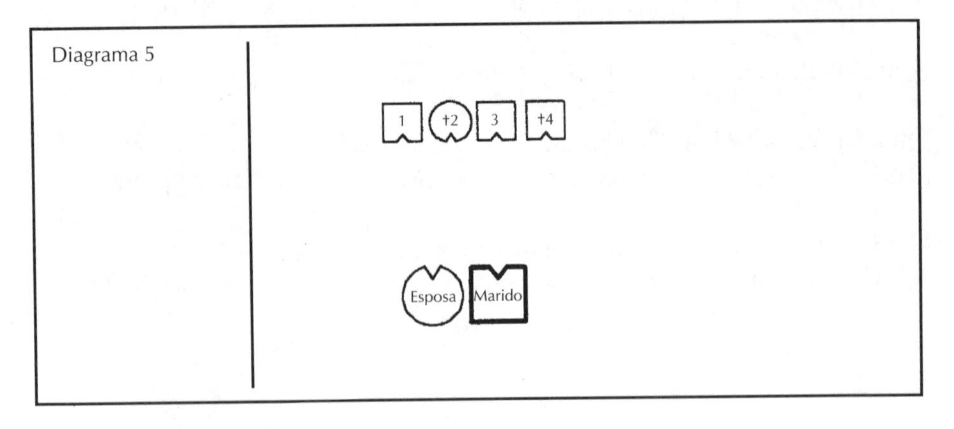

Hellinger: Como se sentem todos?

Filha Morta: Muito protegida.

Primeiro Filho: Bem!

Terceiro Filho: Digo o mesmo.

Filho Morto: Não tão bem.

Hellinger *(para o representante de Ernest)*: E você?

Representante de Ernest: Bem.

Esposa: Sinto um pouco de cãibra no lado direito.

Hellinger *(para os pais)*: Troquem de lado. Ficou melhor ou pior?

Esposa: Melhor.

Representante de Ernest: Sim, melhor.

Hellinger *(para o filho mais novo)*: Como se sente agora?

Filho Morto: Meu coração palpita e tremo como no começo.

Hellinger *(para Ernest)*: Uma vez mais, o que aconteceu na sua família?

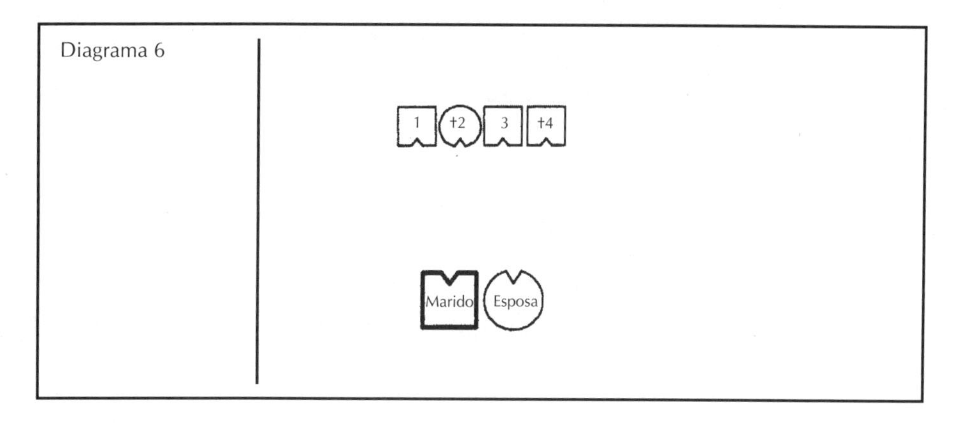

Ernest: Antes?

Hellinger: Quem morreu?

Ernest: A mãe de meu pai; depois, o irmão de minha mãe, dois irmãos meus muito jovens e meu pai.

Hellinger: Então temos toda uma galeria de gente morta. Que idade tinha o seu pai quando faleceu?

Ernest: 55 anos.

Hellinger: Como a sua avó morreu?

Ernest: Cometeu suicídio.

Hellinger: Que idade tinha ela?

Ernest: 34 anos.
(Hellinger pede que os pais mudem de lugar novamente. Em seguida, acrescenta representantes para o pai de Ernest, para seus irmãos pequenos e sua avó paterna. Diversas configurações são tentadas com a ajuda dos representantes, até serem encontradas as posições corretas.)

Hellinger *(para o representante de Ernest)*: Como se sente ao ver todos eles?

Representante de Ernest: Sinto-me bem. Meu pai me dá forças.

Hellinger *(para o filho mais novo)*: E você, como se sente agora?

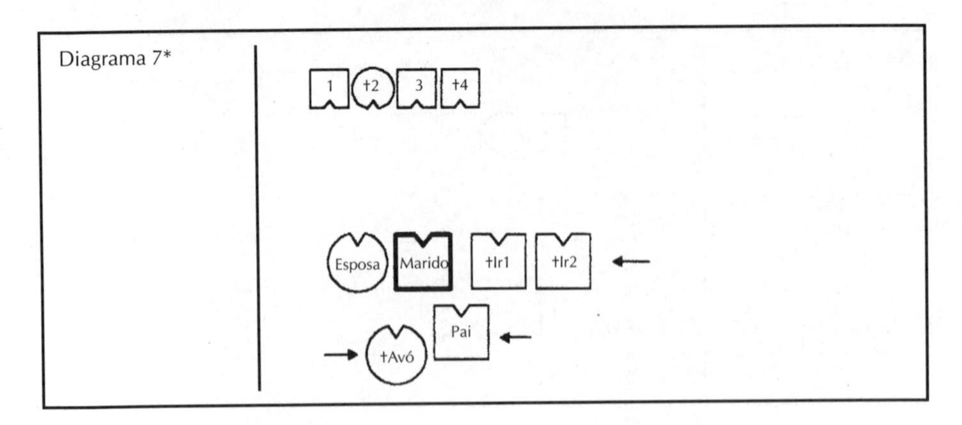

Filho Morto: Muito melhor. Mas não estou enxergando bem o meu avô.

Hellinger: Certo, vamos movê-los um pouco. Ele é o mais importante para você.

Filho Morto: Quando meu avô entrou, logo me senti melhor.

Hellinger *(para o grupo)*: Meu palpite é que, com tantas mortes e suicídios na família, Ernest queria inconscientemente matar-se também ou sentia a necessidade de morrer jovem para seguir todos os que tinham partido antes. Seu filho mais novo fez isso em seu lugar.

Essa é uma dinâmica que observamos freqüentemente em famílias que tiveram de enfrentar doenças graves, acidentes constantes ou suicídio. Chama-se "Melhor ir eu que você, querido pai ou querida mãe." Este o caso que temos aqui. A primeira constelação montada por Ernest mostrou isso com absoluta clareza: o filho mais novo postou-se diante do pai para impedi-lo de partir.

(Para Ernest.): Que faremos com você? Posicione-se no seu lugar na constelação a fim de sentir como é estar ali.

Ernest: Tenho outra intuição.

Hellinger: Primeiro, vá para o seu lugar na constelação. *(Ernest obedece. Hellinger observa a sua reação.)*

(Para o grupo): Acho que ele não vai conseguir resolver isso direito. É velho demais para solucionar realmente essa dinâmica. Temos de respeitar o fa-

---

* Legenda: †Ir1 — irmão de Ernest, morto jovem; †Ir2 — irmão de Ernest, morto jovem; Pai — pai de Ernest, morto aos 55 anos; †Avó — avó paterna de Ernest, cometeu suicídio aos 34 anos.

to. A idade estabelece limites para o que podemos fazer. Em princípio, o pior já aconteceu. Seu filho menor já cometeu suicídio e não há como salvá-lo.

A questão é saber se podemos fazer alguma coisa pelos outros filhos. Ele os salvará se der ao filho morto um lugar em seu coração e lhe disser: "Eu sei que fez aquilo por mim e trago-o no coração para que você possa viver comigo. Farei algo de bom na sua memória" — não importa o que isso signifique para ele. E poderá dizer aos outros filhos: "Ele tem um lugar no meu coração e peço-lhes que também dêem um lugar para ele nos seus. Além disso, olhem para a sua irmãzinha, que está no meio de vocês e nos pertence."

Isso seria uma Ordem do Amor, uma solução pelo amor. *(Para Ernest.)*: Está claro para você? *(Ernest acena que sim; os representantes se sentam.)*

(Para o grupo.): Alguma pergunta?

Participante: Meu filho está sempre arriscando a vida. Tenho de esperar até que aconteça?

Hellinger *(fita-a por longo tempo e indaga gentilmente)*: Ele faz isso por você?

Participante: Não sei.

Hellinger: Sim; faz isso por você. Seus olhos brilharam quando falou. Terá de encontrar a solução. *(Pausa.)* Alguém mais tem perguntas?

Participante: Gostaria de entender algo que o senhor disse antes. O senhor disse a Ernest que ele é velho demais para encontrar uma solução. Quis provocá-lo? Alguma coisa ficou no ar.

Hellinger: Ele já fez o que era preciso, não importa como. Olhe para ele. Está sorrindo.

Questões Correlatas

Pergunta: Parece-me que o senhor exige demais de seus clientes. Declarou mesmo que vai até o fim. Mas notei também que, a certa altura, pára de repente, deixando o assunto caminhar por si e ganhar força. Pode explicar-me como entende esse processo?

Hellinger: Junto com o cliente, exploro todo o campo das conseqüências de seus atos ou destino. Não limito essa exploração ao que é fácil e agradável. Vou, junto com os clientes, até o limite de seus sistemas, até a fronteira onde esses sistemas acabam. Sem dúvida, isso significa que às vezes nos deparamos com a morte e, juntos, examinamos a possibilidade de que eles venham a morrer ou de que algo terrível vá acontecer. Eu os acompanho até os limites extremos, sem medo ou hesitação. Observamos tudo o que há por ali, de um lado e de outro.

Feito isso, observamos o campo inteiro da realidade que opera em seus sistemas. Exploramos todo o campo e sabemos onde estão as suas fronteiras. Somente chegando aos limites extremos conseguimos descobrir o que é possível, tanto para o bem quanto para o mal. Isso dá forças aos clientes e, com essas forças, podemos descortinar uma solução boa para todos.

Algumas vezes a solução é aceitar o inevitável: chegamos aos limites, nada mais é fácil ou possível. Mas algumas vezes há outra solução. Se houver, ela pode ser alcançada mais facilmente depois de chegarmos aos limites exteriores. O cliente pode então contemplar a realidade da situação e escolher o melhor caminho, mais conveniente para ele.

Pergunta: Muitas coisas que o senhor diz parecem dogmáticas. Ainda assim, me surpreendo com a tranqüilidade interior e a firmeza que conserva a despeito das situações terríveis que as pessoas constantemente lhe apresentam e das reações um tanto hostis dos presentes. Também me impressiona a sua gentileza de alma. Como conserva a firmeza e a lucidez de percepção?

Hellinger: Tranqüilidade e lucidez de percepção vêm da aceitação do mundo *tal qual ele é*, sem nenhuma intenção de mudá-lo. Essa é, no fundo, uma atitude religiosa porque nos alinha com o todo maior sem nos separar dele. Não pretendo saber mais nem espero conseguir algo melhor do que as forças íntimas, em ação no sistema, obteriam por si mesmas. As coisas terríveis de que tomo conhecimento fazem, também elas, parte deste mundo — e eu as aceito. O mesmo acontece quando vejo uma coisa bonita: eu a aceito. Eu chamo essa atitude de "humildade" — aceitação do mundo tal qual ele é. Somente essa aceitação torna a percepção possível. Sem ela, os desejos, medos, juízos — os meus construtos — interfeririam na minha percepção.

Há outro ponto a considerar: as Ordens do Amor não são estruturas rígidas. Estão sempre mudando; diferem de momento para momento. Há algo de ricamente variado nelas, uma abundância extrema que só conseguimos captar por um instante. Por isso, cada constelação familiar é diferente, ainda que os problemas das famílias sejam os mesmos. Quando identifico determinada ordem, transmito o que vejo. Algumas pessoas, habituadas a pensar em termos de "verdadeiro e falso" ou de "certo e errado", tendem a tomar o que digo como a afirmação de uma verdade universal. Nada disso! Trata-se apenas do reconhecimento da verdade que se pode captar num vislumbre. Isso só se aplica ao momento, mas, nesse momento, é uma verdade absoluta. Se alguém isolar do seu contexto passageiro o que eu vi e o transformar em princípio geral, este parecerá dogmático. Mas os outros fazem isso, não eu.

Capítulo 3

Pais e Filhos

O amor entre pais e filhos, como em outros relacionamentos, é condicionado pela união, pelo dar e receber, pela divisão adequada de funções. Ao contrário de outros tipos, o amor entre pais e filhos persiste, mesmo havendo disparidade entre o dar e o receber. A primeira Ordem do Amor sistêmica entre pais e filhos é o fato de os pais darem e os filhos receberem.

A coisa mais valiosa que os filhos recebem dos pais — não importa quem estes sejam ou o que possam ter feito — é a oportunidade de viver. Ao receber a vida dos pais, os filhos os aceitam, e esses pais são os únicos possíveis para eles. Os filhos não podem acrescentar nem tirar nada à vida que os pais lhes deram; os pais, por sua vez, não podem tirar nem acrescentar nada quando se dão como pais aos filhos.

Essa primeira doação entre pais e filhos é diferente da doação e recebimento de presentes ou favores. Quando os filhos recebem dos pais a vida, tomam o que eles já haviam tomado antes de seus próprios pais. Em certo sentido, os filhos *são* os seus pais e avós. O amor floresce quando os filhos valorizam a vida que obtiveram — quando aceitam os pais *como pais*. Tudo o mais de que venham a necessitar para viver pode ser dado por outras pessoas, mas só os pais podem dar-lhes a vida.

Eu Estou Feliz por Você Ter Me Dado a Vida

Durante uma sessão sobre sistemas familiares, um empresário contou ao grupo que sua mãe o enjeitara em criança para viver livre e desimpedida. Foi criado em casa alheia e viu a mãe pela primeira vez quando tinha 20 anos. Ao tempo em que participava do grupo, já passara dos 40, e só se encontrara com ela três ou quatro vezes. No dia seguinte, lembrou-se de que a mãe morava perto do local do curso e, na mesma tarde, foi visitá-la. Compareceu à reunião no outro dia e contou que dissera à mãe: "Mãe, estou feliz por você ter me dado a vida." A velhinha sorriu e seu coração encontrou a paz.

Os pais se sentem profundamente satisfeitos quando são aceitos por seus filhos, quando vislumbram um lampejo em seus olhos, quando ouvem a gostosa frase: "Estou feliz por você ter me dado a vida." Os filhos encontram a paz quando aceitam seus pais — como fez o empresário acima — como eles são.

Além de lhes dar a vida, os pais dão-lhes outras coisas. Cuidam deles, proporcionam-lhes vantagens, desvantagens e oportunidades para o bem ou para o mal. Os filhos são incapazes de equilibrar a grande disparidade entre o dar e o receber em seu relacionamento com os pais, ainda que o queiram. Assim, a disparidade irreconciliável entre o dar e o receber constitui a segunda Ordem do Amor a que os filhos devem obedecer.

O apego amoroso que os filhos pequenos sentem pelos pais naturais é cego para o que estes fazem ou deixam de fazer. Os filhos agem como se o amor não pudesse tolerar nenhuma diferença — como se o fato de serem parecidos bastasse para ligá-los, e o de serem diferentes resultasse em separação ou perda. Suas ações testemunham o pensamento mágico da alma infantil: "O igual atrai o igual."

Esse pressuposto inconsciente sobre o amor alimenta a ânsia instintiva dos filhos de se ligarem aos pais tornando-se semelhantes a eles. Isso se vê com clareza nos pequenos que imitam abertamente os pais, mas é um aspecto do amor filial que continua a operar também na vida interior dos adultos, desempenhando importante papel nas relações familiares. Agindo por amor, os filhos acompanham os pais até no sofrimento e, embora quase sempre de maneira inconsciente, perpetuam os infortúnios dos pais, copiando-os.

Uma Boa Menina

Uma mulher de 35 anos de idade contou ao grupo que ia divorciar-se. Seu casamento era feliz e tinha três filhos. Embora não pudesse dar nenhuma razão satisfatória para essa decisão, mostrava-se inflexível e repelia qualquer sugestão para reconsiderar. Em sessão posterior, o terapeuta perguntou-lhe a respeito de seus pais. O pai morrera tentando salvar os companheiros num acidente de avião. O terapeuta perguntou ainda que idade tinha a mãe na época. Ela respondeu: "Minha mãe perdeu meu pai quando tinha 35 anos." O terapeuta volveu então: "Em sua família, uma boa menina *tem* de perder o marido aos 35 anos?"

Cega de amor, a filha fez o que a mãe fizera, partilhando sua perda como se uma segunda separação compensasse a primeira, como se seu divórcio demonstrasse lealdade. Os filhos, inconscientemente, aspiram igualar os pais no sofrimento. Seu vínculo amoroso é tão forte que os cega e eles não conseguem resistir à tentação de zelar pelos pais assumindo-lhes a dor. Embora façam isso por amor e acreditem que estão praticando o bem, passam a comportar-se como pais de seus pais e dramatizam os medos destes prejudicando a si mesmos. Este amor cego protege os vínculos com os pais, mas, atuando como pais e tentando dar-lhes ao invés de receber deles, invertem o fluxo do dar e receber e, inadvertidamente, perpetuam o sofrimento. O amor entre pais e filhos obedece a uma hierarquia, no interior da família, que exige que eles continuem como parceiros desiguais: os pais dão, os filhos recebem. Assim, segundo a terceira *Ordem do Amor*, tudo vai melhor quando os filhos são filhos e os pais são pais — ou seja, quando a hierarquia familiar, baseada no tempo e na função, é respeitada.

DAR E RECEBER ENTRE PAIS E FILHOS

Tanto os pais quanto os filhos se sentem tentados a dar e a receber, o que prejudica o amor. São comuns os equívocos quanto ao que o amor permite, com conseqüências muitas vezes funestas. O fato de que o dar e receber, entre pais e filhos, não possa ser equilibrado por doações recíprocas pede que se busquem outras soluções.

Três padrões comuns de dar e receber, entre pais e filhos, são prejudiciais para o amor:

1. Os filhos se recusam a aceitar os pais como são.
2. Os pais tentam dar e os filhos tentam receber o que é prejudicial.
3. Os pais tentam receber dos filhos e os filhos tentam dar aos pais.

Recusa a Aceitar os Pais como São

Em vez de aceitar os pais como são, os filhos às vezes costumam avaliá-los como se os pais devessem merecer o direito de ser pais. Dizem, com efeito: "Não gosto disso em você; portanto você não é meu pai." Ou: "Você não me deu aquilo de que eu necessitava; portanto não pode ser minha mãe." Essa é uma distorção absurda da realidade. Os pais se tornam pais pelos eventos da concepção e do nascimento, e bastam esses atos para que o sejam. Os filhos não podem mudar absolutamente nada nesse primeiro ato de dar e receber.

Os filhos adquirem segurança interior e sentido claro de identidade quando aceitam e reconhecem ambos os pais como são. Sentem-se incompletos e vazios quando excluem um deles, ou ambos, de seus corações. A conseqüência da exclusão ou desprezo de qualquer um dos pais é a mesma: os filhos se tornam passivos e se sentem inúteis. Eis uma causa bastante comum de depressão.

Mesmo que tenham sido magoados pelos pais, os filhos ainda podem dizer: "Sim, vocês são os meus pais. Tudo o que esteve em vocês está também em mim. Reconheço-os como pais e aceito as conseqüências disso. Fico com a parte boa do que me deram e deixo-lhes a tarefa de enfrentar o destino de vocês como bem entenderem." Então estão livres para encetar a obra tantas vezes difícil de tirar o melhor de uma situação ruim.

A Casa de Repouso

Esmagado por recordações e perdas, um homem percorre as ruas de sua cidade natal. Muita coisa do que aconteceu ali permanece oculta para ele, muitas portas estão fechadas. Ele gostaria de deixar o passado para trás, mas algo o impede, como se lutasse com um demônio cuja autorização tivesse de arrebatar antes de seguir adiante. Por isso, sente-se dividido entre o desejo de avançar e a necessidade de permanecer, entre o ir e o ficar.

Chega a um parque, senta-se num banco, recosta-se, respira profundamente. Cerra os olhos. Obedecendo a uma força interior, deixa-se levar pelo turbilhão e começa a sentir-se calmo e flexível como um caniço ao vento. Está em harmonia com a diversidade e com a vastidão do tempo.

Imagina-se numa casa de portas abertas, onde entra quem quer. Todos os que chegam trazem alguma coisa, ficam por algum tempo e vão embora.

Há ali um vaivém perpétuo, um nunca acabar de trazer, permanecer, partir. Quem chega traz alguma coisa, envelhece e parte no devido tempo.

Muitos dos que foram excluídos ou esquecidos entram na casa. Também eles trazem alguma coisa, ficam por algum tempo e vão embora. Até os que não são bem-vindos entram, trazem alguma coisa, misturam-se com os outros, permanecem e vão embora.

Os que entram cruzam com os que chegaram antes e com os que vão chegar depois, e, por serem muitos, precisam colaborar: quem tem seu espaço tem limites. Quem quer alguma coisa deve dar alguma coisa. Os que entraram continuam a crescer enquanto ficam. Chegaram depois que outros partiram e partirão depois que outros chegarem. E assim, nessa casa do ir-e-vir, há tempo e espaço para todos.

Sentado ali, o homem se sente à vontade em sua casa. Gosta dos que chegaram, dos que estão chegando e vão chegar; do que trouxeram, estão trazendo e vão trazer; e dos que permaneceram, dos que permanecem ou dos que foram embora. Parece-lhe que tudo o que era incompleto agora se completou. Ele percebe que a longa batalha está chegando ao fim e que logo poderá ir embora. Espera o momento certo, abre os olhos, olha em derredor, levanta-se e parte.

Os filhos contribuem para os sentimentos de culpa dos pais quando se recusam a aceitá-los como são. Se os filhos ficam infelizes, apanhados num círculo de fracasso e sofrimento em virtude da deficiência dos cuidados dos pais, estes se culpam pelos danos causados a quem deram a vida. Se os filhos conseguem superar o que quer que tenham sofrido na infância e aprendem a viver vidas felizes, satisfatórias, os pais se sentem aliviados. Por viverem bem, esses filhos não eternizam ressentimentos contra os pais. Ao contrário, aceitam a vida que receberam e vivem-na tão plenamente quanto podem. No entanto, algumas pessoas preferem ser infelizes a viver plenamente e ajudar os pais a sufocar antigos sentimentos de culpa.

Recusa a Aceitar o Pai como É: Um Exemplo

Participante: Tenho uma pergunta sobre o respeito devido pelos filhos ao pai. Trabalhei arduamente com uma família durante alguns anos. Os pais são divorciados e o homem vive em outra cidade. Os filhos o rejeitam com um forte ódio porque ele vivia aterrorizando a sua mãe. Viram-no espancá-la em diversas ocasiões. Descobriram também que ele molestara sexualmente crianças de escola. O homem se esforçou sinceramente para mudar e tentou com freqüência estabelecer contato com eles, achando que a reconciliação talvez fosse possível. Escreveu-lhes, mandou-lhes presentes; mas os filhos não querem nada com o pai. Chegaram a rasgar suas fotografias do álbum de família.

Hellinger: Que idade têm os filhos?

Participante: De 10 a 18 anos. Vivem todos com a mãe e dizem que não querem nunca mais ver o pai.

Hellinger: Certo. Em primeiro lugar, o ódio que sentem pelo pai é, provavelmente, da mãe, não deles próprios. É forte demais para ser ódio de crianças. Mas o fato de assumirem o ódio da mãe não os isenta de suas conseqüências. Compreendamos de uma vez por todas: tudo o que fazemos traz conseqüências para nós e para os nossos filhos também. Ter justificativa moral para uma ação destrutiva não subtrai essa ação aos seus efeitos, como as boas intenções não atenuam os danos das ações perversas.

Bom seria que os filhos permitissem que a mãe lidasse com seu próprio ódio. Uma excelente intervenção estratégica consistiria em dizer a ela: "Quanto a esse ódio por papai, vamos cuidar disso para você." Poderá sugerir-lhes isso, mas sem explicações. Seria o primeiro passo para que todos começassem a pensar no que está acontecendo.

Quando as pessoas se emaranham em sentimentos alheios, quase sempre é melhor tratar esses sentimentos indiretamente. Assim, depois de sugerir-lhes aquela frase, você poderia contar-lhes uma longa história com um final surpreendente. Eis aqui, por exemplo, o relato de algo que realmente aconteceu:

Como Você Está com a Sua Mãe?

Certa feita, minha esposa e eu fomos convidados pelo diretor de um hospital psicossomático para cuidar de alguns de seus pacientes. Trabalhamos arduamente durante catorze dias. Todos os pacientes tinham um programa especial de manhã e uma sessão de Terapia Primal toda tarde.

Uma mulher com quem trabalhei estava extremamente deprimida. Numa das sessões de terapia, ela gritou com um ódio frio que gostaria que o pai dela tivesse morrido na guerra. No dia seguinte, perguntei-lhe o que acontecera com o pai. Contou que fora ferido na cabeça e costumava ter crises, fazendo coisas malucas que incomodavam bastante a ela e à mãe. Ambas acabaram por odiá-lo e a desejar que tivesse morrido. Mas, a julgar pelo seu tom de voz, suspeitei que a filha sentia e expressava o ódio da mãe — não o seu.

No nosso encontro seguinte, perguntei-lhe se tinha filhos. Respondeu: "Dois." Declarei: "Um deles vai fazer o mesmo que o seu pai." Ela me olhou, mas não disse nada. Perguntei-lhe sobre o seu casamento. Respondeu que não era dos melhores. O marido cuidava bem dela e dos filhos, por isso não o abandonara, mas não gostava muito dele.

Estava extremamente abatida e agitada quando a vi de novo dias depois. Quando lhe perguntei o que estava acontecendo, contou que recebera uma carta do sanatório para crianças perturbadas onde seu filho vivia. Ele tentara o suicídio. Embora isso confirmasse a minha advertência, a mulher não conseguiu perceber a conexão e eu nada acrescentei. Ela disse então: "Eu o amo muito", mas de um modo pouco convincente. Observei que esse tom não era dos mais afetuosos e que não me agradava ouvi-la falar assim do filho. Ela ficou furiosa e mandou-me embora.

Mostrou-se surpreendida quando a procurei no dia seguinte. Pedi-lhe que se imaginasse na presença do filho, dizendo-lhe: "Odeio o seu pai, mas amo você." Ela o fez e eu continuei: "Como ele reagiria se a ouvisse dizer isso?" "Não sei", confessou. Perguntei então: "Ele conseguiria reagir de alguma forma?" Ela respondeu mansamente: "Não." E eu: "Pois é isso que o está deixando louco."

No mesmo quarto estava um jovem cuja mãe o abandonara num hospital e desaparecera. Ele vivera em orfanatos e sofrera muito, mas aceitava francamente o seu destino. Voltei-me para a mulher e disse-lhe: "Olhe para este rapaz. Ele sofreu muito, mas não ficou psicótico. Ele sabe como ele está com sua mãe."

Se você lhes contar uma história horrível como essa, talvez eles percebam a dinâmica oculta. Tornar-se pai e ser um pai nada tem que ver com bondade ou maldade. Ser pai ou mãe é um processo além do bem e do mal. Conceber um filho é prestar um serviço à vida, e não depende de juízos morais para ser um ato digno de reverência.

Vou lhe dar outro exemplo. Um médico contou ao grupo que seu pai, médico da SS, supervisionara muitos experimentos humanos nos campos de concentração. Depois da guerra, foi condenado à morte, mas conseguiu ficar livre e desapareceu. A pergunta do filho era: "Que devo fazer com relação ao meu pai?" Eu lhe disse: "No momento em que ele fecundou sua mãe, não estava agindo como um oficial da SS. São duas coisas bem diferentes e você pode (e deve) mantê-las separadas."

Como aconteceu com esse médico, é possível para o filho aceitar o pai *como pai* sem assumir responsabilidade pelos atos dele. Numa situação dessas, os filhos não devem minimizar nem desculpar as ações dos pais; mas podem dizer: "O que você fez é responsabilidade sua. Mas você continua sendo meu pai. Não importa o que você tenha feito, estamos ligados. Estou feliz por você ter me dado a vida. Mesmo que seus atos tenham sido horríveis, sou seu filho, não seu juiz." Que mais se pode esperar de um filho...?

Também no seu caso, essa distinção é muito importante para os filhos. O que o pai deles fez tornou necessário que vivessem separados por algum tempo, mas não conseguirão manter essa situação porque o ódio é forte demais — e esse ódio une-os ao pai. Eles só ficarão livres quando disserem honestamente: "O que você fez foi terrível para nós e, por enquanto, não o veremos. Mas ainda é nosso pai e nós estamos gozando a vida que nos deu."

Talvez você possa ajudar a mãe também. Provavelmente, ela se identificou com alguém de seu próprio sistema, e o exagero de seu ódio se deve a essa identificação. Pode ser que tenha assumido o ódio de outra pessoa do mesmo modo que os filhos assumiram o seu. Emaranhada como está, talvez seja difícil para ela pensar claramente no que está acontecendo. Seria bom que essa mulher soubesse o que está se passando em sua família. Caso descubra a pessoa a que pertence o ódio, poderá devolvê-lo e lidar apenas com o seu ódio ou com o que quer que haja entre ela e o ex-marido.

Há o risco de que seus filhos copiem mais tarde o comportamento do pai e se tornem como ele. Se quiser realmente uma solução, essa mulher dirá aos filhos: "Casei-me com seu pai porque o amava e, quando olho para vocês, continuo a amá-lo." Se conseguir dizer isso honestamente, os filhos se libertarão. Mas é provável que você não lhe irá propor uma coisa dessas, certo?

Participante: Não, não irei.

Hellinger: No entanto, seria uma intervenção eficaz. É claro, teria de fazer a proposta com convicção, com verdadeira compaixão, não como simples técnica.

Participante: O tribunal vai decidir se os filhos e o pai poderão encontrar-se. A mãe está contestando o direito de visita.

Hellinger: Concordo com ela no sentido de que não deve haver nenhum contato por enquanto. Eu aconselharia o pai a renunciar momentaneamente ao direito de visita. Agindo assim, ele estaria aceitando as conseqüências de seus atos, o que tornaria mais fácil para os filhos respeitá-lo. Os tribunais decidem de acordo com critérios puramente jurídicos, mas, ainda assim, muitas vezes tomam a decisão psicologicamente correta. Eu não o encorajaria a contestar a decisão dos juízes.

Dar e Receber o Que É Prejudicial

Entre as coisas que os pais não devem dar e os filhos não devem tomar estão as dívidas, as doenças, as obrigações, os encargos de ocasião, as injustiças sofridas ou infligidas e todos os privilégios obtidos por mérito pessoal. São coisas que os pais conquistaram ou sofreram em virtude de esforços ou circunstâncias pessoais. Não foram herdadas da geração anterior para serem transmitidas à geração seguinte, como um espólio; por isso são de responsabilidade dos pais. Cabe a estes proteger os filhos de seus efeitos negativos, como cabe aos filhos deixar que os pais arrostem seu destino — da maneira que quiserem. Se os pais dão o que é prejudicial ou os filhos o tomam, o amor é ferido.

Outro tipo de conseqüência negativa é quando os jovens se julgam no direito às recompensas e privilégios de uma pessoa mais velha, sem os ter merecido.

Um Advogado Melhor

Um jovem advogado herdou a vasta clientela do pai. Por ser menos experiente e talvez menos bem-dotado que ele, muitos dos melhores clientes logo se afastaram. Em vez de resignar-se à redução dos honorários e do padrão de vida, comportou-se como se tivesse direito ao mesmo sucesso do pai — ainda que não merecesse. Começou a aceitar causas bem-remuneradas, mas ilegais.

Suas ações logo vieram a público e ele teve sua inscrição cassada por vários anos.

Minha Mãe, a Atriz

O destino foi generoso com uma atriz muito famosa, dando-lhe talento e sorte. Mas foi menos generoso com sua filha, que não obstante se achava capacitada ao mesmo sucesso da mãe. Nada conseguindo, ficou deprimida e propensa ao suicídio. Passou a odiar a mãe, como se esta lhe devesse ter dado talento e sorte junto com a vida.

Por fim, a jovem encontrou outra profissão, obteve algum sucesso, formou uma família feliz e fez-se boa amiga da mãe.

Os filhos precisam diferenciar-se dos pais e reconhecer os limites de seus direitos e responsabilidades. Também isso é prova de respeito e amor por eles.

Dependendo da situação dos pais, os filhos gozam de vantagens ou desvantagens. A partir do que receberam, eles recriam seus créditos e débitos. O amor, entretanto, é agredido quando os filhos se sentem no direito de exigir o que os pais adquiriram à custa de esforços e padecimentos. Quando os filhos esperam e exigem, por exemplo, uma herança, podem ocorrer conflitos amargos que separam famílias e destroem o amor.

Uma herança é um presente dos pais para os filhos e, como qualquer presente, deve ser dado conforme o gosto do doador. Ainda que um filho herde tudo e o outro nada, o ressentimento não traz conseqüências benéficas. Toda herança é imerecida, toda queixa por ter recebido menos é inadequada. Todavia, os que receberam mais podem muito bem dar uma quota aos que receberam menos, assegurando dessa forma a paz e a harmonia do sistema. Sempre que os prejudicados se mostram insatisfeitos e pedem mais — como se uma herança fosse um direito —, a turbulência se instala no fluxo do amor.

Às vezes, os filhos recebem algo de danoso dos pais; às vezes os pais tentam dar aos filhos uma obrigação, um ressentimento ou uma dívida como se isso fosse uma boa herança. O destino traz felicidade e desgraça em medidas diferentes. As pessoas podem superar a desgraça e fugir às suas conseqüências, mas nem sempre. Elas devem então curvar-se aos seus caprichos. Esses golpes inevitáveis do destino, no entanto, também dão forças e sabedoria aos que os compreendem e se submetem a eles. As boas qualidades assim obtidas podem depois ser transmitidas a outros sem desconto do preço já pago. A transmissão da sabedoria alcançada por meio de sofrimento só é possível se os outros membros do sistema tiverem coragem, respeito e inteligência para não interferir. Por exemplo, avós que aceitaram resignadamente as dores e perdas inevitáveis do destino dão livremente aos netos e são amados por eles. Mas quando os mais jovens, ainda que motivados pelo amor, aceitam encargos ou obrigações dos mais velhos, intrometem-se na esfera íntima destes, despojando a eles e a seus sofrimentos do poder de praticar o bem.

A ordem do dar e receber, numa família, é invertida quando os pais não receberam o suficiente de seus próprios pais, ou quando não deram nem receberam o bastante na parceria. Então anseiam para que suas necessidades emocionais sejam satisfeitas pelos filhos, que passam a sentir-se na obrigação de atendê-los. Nesse caso, os pais recebem como filhos e os filhos dão como pais. Em vez de passar dos mais velhos para os mais novos, o dar e o receber vai contra o fluxo da gravidade e do tempo. Semelhante doação não logrará atingir seu objetivo, assim como o regato da montanha não pode subir do vale para o pico.

Quando o Pai Age como Filho

Um casal jovem procurou terapia em busca de ajuda para o filho de 6 anos, muito difícil de tratar. Num assomo emocional, o pai apertou o filho contra o peito e falou-lhe como se ele próprio fosse um filho, aludindo às suas necessidades e sentimentos como se o menino pudesse entendê-lo como pai; mas o menino não soube o que dizer.

O terapeuta tomou lugar ao lado do homem e sugeriu: "Imagine que eu seja o seu pai. Curve-se para mim e fale a seu filho como um pai costuma falar." Ele fez isso e logo houve uma solução. Por fim, o homem sentou-se com o filho e tomou-lhe as mãos, enquanto a esposa se sentava diante deles ladeada pelas duas filhas. Pai e filho estavam juntos em paz, como a mãe e as filhas. Foi uma cena bonita.

Na sessão seguinte, o homem deitou-se no chão, brincando alegremente com o menino. Súbito, este ficou encolerizado e abandonou o recinto. O terapeuta, que ouvira a conversa, notou que a criança se enfurecera tão logo o pai voltara à sua conversa infantil, perturbando de novo a ordem.

Quando os pais são carentes emocionalmente, convém voltar-se um para o outro ou para seus próprios pais. Quando eles recorrem aos filhos para se sentirem confortados ou tranqüilizados, os papéis e funções da família são invertidos. Isso é *parentificação* — filhos assumindo posição de pais para com seus próprios pais. E eles não conseguem se proteger contra semelhante processo. Todos sofrem se a família adota um esquema em que os filhos se sentem responsáveis pelos pais e os pais esperam dos filhos um comportamento de parceiros adultos. Os filhos passam a gozar de uma importância exagerada e inadequada na família e estão destinados a fracassar *porque* nenhum filho é capaz de preencher o vazio e a necessidade emocional do pai ou da mãe. Os pais, por sua vez, não podem esquivar-se de fazer aos filhos o que na verdade não gostariam de fazer. De nada valem argumentos morais e justificativas lógicas; só o que vale é a experiência concreta do amor. O fluxo do amor pode ser sentido, nunca legislado: os filhos sabem se estão ou não em consonância com os pais.

Perguntas e Respostas de Seminários

Pergunta: Há parentificação quando a filha se sente mãe da mãe ou mãe do pai?

Hellinger: Minha definição foi mais precisa: dá-se a parentificação quando um filho assume a posição de pai. Isso tem mais alcance porque não estamos considerando apenas um filho em particular, ou o que ele possa sentir, e sim a dinâmica do sistema familiar como um todo, quando se pode vislumbrar padrões ao longo de várias gerações.

Por exemplo, uma mulher tinha forte ressentimento irracional contra a filha. Examinando o sistema familiar, ela lembrou-se de que se ressentia contra a mãe e percebeu que o ressentimento em relação à filha era exatamente o mesmo. O amor emaranhado à mãe sufocou o amor à filha. Eis aí a parentificação como dinâmica familiar. Ela vai além do mero sentimento individual, e por isso devemos tentar descobrir o que acontece com toda a família.

Quando os filhos se sentem responsáveis pela condição íntima dos pais? Eles procuram dar o que dão um pai ou parceiro, mas um filho não pode dar? Eles pensam, por exemplo: "Se eu não fizer isso, minha mãe cairá doente" ou "Se eu não fizer isso, meu pai nos abandonará?" A parentificação se torna imediatamente óbvia na constelação familiar. Muitas vezes, a pessoa que representa uma criança desse tipo começa a sentir-se nervosa e irrequieta. Se a pessoa com quem se identifica é trazida para o sistema — digamos, a avó ou parceira desaparecida —, ela se acalma prontamente.

Pergunta: Você disse que os filhos se afastam dos pais quando os aceitam. Parece-me que se afastam quando erguem barreiras entre si. Poderia falar a respeito?

Hellinger: Quando um filho se queixa aos pais: "Vocês não me deram o suficiente, ou deram-me a coisa errada, portanto continuam a dever-me", não consegue separar-se deles. Estas demandas vinculam estas crianças aos pais de tal maneira que se tornam incapazes de se deixar receber algo. Se os filhos se deixassem tomar os pais como são recebendo também as coisas boas, esse ato de receber anularia as suas exigências e faria com que elas parecessem tolas. Do contrário, eles permanecerão atados aos pais, não podendo nem receber nem afastar-se.

Aceitar os pais tem um efeito estranho: a separação. Não se trata de um mal, mas de algo que completa e aperfeiçoa o relacionamento com eles. Aceitar os pais significa: "Reconheço tudo o que eles me deram. Foi muito e foi suficiente. O de que mais eu precisar, ganharei por mim mesmo ou de outros, de modo que agora vou deixá-los em paz." Significa ainda: "Recebo o que ganhei e, se deixo meus pais, continuo possuindo-os e eles a mim."

Num grupo, um médico muito bem-sucedido perguntou: "Que devo fazer? Meus pais se metem nos meus assuntos o tempo todo." Eu lhe disse: "Eles têm o direito de meter o bedelho na sua vida quando quiserem! E você tem o direito de ir em frente e fazer o que achar melhor para *você* mesmo."

Filhos que não aceitam os pais estão constantemente procurando compensar esse déficit. Freqüentemente, a busca de autocompreensão e iluminação não passa da busca de um pai ou mãe que ainda não foi aceito. A procura de Deus às vezes cessa ou toma rumo diferente depois de se aceitar um pai ou mãe. Muitas pessoas têm descoberto que sua "crise da meia-idade" resolveu-se logo que conseguiram tomar um dos pais até aí rejeitado.

Pergunta: Pelo que entendi, é importante para mim aproximar-me de minha mãe, aceitá-la. Para ser honesta, nunca o fiz — como criança, adolescente ou mulher adulta. Ainda posso fazê-lo?

Hellinger: Sim, pode. Chegue-se a ela e olhe-a com amor de filha. Aceitar a mãe é realmente um processo interior.

Pergunta: E se ela não for receptiva? Minha mãe nunca conseguiu sentir-se à altura de ser uma parceira em igualdade de condições com um homem, por isso viveu toda a vida de casada à sombra do meu pai. É o exemplo perfeito da mulher para quem uma esposa tem de ser subserviente ao marido. Se eu penetrar em sua esfera de influência, que acontecerá?

Hellinger: Nossos pais nos dão a vida e são os únicos capazes de fazer isso. Outras pessoas talvez nos dêem alguma coisa além disso. Estritamente falando, não recebemos a vida de nossos pais — ela nos vem de longe por intermédio deles. Os pais são a nossa conexão com a fonte da vida, com algo além das falhas que porventura tenham. Ligados a eles, encontramos essa fonte mais profunda, que encerra muitas surpresas e mistérios. Uma coisa bonita acontece quando as pessoas observam seus pais e reconhecem neles a fonte da vida. O amor exige que quem recebe reverencie o dom e o doador. Quem ama e honra a vida, implicitamente glorifica e ama quem a dispensa. Quem despreza ou desmerece a vida, não a respeitando, amesquinha os que a dão. Quando as pessoas recebem e reverenciam o dom e o doador, erguem bem alto o presente até que rebrilhe; e, embora esse presente passe por meio delas àqueles que seguem, o doador continua banhado em sua luz.

Considerações Adicionais

Quando sentimos que nossos pais nos devem alguma coisa, temos uma imagem do que possa ser. É a imagem do bom pai ou da boa mãe. Aceitar os pais significa reservar a essas imagens benignas um lugar em nossos corações e permitir que façam ali boas obras. Trata-se de uma opção aberta à maioria das pessoas, mesmo quando foram feridas pelos pais. Aceitar os pais não quer dizer negar as coisas negativas, mas permitir a nós mesmos tocar as profundezas de seus corações, lá onde sofrem mais amargamente ao ver os filhos às voltas com o mesmo padrão em que estiveram enredados. Quando as pessoas conseguem atingir as profundezas do coração dos pais, estão mudadas — e mudam também os pais.

Hellinger fala da possibilidade de contemplar os pais à luz do contexto de seu destino. Percebemos seus fracassos, seus sofrimentos e decepções, entregamo-los a seu fado para que lidem com ele como melhor entenderem e reconhecemos o nosso lugar na hierarquia familiar. Para além disso, atingimos o mistério mais amplo da vida, que flui através deles até nós.

Sem dúvida, tudo é mais fácil quando nosso pai ou mãe realmente demonstram algo dessa bondade, e a maioria deles de vez em quando o faz. Em nossos grupos de terapia, os participantes são convidados a fazer um experimento. Imaginam que o seu próprio filho ou filha já está crescido e sofre com problemas familiares que lhe foram transmitidos. Essa é, invariavelmente, uma imagem penosa, mesmo para quem não tem filhos. Os participantes às vezes são, em seguida, estimulados a imaginar que o filho ou filha procura aceitar o problema e superá-lo. Em seguida imaginam que logra êxito em acolher o que foi bom e deixar para trás aquilo que tem sido um peso. É um grande alívio para os pais.

Hellinger descreve um movimento concreto, de uma ação entre pessoas reais. Isso significa aceitar o pai e a mãe reais e vê-los pelos olhos de um adulto postado na Ordem do Amor, não pelos olhos de um filho afligido. Muitas pessoas têm conseguido pôr em dia o relacionamento com os pais, fazendo o amor regressar ao sistema familiar a despeito de coisas terríveis que tiveram de padecer. Quando elas conseguem êxito, todos os membros do sistema o percebem: os pais, elas mesmas e os seus filhos. [H. B.]

A HIERARQUIA ENTRE PAIS E FILHOS

Filhos saudáveis e felizes, bem como pais afetuosos, são encontrados em todas as culturas, religiões e classes sociais. Portanto, há muitas maneiras eficientes de criar filhos, que podem diferir umas das outras e mesmo contrariarse. Não obstante, o amor exige vínculo, equilíbrio entre o dar e o receber, e ordens sociais adequadas seja qual for a cultura, mas deixa-nos largo espaço para concretizar tudo isso.

O amor flui mansamente quando todos os membros de um sistema familiar obedecem à hierarquia. Como vimos, a hierarquia familiar deve atender a três critérios: tempo, peso e função.

Com respeito ao tempo, a hierarquia familiar vem de cima e do mais antigo até o mais novo. Assim como o tempo, ela não pode ter a direção invertida: os filhos sempre vêm depois dos pais e os mais jovens sempre vêm depois dos mais velhos. Konrad Ferdinand Meyer descreve esse movimento descendente em seu poema “A Fonte Romana”:

O jorro de água se ergue
E, ao cair, inunda a bacia de mármore
Que, por sua vez, transborda
Para a bacia de baixo.

A segunda bacia transfere sua abundância
Para uma terceira:
Cada qual recebe e dá,
Calma e viva.

O relacionamento entre marido e mulher existe antes de se tornarem pais; há adultos sem filhos, mas não existem filhos sem pais biológicos. O amor vence quando os pais cuidam bem dos filhos quando eles são jovens, mas a recíproca não é verdadeira. Assim, o relacionamento entre marido e mulher assume prioridade na família.

A prioridade baseada no tempo também se aplica aos irmãos. Os que estão perto do começo da vida recebem dos que já viveram mais. O mais velho dá ao mais jovem, o mais jovem recebe do mais velho. O primeiro filho dá ao segundo e ao terceiro; o segundo recebe do primeiro e dá ao terceiro; e os caçulas recebem de todos os outros. O primogênito dá mais e o infante recebe mais. Por isso, muitas vezes, o filho mais velho é recompensado com privilégios e o mais novo assume maiores responsabilidades para com a velhice dos pais.

Os novos sistemas de relacionamento também têm prioridade sistêmica sobre os antigos. Dá-se aí o contrário da dinâmica de precedência dentro de um sistema em que os membros mais velhos se sobrepõem aos que vêm depois. O relacionamento do casal tem prioridade sobre o relacionamento com a família de origem, do mesmo modo que o segundo casamento tem precedência sobre o primeiro. Os relacionamentos são prejudicados quando esse princípio não é acatado — quando os pais permanecem mais importantes que os parceiros e filhos ou os primeiros parceiros mais importantes que os novos.

Com respeito ao peso, o relacionamento mais importante na família é entre o pai e a mãe; vem em seguida o relacionamento entre pais e filhos, os relacionamentos com a família em geral e, finalmente, os relacionamentos com outros grupos livremente escolhidos. Algumas pessoas, assoberbadas por um destino particularmente ingrato, podem ter peso sistêmico bastante para que a seqüência normal, de acordo com o tempo, deva ser ajustada.

Os Filhos Antes dos Pais: Exemplos de Seminários

Louis: Mamãe disse certa vez que ficara com meu pai por minha causa. Acho que não dei suficiente apreciação a isso.

Hellinger: Nem deveria, pelo menos nesse sentido. Se sua mãe disse que você foi a razão de ela aturar o marido, não lhe contou toda a verdade. E se você pensa que isso aconteceu realmente, vai se sentir importante demais. Ela ficou com o seu pai porque aceitava as conseqüências das próprias ações. Fez aquilo por ela e por ele, o que é muito diferente. Você não participou de suas decisões e acordos; deve, pois, estimá-la por querer aceitar as conseqüências de suas ações, não por tê-lo feito por você.

Se você achar que foi algo feito em seu benefício, distorcerá a verdade. Por outro lado, se você reconhecer que ela, voluntariamente, aceitou as conseqüências de suas ações, reverenciará tanto sua mãe quanto seu pai. Formulando os dados dessa maneira, você privilegia a intimidade entre seu pai e sua mãe. De outro modo, privilegia a intimidade entre sua mãe e você.

A dinâmica é a mesma quando os pais se casam por causa de uma gravidez. Eles não fazem isso por causa dos filhos, mas por aceitarem as conseqüências de suas ações. O filho não tem parte ativa no acordo entre os pais; o pai ou a mãe é que se sente responsável, sobretudo quando a união é infeliz. Esses filhos não têm culpa alguma e não precisam sentir remorsos. Muitos filhos, porém, agem assim e por isso se julgam importantes demais.

Como foi o casamento de seus pais?

Louis: Mais ou menos bom. Freqüentemente vi minha mãe no colo de meu pai; mas, ao que parece, havia dificuldades no que se refere ao sexo. Uma vez ela o repeliu e, mais tarde, queixou-se para mim de que ele não a desejava mais sexualmente.

Hellinger: Vou lhe dizer uma coisa sobre essa questão de meter-se nas confidências entre o pai e a mãe. O que aconteceu entre eles não é de sua conta! O procedimento terapêutico correto será esquecer, o mais rápido possível, tudo o que ela lhe contou! Tire isso do coração e da memória. Dominar a arte de esquecer é um meio de cura. E esse tipo de esquecimento é uma disciplina espiritual.*(Louis confirma imediatamente com um aceno.)* Você foi rápido demais. Um aceno "instantâneo" não passa de um substitutivo da aceitação real.

Pergunta: Isso se aplica também a uma criança de qualquer idade?

Hellinger: Sim, é possível meter-se em assuntos alheios com qualquer idade. Uma mãe, por exemplo, não deve comunicar ao filho os detalhes íntimos de sua vida sexual com o marido. É degradante falar disparatadamente dessa intimidade com os filhos — ou com quem quer que seja. Nossa intimidade sexual é um ponto em que todos somos muito vulneráveis e, se não for respeitada entre parceiros, o relacionamento termina. A vida íntima dos pais não é da conta dos filhos e estes não devem conhecê-la. Eles não podem proteger-se de semelhante envolvimento, mas mais tarde podem esquecer o que ouviram! Nesse caso, não há dano. Se procurarem esquecer julgando com correção e amor, esquecerão realmente.

Pergunta: Como fazer quando minha mãe me conta coisas íntimas de seu relacionamento com o primeiro marido?

Hellinger: Trata-se exatamente da mesma coisa. Você poderá dizer-lhe: "Preocupo-me apenas com o papai. Não quero saber o que houve entre você e o seu primeiro marido, nem o que há entre você e papai."

Pergunta: E quanto a narrar ao novo parceiro as intimidades do relacionamento anterior?

Hellinger: Também isso é uma violação de confiança. O que foi privado entre você e seu primeiro parceiro deve ser protegido e mantido em segredo. Se expuser os detalhes de seu primeiro relacionamento, o novo parceiro dificilmente confiará em você.

Pergunta: Quando os pais têm casos, isso também não é da conta dos filhos?

Hellinger: Também não é da conta deles!

Pergunta: E se houver filhos do segundo relacionamento?

Hellinger: Nesse caso, não há segredo e o fato os toca diretamente. Eles têm o direito de saber a respeito.

Pergunta: Sei de pessoas que permitiram que os filhos lessem suas velhas cartas de amor.

Hellinger: Se fossem de meus pais, eu não as leria.

Pergunta: Trabalhei com uma família cujo pai trazia a amante para casa e a mãe era fraca demais para impedi-lo. Os filhos poderiam intervir e pedir-lhe que tirasse aquela mulher de casa?

Hellinger: Sou muito cauteloso ao responder a perguntas especulativas e ao fazer generalizações. Mas eles, provavelmente, andariam bem se reconhecessem que a mãe concordava com a situação — ou, pelo menos, fizera a melhor entre as más escolhas que tinha à disposição. Seria razoável e apropriado para os filhos deixarem a casa logo que possível. Tudo se torna difícil quando eles se envolvem no relacionamento dos pais.

Pergunta: Minha ex-esposa sempre me humilha diante de nossas filhas. Sei que não me cabe controlar o comportamento dela, mas haverá algo que eu possa fazer pelas meninas?

Hellinger: Nada, absolutamente nada. Mas talvez, um dia, seja bom contar-lhes uma história sobre como as pessoas aprendem a esquecer.

Embaraços Sistêmicos

Quando os pais agem abertamente contra os melhores interesses de seus filhos, é de presumir eles próprios embaraçados em alguma violação sistêmica das Ordens do Amor. Os pais naturalmente desejam que os filhos sejam poupados do que eles próprios sofreram; e sofrem quando os filhos sofrem. Eles se sentem desencorajados e fracassados quando os filhos fracassam e se desencorajam. Quando a dor dos pais é cegamente equilibrada pela dor dos filhos, vai passando de pessoa para pessoa, de geração para geração, e não tem fim. O trabalho com constelações familiares freqüentemente revela padrões de dano e sofrimento que se repetem numa família ao longo das gerações.

Os filhos são ilimitados no amor mas limitados na experiência de vida, de modo que para eles é grande a tentação de comungar com a infelicidade dos pais. Se a mãe está deprimida, os filhos se sentem tentados a imitá-la. Se o pai bebe demais, os filhos se sentem pressionados a encontrar alguma maneira de igualá-lo no sofrimento, talvez impedindo-se de vencer na vida. O amor maduro, porém, exige que as crianças renunciem pouco a pouco ao amor cego da infância e aprendam a amar como adultos. Em vez da repetição do que é prejudicial, o amor maduro quer que elas se livrem dos embaraços familiares. É assim que elas preenchem as expectativas e esperanças mais profundas de seus pais. Quanto melhores os filhos, melhores os pais.

Os filhos escapam dos efeitos negativos do afeto cego reconhecendo os verdadeiros anseios dos pais e atendendo a eles. Esses anseios são que os filhos se tornem felizes e bem-sucedidos. É preciso muita coragem para que os filhos vejam os pais sofrer e, ainda assim, obedeçam ao amor maior, procurem o sucesso na vida e realizem os desejos dos corações paternos.

Mesmo querendo ser como os pais, os filhos temem o destino deles. Por isso, exteriormente, podem rejeitar os pais e tentar ser diferentes, ainda que às ocultas procurem imitá-los. Esses filhos, embora alardeiem suas diferenças, continuam a agir inconscientemente como os pais e atraem — ou repelem — situações de vida em que experimentam praticamente o mesmo que eles experimentaram. Quando os filhos dizem aos pais: "Em nenhuma circunstância hei de ser como vocês", continuam a amá-los cegamente e estão atados a eles. A despeito de si mesmos, empenham-se em seguir o exemplo paterno e tornam-se exatamente iguais. Quando os filhos temem ser iguais aos pais, vivem a observá-los, pois têm de aprender constantemente a não sê-lo; não é de admirar, pois, que acabem sendo.

O homem leva os valores e tradições de sua família para o relacionamento, e a mulher faz o mesmo. No entanto, essas tradições e valores quase sempre são muito díspares. Por fora, os filhos seguem o genitor dominante, mas, por dentro, seguem o outro. Se, por exemplo, os valores do pai dominam, o filho do casal os seguirá exteriormente, mas, interiormente, adotará os valores da mãe. É mais comum que os valores da mãe dominem e sejam seguidos exteriormente pelos filhos; e o resultado é que, embora exteriormente rejeitem o pai, no fundo procuram emulá-lo — muitas vezes sem o saber.

Ao desviar-se dos valores de um genitor, o filho em geral segue o sistema de valores do outro. Por essa razão, desobedecer a um é muitas vezes render lealdade e obediência ao outro. Se um dos pais passar, direta ou indiretamente, esta mensagem ao filho: "Não seja como seu pai/mãe", a lealdade dele exigirá que ele se torne igual ao genitor proibido.

Aceito Que Você Se Torne Igual ao Seu Pai

Uma mulher divorciou-se do marido alcoólatra e ficou com a guarda do filho. Ela temia que ele ficasse igual ao ex-marido. O terapeuta disse-lhe que o menino tinha a liberdade de imitar o pai e que, se ela quisesse livrá-lo da necessidade sistêmica de fazer isso, deveria dizer-lhe: "Você pode ficar com o que lhe dei ou com o que seu pai lhe deu. Pode ser como eu ou como ele." A mulher objetou: "Mas e se ele se tornar alcoólatra?" O terapeuta respondeu: "Mesmo assim! Diga-lhe então: 'Aceito que você se torne igual ao seu pai'. O teste é este."

O efeito desse tipo de permissão e de respeito pelo pai amesquinhado é que o filho pode alimentar seu amor por ele aceitando-o como ele é, sem necessariamente assumir seu emaranhamento. Se a mãe dissesse: "De jeito nenhum. Você pode se tornar igual ao seu pai", o filho, incapaz de proteger-se, ficaria sujeito à obrigação sistêmica de fazer isso para respeitar o vínculo com o pai.

Conservando exteriormente a lealdade a um dos pais e interiormente a outro, os filhos conseguem manter a família unida, mas o sistema não atinge o tipo de equilíbrio que seus membros sentem como amor natural e espontâneo. Por esse motivo, nenhum dos genitores pode realmente triunfar sobre o outro. Por exemplo, os filhos imitam secretamente aquele que foi o vilão do divórcio, às vezes com conseqüências destrutivas.

Quando as adoções não são bem-sucedidas ou quando o casal enfrenta dificuldades com enteados, dá-se com freqüência que os pais adotivos ou os padrastos desejem substituir os pais naturais em vez de suplementá-los. Então, a lealdade para com os pais naturais pressiona o filho a abalar a nova família.

PROBLEMAS DIFÍCEIS NOS RELACIONAMENTOS ENTRE PAIS E FILHOS

Guarda dos Filhos

Pergunta: Trabalho bastante junto aos tribunais, tentando ajudar a determinar quem ficará com a guarda dos filhos. Às vezes os divórcios são tão complicados que é difícil fazer uma recomendação. Poderia dizer alguma coisa a respeito?

Hellinger: A questão de quem ficará com a guarda dos filhos depois do divórcio na verdade não é tão difícil de resolver como você possa pensar. Há dois princípios sistêmicos que podem orientá-lo na tomada da decisão: (1) Os filhos devem ficar com o cônjuge que mais valorize o outro neles e (2) Aquele que rompe o relacionamento não deve ser recompensado com a guarda dos filhos.

Na experiência concreta, é o pai que, com mais freqüência, valoriza a mãe nos filhos, e não o contrário. Mesmo sendo assim, caso a mulher deseje a guarda, pode merecer esse direito se aprender a valorizar nos filhos as qualidades do ex-marido. De outro modo, magoa os filhos querendo e valorizando apenas metade deles.

Pergunta: Como saber qual dos pais valoriza mais o outro nos filhos?

Hellinger: Você percebe isso imediatamente e os dois também não o ignoram quando são honestos consigo mesmos. Basta observá-los para perceber logo qual deles é o indicado.

Pergunta: Mas não pode acontecer que se valorizem igualmente?

Hellinger: Essa é uma objeção hipotética. Se se valorizassem igualmente, não precisariam recorrer ao divórcio — ou, pelo menos, não brigariam pela guarda dos filhos.

Pergunta: Existem dois princípios: "O cônjuge que mais valorizar o outro nos filhos deve ficar com a guarda" e "Aquele que romper o relacionamento não deve ser recompensado com a guarda dos filhos." Não são a mesma coisa?

Hellinger: O importante é observar atentamente as pessoas com quem se trabalha. Os princípios terapêuticos produzem efeitos benéficos quando atendem às necessidades dos clientes, mas não convém remodelar as pessoas para que se adaptem a esses princípios. A complexidade dos problemas não pode ser capturada em duas frases; estas são apenas diretrizes úteis.

Em última análise, são os pais, não o terapeuta, que decidem quem ficará com os filhos. Eles decidem também se vão se casar de novo ou permanecer solteiros. Se um homem divorciado que tem a guarda dos filhos deseja se casar novamente, não deve tornar sua decisão dependente da aceitação dos filhos. Deve fazer o que é certo para ele, e os filhos têm de aceitar o fato. Os filhos não são parceiros em igualdade de condições e não podem ser consultados como se o fossem. Entretanto, não são obrigados a amar o novo parceiro.

Pergunta: Todavia, os tribunais consultam os filhos sobre a guarda.

Hellinger: Sei disso. Às vezes, o pensamento jurídico e o pensamento sistêmico divergem. Aqui, estou falando sobre dinâmica psicológica, sobre o que é melhor para os filhos.

Quando os pais decidem amigavelmente quem ficará com a guarda, poupam aos filhos a difícil tarefa de escolher entre um e outro. Os pais costumam imaginar que aquele que recebeu a guarda está tirando os filhos do outro. Isso, porém, é impossível. Ainda que os filhos morem com apenas um dos pais, continuam filhos de ambos. Qualquer que seja o procedimento dos pais, deve ficar claro para os filhos que os dois continuam a ser seus pais, mesmo que já não formem um casal.

Adoção

Pergunta: Sou assistente social numa agência de adoções. Freqüentemente nos consultam sobre se uma criança deve ser adotada ou colocada num orfanato. Também nos vemos às voltas com adoções que não deram certo. Existirão diretrizes sistêmicas que possam nos ajudar?

Hellinger: Quando os filhos não podem ser criados por seus próprios pais, a melhor alternativa serão provavelmente os avós. Estes, em geral, se aproximam mais das crianças. Se conseguem atraí-las, quase sempre cuidam muito bem delas — e a devolução aos pais é bem mais fácil. Não havendo avós vivos, ou caso eles não possam assumir o encargo, a próxima escolha é usualmente uma tia ou um tio. A adoção é o último recurso, e só deve ser cogitada quando ninguém da família está disponível.

Segundo minha experiência com famílias, o fator crucial são as intenções dos pais adotivos. Se realmente agirem no melhor interesse da criança, a adoção terá boa possibilidade de sucesso. Contudo, pais adotivos raramente consideram o interesse da criança e sim o seu próprio: não podem ter filhos e se rebelam contra as limitações que a natureza lhes impôs. Implicitamente, pedem à criança que os proteja de seu desapontamento. Quando é esse o caso, o fluxo básico do dar e receber, bem como a ordem dos relacionamentos, desarranja-se logo de começo; os pais sofrerão as conseqüências de seus atos, ou sofrerão os filhos.

Quando os parceiros adotam uma criança movidos por suas próprias necessidades e não pelo bem-estar dessa criança, efetivamente a tomam dos pais naturais para beneficiar-se. É o equivalente sistêmico do roubo de crianças; por isso traz conseqüências muito negativas ao sistema familiar. Na verdade, não importam os motivos que levam os pais naturais a enjeitar um bebê; os pais adotivos costumam pagar o mesmo preço. Sucede com freqüência que casais se divorciem depois de adotar uma criança por motivos impróprios. Sacrificar o parceiro é a compensação por privar os pais naturais de seu filho. Em famílias com quem trabalhei, as conseqüências de adotar filhos por razões impróprias incluíam divórcio, doença, aborto e morte. Em sua forma mais destrutiva, essa dinâmica exprimiu-se pela enfermidade ou suicídio de um filho natural do casal.

Também não é incomum que filhos adotivos detestem seus novos pais e desprezem o que recebem deles. Nessas famílias, sucede muitas vezes que os pais adotivos se sintam secretamente superiores aos pais biológicos; o filho, talvez inconscientemente, demonstra solidariedade para com os pais naturais.

Às vezes, os pais naturais entregam os filhos para adoção sem necessidade. Então os filhos sentem um legítimo ressentimento contra eles, mas os pais adotivos é que passam a ser o alvo desse ressentimento. E as coisas pioram quando os pais adotivos assumem o lugar dos pais naturais. Se os pais adotivos têm consciência de que agem *em substituição* aos pais verdadeiros, os sentimentos negativos se concentram nestes e os adotivos ganham o reconhecimento que merecem. Trata-se de um grande alívio tanto para os pais quanto para os filhos adotivos.

Quando os pais adotivos ou de criação agem no interesse da criança, eles têm consciência de que são meros substitutos ou representantes dos pais biológicos, a quem ajudam a realizar o que não estava a seu alcance. Eles desempenham um papel importante, mas na qualidade de pais adotivos vêm depois dos pais biológicos, não importa o que estes sejam ou tenham feito. Se essa ordem for respeitada, os filhos podem aceitar e respeitar os pais adotivos.

Um homem ao separar-se da esposa ficou preocupado com a guarda de seu filho adotivo. Na constelação familiar, esse pai colocou o filho entre ele e a esposa. Perguntei: "Quem propôs a adoção?" Ele respondeu que a esposa. Eu lhe disse: "Sim, e para isso sacrificou o marido." O homem que representava o menino na constelação começou a se sentir fraco e afirmou que estava a ponto de cair de joelhos. Pedi-lhe que o fizesse, e ele se ajoelhou enquanto sua mãe natural postava-se às suas costas. Voltando-se para ela, disse que se sentia grandemente aliviado. Instalei os representantes dos pais adotivos atrás dele, para que o pudessem ver ajoelhado diante da mãe natural. Enquanto o observavam, sentiram-se novamente um casal.

Quando se adotam crianças, convém fazer claras distinções entre os nomes dos pais. Para o filho adotado, é mais fácil dar nomes diferentes aos pais naturais e adotivos, como por exemplo "pai e mãe" e "papai e mamãe". Os pais adotivos não devem identificar um filho adotado como "meu filho" ou "minha filha". A mensagem que comunicarão ao filho será mais ou menos do seguinte teor: "Esta é a criança que pegamos para criar como representantes de seus pais naturais." Esta é uma mensagem de qualidade inteiramente diversa.

Não existem soluções fixas para todas as situações. O ponto mais importante é que os pais adotivos conservem profundo respeito pelos pais naturais e deixem isso bastante claro para os filhos. Em muitos casos, melhor será que a criança adotada conserve o nome original para que sempre esteja claro que houve uma adoção.

Pergunta: E se o filho quiser tomar o nome do padrasto ou dos pais adotivos?

Hellinger: Recomendo cautela. As crianças percebem, intuitivamente, o que os pais desejam e agem como se também o desejassem. Os pais adotivos devem examinar cuidadosamente o que é bom para o filho e fazê-lo, sem se permitir atentar para as próprias necessidades. Eles também não devem permitir que o filho seja a voz de suas necessidades, como se fossem as necessidades do filho. Quando os pais descobrem o que é verdadeiramente bom para a criança, esta naturalmente o desejará também. A questão do padrasto num segundo casamento é óbvia: se a mãe respeitar e reverenciar o pai natural, o filho não terá problemas. O mesmo se aplica à madrasta.

Pergunta: Quando um parceiro traz um filho de casamento anterior, deve o novo parceiro adotá-lo?

Hellinger: Geralmente, não o recomendo. Isso não é bom porque, então, o filho terá de renegar o pai ou mãe natural. Mas convém observar o filho e descobrir o que é melhor para ele. Um filho acha muito difícil renegar os pais. Vou lhe dar outro exemplo.

Certa mulher telefonou-me desesperada. O pai adotivo estava morrendo e ela não conseguia resolver sua ambivalência para com ele. Queria estar ao lado do moribundo, mas não se resolvia a ir até lá. Ela explicou que sua mãe deixara seu pai há muitos anos, para casar-se com esse homem, que a adotara.

Sugeri-lhe que rescindisse a adoção. Ela hesitou, agradeceu e desligou. Algum tempo depois, telefonou-me novamente e comunicou que seguira o conselho. A situação mudara de pronto e ela conseguira assistir ao pai adotivo em seu passamento. O homem morrera pouco antes do segundo telefonema e ela se dizia em paz com ele e com a situação. Ela compreendera perfeitamente, afirmou, que repusera alguma coisa em ordem e retomara seu devido lugar na família.

Pergunta: Sei de duas crianças cujos pais e avós morreram num acidente de automóvel. Um tio e uma tia querem criar, cada qual, um deles. Será melhor que as crianças fiquem com parentes, ainda que separadas, ou juntas, embora num lar adotivo?

Hellinger: É difícil dizer alguma coisa sem conhecer as crianças, e o tio e a tia. Não sabemos por que eles se dispõem a criar apenas uma criança, mas parece-me que não estão interessados primordialmente no bem-estar dos órfãos. Talvez se sintam obrigados. De outro modo, um ou outro faria o necessário para cuidar das duas crianças. A menos que haja circunstâncias atenuantes, creio que esses órfãos se sentiriam melhor numa família adotiva, onde poderiam viver juntos.

Tenho observado que pessoas criadas em casa alheia (ou adotadas), alimentam quando adultas o desejo de cuidar de crianças abandonadas ou adotá-las. Elas costumam tratar muito bem delas porque estão transmitindo o que elas próprias receberam. Eis uma excelente dinâmica.

Thomas: Conheço na minha cidade um casal sem filhos. O casal visitou um país em desenvolvimento várias vezes e desembolsou muito dinheiro para adotar uma criança. Logo que a trouxe para casa, o homem teve uma crise de nervos e ficou três meses hospitalizado. Mal teve alta e o casal adotou outra criança. Acho que o que está acontecendo ali é realmente terrível.

Hellinger: Quem sabe? Olhe para as crianças e pense: "Elas vão conseguir de alguma forma."

Thomas: Tenho outra pergunta. Uns amigos...

Hellinger *(interrompendo)*: Não, não! Que foi que eu disse?

Thomas: As crianças vão conseguir de alguma forma.

Hellinger: Sim, mas antes eu disse: "Olhe para as crianças." Para quem você olhou?

Thomas: Tem razão. Olhei para os pais.

Hellinger: Os pais não merecem mais do que já têm. Eles estão cientes de seus atos. As pessoas fazem coisas espantosas!

Mais ou menos há dezoito anos, trabalhei com um homem chamado Peter. Quando ele estava com dois anos, sua mãe teve uma crise de esquizofrenia e atirou-o contra a parede. O pai levou ambos ao médico. Depois que se constatou que os ferimentos de Peter não eram graves, o médico e os pais meteram-se na sala contígua e deixaram-no sozinho. Pouco depois o médico entreabriu a porta e olhou para ele. Peter garante que se lembra daquele olhar, que parecia dizer: "Você vai conseguir." Nada mais. Isso foi a âncora a que ele se agarrou a vida inteira. Como vê, o médico fez a coisa certa. Olhou para a criança.

Pergunta: Meu sobrinho, filho de meu irmão, foi adotado pelo padrasto, de quem agora tem o nome. A nova família rompeu completamente com meu irmão e com nossa família. Posso fazer alguma coisa pelo menino?

Hellinger: No momento, não. Quando você pergunta o que pode fazer por ele, há amor no seu coração. Se você deixar que esse sentimento floresça, e ao mesmo tempo resistir à tentação de agir até que uma boa oportunidade se apresente, então já estará fazendo alguma coisa de bom para o menino. Talvez leve muitos anos até que surja essa oportunidade.

A Criação dos Filhos

Pergunta: Em nossa clínica, trabalhamos com inúmeras famílias que têm problemas com os filhos. Cada um dos pais diz aos filhos algo diferente e os filhos ficam totalmente confusos quanto ao que devem ou não fazer.

Hellinger: Quando os pais enfrentam problemas na criação dos filhos, quase sempre isso se deve ao fato de não terem um sistema harmônico de valores, nem objetivos e prioridades. A solução, nesses casos, é elaborar de comum acordo um sistema no qual os valores de suas famílias de origem sejam equilibradamente representados. Esse sistema solidário é mais abrangente que qualquer dos dois sistemas originais e, num certo sentido, ambos os parceiros precisam renunciar a certos valores de sua primeira família. Isso é difícil porque um e outro se sentem culpados em relação à família original. A crença de que um sistema de valores é certo e o outro errado torna o processo ainda mais difícil.

Quando os pais se unem num sistema único de valores, adquirem um sentimento de solidariedade mútua em face dos filhos, os quais, por sua vez, se sentem seguros nesse sistema homogêneo e seguem-no de bom grado. Se os pais não estiverem unidos, os filhos viverão segundo dois sistemas de crenças diferentes, ou dois diferentes sistemas de valores, ao mesmo tempo e sob o mesmo teto. E isso é complicado.

Um pai e uma mãe perguntaram-me o que deveriam fazer quanto ao comportamento da filha. A mãe era a responsável por traçar-lhe limites, mas o marido não a apoiava nessa tarefa.

Sugeri três princípios a serem considerados na criação dos filhos:

1. O pai e a mãe têm idéias diferentes sobre o que é bom para os filhos conforme o que achavam importante ou falho em suas próprias famílias.

2. A criança aceita como correto e segue o que quer que *ambos* os pais acreditem ser importante ou falho.

3. Quando um dos pais rejeita os valores do outro na criação dos filhos, estes automaticamente se aliam ao que foi desconsiderado.

Pedi-lhes então que observassem como e por que a filha os amava. Eles olharam um para o outro e suas faces se iluminaram. Sugeri ao pai que, vez ou outra, fizesse saber à filha que ele se sentia feliz quando ela se mostrava boa para com a mãe.

Ilegitimidade

Pergunta: Você disse que os pais não devem falar aos filhos a respeito de suas intimidades. Trabalho com inúmeros pais que não contaram aos filhos que estes haviam sido concebidos antes do casamento ou eram ilegítimos. Não creio que isso seja bom para as crianças.

Hellinger: Existe na sociedade a tendência a fazer juízos morais sobre esses assuntos, e, quando o juízo é negativo, a relutância em falar a respeito também é compreensível. Se você analisar essa situação sem juízos morais, como estamos fazendo aqui, concluirá que tudo vai bem. Muitas vezes, algo de bom brota de nossos pecados, o que está além do alcance dos moralistas. Não podemos abordar questões profundas em presença de quem nos julga e procura descobrir se o que fazemos é certo ou errado.

Thomas: Sou filho ilegítimo e fui criado com minha mãe. Cinco anos atrás conheci o meu pai, mas não conheci seus outros filhos, e ele não quer contar a eles nada a meu respeito.

Hellinger: Num grupo anterior, havia uma mulher em situação parecida. Era ilegítima, o pai dela também se casara e tivera filhos, relutando da mesma forma em apresentá-la a eles. Não vi razão para que não fosse procurá-los e declarar-se sua irmã.

Mais tarde, ela me telefonou para contar como tinham se passado as coisas. Fora convidada a uma festa onde seu pai e seus meio-irmãos estavam presentes. No fim da festa só haviam ficado ela, o pai e os meninos, de modo que puderam conversar.

Em seu lugar, Thomas, eu iria procurá-los. Mas se você o fizer, há o risco de ter de renunciar à sua profissão de pastor.

Thomas: Por quê?

Hellinger: Uma motivação comum de quem busca Deus é o fato de não ter pai e estar à sua procura. Encontrado o pai, a busca de Deus deixa de ser tão importante — ou passa a ser diferente. A coisa toda começou com Jesus. Até onde sabemos, também ele foi criado sem pai.

Vou recitar-lhe um poema.

O Caminho

O filho pediu ao velho pai:
"Abençoa-me antes que te vás."
E o velho pai respondeu:
"Eis a bênção que vais ter:
Vou acompanhar-te por algum tempo
No caminho do saber."

Os dois se encontraram ao nascer do sol
No lugar convencionado.
Subiram a montanha,
Bem acima das sombras
De seu vale acanhado.

Quando alcançaram o topo,
Embora já os envolvesse a obscuridade,
Podiam ver em todas as direções,
Avançando até o céu,
A terra banhada em claridade.

O sol abismou-se,
Arrastando consigo
Seu manto coruscante.
Caíra a noite;
Mas, em meio às trevas,
Avistaram milhões de estrelas
Brilhando no céu distante.

A Velhice dos Pais: Cuidados

Pergunta: Meus pais estão envelhecendo e, cada vez mais, vão precisar de meus cuidados. Também tenho família e emprego. Como equilibrar a responsabilidade por minha esposa e filhos com a responsabilidade por eles?

Hellinger: Os filhos têm a obrigação de cuidar dos pais idosos. Mas muitos filhos receiam o que os espera quando os pais estiverem velhos. Isso porque imaginam que deverão cuidar dos pais do modo que eles quiserem. Quando se sentem pressionados assim, sua preocupação é justa. A solução seria dizer aos pais: "Faremos o que for melhor para vocês." Eis uma situação completamente diferente, mas o que é certo pode não corresponder ao que os pais ou filhos imaginam.

Existe uma dinâmica específica por trás desse problema: os filhos não conseguem ver os pais como são. Independentemente de sua idade real, logo que os encontram, os filhos tendem a comportar-se como se tivessem 5 ou 6 anos. Os pais, por sua vez, vêem e tratam os filhos como se eles também tivessem 5 ou 6 anos, independentemente de sua idade real.

A única exceção a essa regra que pude constatar foi uma psiquiatra que, durante um seminário, insistiu que ela e a filha eram perfeitamente iguais. Mais tarde, na hora do café, ela começou a falar de sua "pequena Snookie" até que alguém lhe perguntou quem era a tal Snookie. Ela respondeu: "Minha filha!" A pequena Snookie tinha 35 anos de idade. *(Risos.)* Aí está a única exceção de que tenho conhecimento.

O que realmente necessitamos pode ser arranjado.

Durante uma sessão, uma empresária muito bem-sucedida avisou que precisava telefonar para a mãe hospitalizada. Ela desejava ardentemente que a filha a levasse para casa e cuidasse dela. A mulher achava que não poderia fazê-lo por causa das suas obrigações profissionais. Eu lhe disse: "Sua mãe tem prioridade. Cuide primeiro dela e depois de seus negócios." A mulher protestou que era impossível. Continuei então: "Pense um pouco no assunto. Você sabe o que é prioritário, o que é importante. Deixe essa idéia tomar corpo dentro de você."

Como freqüentemente acontece quando alguém já está preparado para fazer a coisa certa, a solução foi inesperada. Ela recebeu a chamada de uma enfermeira altamente competente que desejava cuidar de pessoas idosas. Cobrava caro, mas a mulher tinha dinheiro e ficou feliz em pagar. Foi essa a solução.

Quando os filhos aceitam livremente sua responsabilidade desde o início, os pais acham mais fácil deixar que partam, pois sabem que estarão de volta quando precisarem deles. Os filhos se sentem mais livres para partir, pois sabem que não os estão abandonando; e ficam aliviados quando podem finalmente dar alguma coisa aos velhos pais.

Incesto

Pergunta: O senhor disse que os problemas de família consistem geralmente de tentativas fracassadas de amar. Isso também se aplica ao incesto? Como encara o incesto?

Hellinger: O incesto é complicado e reveste diversas formas; portanto temos de ser cuidadosos para não generalizar. Às vezes a violência e o abuso são tão prejudiciais que o aspecto sexual fica em segundo plano: e isso é completamente diferente do incesto cujo móvel fundamental é o sexo. Mas tem razão: já notei que muitas vezes o incesto não passa de uma tentativa fracassada de amar.

Seguindo a maneira usual de considerar o incesto, os terapeutas não vêem a família como um todo. Vêem apenas dois indivíduos: o agressor, geralmente um homem, e a vítima, geralmente a filha ou enteada. Alguns terapeutas insistem em ver o agressor como uma besta desumana que força a vítima a saciar seu desejo sexual incontrolável ou suas necessidades emocionais. Eles não captam o contexto mais amplo do sistema familiar. Eu pergunto: "A visão do incesto segundo o modelo agressor-vítima realmente ajuda a criança?" Essa é a questão capital. Na grande maioria dos casos que tive em mãos, não pareceu ajudar em nada.

O princípio básico da psicoterapia sistêmica é que nós devemos sempre olhar para as crianças e ouvi-las no contexto do sistema de relacionamento familiar como um todo. Perguntamos: "Que está acontecendo com essa família e o que é melhor para o filho? De que ele precisa para encontrar a paz?" Se não formos cuidadosos, nossa imagem do agressor e da vítima irá nos impedir de ver as pessoas envolvidas, como também o contexto familiar geral. A solução, para cada criança, é diferente; por isso, os terapeutas precisam ficar alertas. Mais vale sacrificar uma crença preconcebida do que uma criança.

Se olharmos para a família como um todo, descobriremos quase sempre que os pais têm um problema e os filhos foram recrutados para resolvê-lo. O incesto, o mais das vezes, é um problema familiar que só aparece graças à colaboração dos pais. Sim, digo isso para provocar: ambos os pais colaboram — o pai na frente, a mãe atrás — e dividem a responsabilidade. Quando o incesto é um problema familiar, a solução só é possível se a complexidade da situação de toda a família for claramente analisada. Nesses casos, os filhos devem ter a coragem de responsabilizar ambos os pais.

Em sua forma mais comum, o incesto representa a tentativa de reequilibrar o dar e o receber na família — geralmente, mas nem sempre, entre os pais. Se assim for, o agressor foi privado de alguma coisa: por exemplo, o que ele faz pela família não merece o devido reconhecimento. Sob essa forma, o incesto procura corrigir o desequilíbrio entre o dar e o receber. Existem, é claro, muitas outras formas de incesto, mas vislumbramos um padrão comum quando uma mãe com filha desposa um homem sem filhos. Embora o novo marido tudo faça por elas e se preocupe com seu bem-estar, seus esforços e necessidades são diminuídos, desdenhados, ignorados e, às vezes, até ridicularizados. O desequilíbrio entre o dar e o receber desenvolve-se quando o homem dá mais e a mulher recebe mais. Em semelhante situação, a mulher poderia restaurar o equilíbrio se mostrasse gratidão autêntica para com o novo marido: "Sim, é verdade que você dá e eu recebo, mas eu valorizo imensamente o que você faz." Desse modo, a restauração do equilíbrio não exigiria que se descesse a um nível tão destrutivo.

No entanto, havendo um déficit adicional na troca entre os parceiros — por exemplo, na sua sexualidade ou necessidades emocionais —, um desequilíbrio se instaura no sistema inteiro. A mulher tenta compensar o déficit sexual, em situações desse tipo, oferecendo a filha ao novo marido (trabalhei com famílias em que a mãe chegou a fazê-lo conscientemente) ou abandonando-a em suas mãos de modo tal que ele é virtualmente levado a manter uma relação compensatória com ela. Tratei de umas poucas famílias em que a própria filha se ofereceu ao pai ou padrasto para ajudar a mãe ou impedir que ele fosse embora. Uma forma menos comum de incesto envolve o menino que procura restabelecer o equilíbrio familiar.

Pergunta: Tudo em mim resiste à idéia de condenar a mãe.

Hellinger: E isso é tão verdadeiro quanto você se interessar mais por seus ideais do que pelas pessoas envolvidas. O que o senhor está procurando é alguém para condenar. Mas eu não quero condenar ninguém; quero uma solução. E, para achá-la, tenho de observar as pessoas numa situação concreta, compreender a dinâmica da família.

Meus objetivos são sempre específicos: busco uma solução para a pessoa que me procura e resisto à tentação de ir além desse ponto. As soluções são diferentes para cada membro da família. Todos eles — o homem, a mulher e o filho — sabem, ao menos inconscientemente, que a família tem um problema;

portanto, precisamos encontrar uma solução que permita a cada integrante do sistema aceitar sua quota de responsabilidade e preservar sua dignidade.

Para a criança induzida a recuperar o equilíbrio entre o dar e o receber, ou praticar outras formas de incesto, a solução é dizer honestamente: "Mamãe, fiz isso por você" e "Papai, fiz isso por mamãe." Às vezes, quando o homem está presente em pessoa, peço que o filho diga: "Faço isso por mamãe e faço voluntariamente." Algumas pessoas rejeitam a palavra "voluntariamente", mas as vítimas confirmam que é importante.

Essas frases ecoam a dinâmica *já em operação* na família e *trazem o amor da criança à luz*. A criança que as profere com autenticidade dá voz à beleza e força arcaicos de seu amor inocente pelos pais. Ela revela as profundezas da alma, onde os filhos — voluntariamente, embora quase sempre inconscientemente — fazem o mais atroz e destrutivo sacrifício pelos pais. Do ponto de vista sistêmico, o filho é sacrificado para recuperar um equilíbrio na família e, pelo menos de modo inconsciente, ele o faz por amor. Para ele, a solução consiste em dizer a verdade, identificar a dinâmica sistêmica e declarar francamente o seu amor. Indicando às claras a parte da mãe na dinâmica do incesto, o filho rompe o acordo inconsciente que fez para ajudar a resolver os problemas dos pais. A frase denuncia a cumplicidade da mãe no que aconteceu, mas não redime o pai de sua culpa.

Obtém-se um efeito salutar quando esse amor secreto é visto e reconhecido. As frases lembram ao filho que ele tentou fazer algo de bom, embora o resultado tenha sido mau. Quando as crianças sentem conscientemente o seu amor e nós o confirmamos, elas *compreendem* que são boas. Isso é um grande alívio. Quando as vítimas conseguem proferir as frases com autenticidade, livram-se de seu emaranhamento no problema dos pais. Os filhos não precisam esperar que os pais mudem antes que eles atuem. Eles estão prontos para seguir caminho, independentemente dos atos dos pais, quer eles admitam sua responsabilidade ou não, sintam remorsos ou não.

Pergunta: Mas não é assim que a menina se sente. Ela acha que está fazendo aquilo contra a vontade, na condição de vítima, e não quer dizer as frases.

Hellinger: Por definição, vítima é a pessoa que não pode evitar o que lhe acontece. Se as vítimas quiserem mudar alguma coisa, terão de encarar sua verdadeira força. A força dos filhos é o seu amor. Que fazem as frases? Revelam o amor dos filhos. Deixam claro a todos os membros do sistema o que a criança fez para resolver o problema da família.

Quando você sugere frases como essas, deve ouvir com atenção as frases que a alma da criança *já está dizendo*. Ao percebê-las, dê à criança um presente sob a forma de palavras que expressem o que ela está sentindo secretamente, mas não consegue articular. Se você ouvir atentamente e achar as palavras adequadas, a alma da criança captará a mensagem: "Você agiu por amor. Fez o melhor que podia, mas chegou a hora de devolver o problema a seus pais. O problema é deles, eles é que devem resolvê-lo." A mensagem é mais ou menos assim, quase sempre. Exige coragem, mas muitas meninas encontraram alívio proferindo em voz alta o que vinham calando há muito tempo.

A eficácia dirá se você encontrou ou não as frases certas. Se atinou com a formulação adequada, a menina ou mulher que a repetir logo sentirá mudanças no corpo e se sentirá bem. Trata-se de um processo realmente belo e dramático, que vale a pena acompanhar. Ela se sente aliviada porque as frases revelam seu amor e sua independência, portanto, sua inocência. É importantíssimo que a criança seja ajudada a reencontrar o próprio valor e dignidade, que o seu amor seja reconhecido e afirmado.

Pergunta: Mas o que acontece quando lidamos, por exemplo, com uma menina de 15 anos que ainda esteja vivendo essa situação?

Hellinger: Então as frases são ainda mais eficazes. A menina está na posição mais frágil da família; conseqüentemente, pouco tem a fazer para pôr fim ao incesto. Para que o consiga, convém descobrirmos a dinâmica oculta em operação na família e esclarecermos as responsabilidades de todos os membros.

Pergunta: Qual o efeito das frases sobre o pai? Nessa formulação, ele fica reduzido a um papel passivo. Mas é uma pessoa que agiu, que violou sua paternidade e abusou da própria filha. O que ele poderá fazer?

Hellinger: Se estiver realmente interessado em fazer alguma coisa para repor um pouco de ordem no sistema, há princípios gerais que deverá seguir, mas cujos detalhes variarão.

Em primeiro lugar, terá de aceitar plenamente a responsabilidade pelos seus atos. Se foi acusado e condenado, deverá concordar com o veredito e a pena. Depois, encarará a filha e procurará vê-la realmente, ver as conseqüências que seus atos terão para ela. Com sinceridade, irá dizer-lhe que assume toda a responsabilidade e todas as conseqüências do que fez, que vai se afastar e deixá-la em paz.

Já que não há modo de desfazer o que foi feito, ele deverá tentar extrair alguma coisa boa de seus atos. A culpa aos poucos vai se dissipando, quando alcança seu propósito — muda para melhor. Um padrasto submeteu-se a uma intensa psicoterapia pessoal; depois estudou e tornou-se terapeuta de outros homens. Sua relação com a enteada é distante, mas cordial. Ela o respeita e, por isso, respeita-se com mais facilidade.

Pergunta: Sempre me perguntei por que as decisões judiciais contra o agressor, nesses casos, quase nunca trazem solução para a criança.

Hellinger: O castigo do agressor não basta para resolver o problema da vítima. Há uma lei importante do comportamento sistêmico que precisa ser obedecida: o sistema se rompe quando um de seus membros é rejeitado ou excluído. Para que haja solução, cumpre respeitar a totalidade do sistema, trazer de volta o excluído e cada um assumir a devida quota de responsabilidade.

Se você trabalhar sistemicamente, ainda que vise apenas a solução para o cliente, promoverá e protegerá a totalidade do sistema. Por isso, terá de entrar em contato com os excluídos. A menos que consiga reservar aos agressores um lugar em seu coração, você não conseguirá trabalhar com o sistema todo. Gradualmente, perceberá o que acontece no contexto da dinâmica sistêmica mais ampla, e essa perspectiva dilatada oferecerá mais opções de cura. Eis por que, regularmente, alio-me aos excluídos e odiados.

Pergunta: O senhor está dizendo então que todos, no sistema, participam do que acontece: a mãe, o padrasto e o filho? Que todos agem sob a pressão da dinâmica sistêmica e que o terapeuta, ao polarizar vítima e agressor, na verdade agrava o problema?

Hellinger: Todos estão envolvidos quando o incesto é uma tentativa de resolver um problema sistêmico. Para o terapeuta, aliar-se à mãe na luta contra o pai é uma armadilha: ninguém ignora o mal que ele praticou. Os terapeutas às vezes se deixam levar pela emoção ao considerar-lhe a perversidade e isso apenas esfacela a família ainda mais. De onde tiram os terapeutas essa emoção? Por que não ficam calmos e estudam a fenomenologia até encontrar uma boa solução para a criança? Essa intensidade da emoção, nos terapeutas, me irrita. Há algo aí, do contrário seus sentimentos não seriam tão fortes; está-se dando demasiada importância a alguma coisa. Os terapeutas que se juntam às vítimas ajudam a excluir os agressores do sistema, ignoram a quota de responsabilidade da mãe e não reconhecem a profundeza do amor e da lealdade do filho a *ambos* os pais. Isso torna a situação pior para a vítima.

Vou contar-lhes como cheguei a compreender isso.

Ao Lado do Vilão

Num grupo de trabalho, uma psiquiatra falou a respeito de uma cliente que fora estuprada pelo próprio pai. Ela estava horrorizada com a agressão e enfatizou a vileza daquele homem. Convidei-a a colocar uma constelação da situação e a tomar seu lugar na família como terapeuta. Ela se postou ao lado da cliente. Todos os participantes imediatamente se enraiveceram contra ela, inclusive o representante da cliente. O sistema inteiro estava inquieto e ninguém lhe dava crédito. Então coloquei-a para junto do pai, e todos, sem demora, se mostraram calmos e confiantes. Desde então tenho observado que ficar ao lado do vilão é uma excelente posição para o terapeuta.

Vítima e agressor estão sistemicamente ligados, mas muitas vezes não sabemos como. Quando essa conexão fica clara, compreendemos o que precisa acontecer para que o sistema volte ao equilíbrio. Se trabalho com um agressor, confronto-o com a sua culpa. Nem é preciso dizer isso. No entanto, as pessoas supõem que algo vá mudar para a vítima se o agressor aceitar a culpa e o castigo. Na prática concreta, nada muda. Uma vez fora da situação, as vítimas de incesto devem agir por conta própria para libertar-se do emaranhamento, independentemente dos atos do agressor; mas precisam renunciar à idéia de vingança.

Pergunta: Isso significa que as vítimas de incesto devem ser estimuladas a perdoar os pais?

Hellinger: Tenho percebido que não é adequado, nem possível para uma criança, perdoar os pais por incesto. Mas ela poderá dizer: "O que vocês fizeram foi péssimo para mim e deixo *para vocês* as conseqüências. Farei algo na vida a despeito do que aconteceu." Ou então: "Vocês me fizeram um grande mal e nunca vou perdoá-los. Não tenho o direito de fazer isso." Poderá, ainda, encarar ambos os pais e dizer-lhes: "*Vocês* erraram, não eu. *Vocês* vão arcar com as conseqüências, não eu." Dessa forma, a criança devolve a culpa aos pais, a quem ela pertence, e desliga-se da responsabilidade deles. Não é preciso que a criança acumule acusações contra os pais: para que ela se liberte, basta que tudo fique claro.

Do mesmo modo, o pai não pode pedir perdão à filha depois de cometer incesto com ela. Se o fizer, estará pedindo alguma coisa além do que a filha tem o direito e o dever de dar. Implorando *a ela* que limite as conseqüências de *suas* ações, na verdade ele está de novo praticando abuso. Deverá dizer algo assim: "Lamento o que fiz" ou "Reconheço que lhe fiz um grande mal." Mas nem por isso deixará de arcar plenamente com a responsabilidade pelos seus atos e sofrer plenamente as conseqüências. Porém, que não vá além disso; do contrário imporá um fardo adicional à criança.

Pergunta: Isso significa então que, quando nos forem trazidas crianças e constatarmos que estão sofrendo abusos sexuais, devemos protegê-las (talvez ajudando a afastá-las dos pais), mas não denunciar os agressores?

Hellinger: No tocante à solução para a criança, essa é a minha experiência. Não devemos sequer falar com despautério dos pais na frente das crianças, embora possamos ajudá-las a compreender a responsabilidade deles e sentir-se inocentes pelo que aconteceu. Há casos em que é necessário ir à justiça contra os agressores; mas, pelo que observo, o sofrimento das crianças se agrava quando têm de testemunhar contra os pais.

Pergunta: Num problema sistêmico, existe um ciclo de causa e efeito, mas o melhor sempre começa pela mulher. O que quer que o homem tenha feito para induzi-la a agir como agiu parece não interessá-lo.

Hellinger: Sim, esse é o meu costume. E as razões são muitas. Uma delas é corrigir uma tendência logo no começo. Lembre-se: num trabalho sistêmico não fazemos juízos morais sobre as pessoas. Procuramos meios de ajudar a família a reencontrar seu equilíbrio, a fim de que as vítimas — os filhos — fiquem livres para viver uma vida saudável e plena, livres da pressão sistêmica para fazer aos outros o que lhes foi feito. O equilíbrio sistêmico só pode ser alcançado quando identificamos a parte de cada um nessa dinâmica. Dado que o agressor geralmente é um homem, sua responsabilidade já está definida de antemão. O que nem sempre fica tão claro é o papel da mulher na coisa toda. Assim, começo por investigar esse papel. Não censuro a mulher, mas, para compreender a família como um todo, preciso saber o que aconteceu nos bastidores.

Pergunta: Mas a criança, principalmente quando muito pequena, irá carregar uma ferida profunda. Pelo menos, não consigo imaginar nenhuma outra possibilidade.

Hellinger: Você não deve dramatizar tanto. Quando realmente *vemos* as vítimas, elas descrevem toda uma variedade de experiências. Essa experiência às vezes é violenta e humilhante, às vezes suave e até amorosa. Em alguns casos, trata-se do tipo de incesto em que o contato sexual jamais ocorre realmente, mas causa muitas dificuldades em relacionamentos posteriores. Esse tipo de incesto sequer é contemplado pela lei.

E acontece muitas vezes que as *vítimas* do incesto se sentem culpadas pelo que aconteceu. Vou lhe dar um exemplo:

Uma Vítima Culpada

Uma mulher fora molestada sexualmente pelo pai e pelo tio. Ela ficou muito perturbada durante anos, cheia de ódio por si mesma, e tentou várias vezes o suicídio. Tinha a impressão de que, em companhia dos outros, todos podiam perceber que ela era má e queriam matá-la.

Pedi-lhe que explorasse o sentimento de ser má e ela aceitou. Sentou-se entre os outros membros do grupo, de olhos baixos, remoendo sua maldade. De repente, lembrou-se do tio e imaginou-o estirado a seus pés. Lembrou-se ainda de que ele se matara. Enquanto ela continuava a observá-lo na imaginação, seu rosto ficou duro e envelhecido. Ganhou uma expressão que não era dela, de modo que lhe perguntei: "Quem está olhando para ele com tanto ódio e sensação de triunfo?" Ela respondeu que sua mãe. No transcorrer da sessão, ela foi concatenando aos poucos suas lembranças e descobriu-se que a mãe engravidara durante um caso com o irmão do marido. De modo que o homem que ela supunha seu tio era na verdade seu pai e o homem que ela supunha seu pai era seu tio.

A mãe ficou aliviada quando o pai biológico da filha cometeu suicídio, mas a criança sentiu-se responsável por aquela morte, como se o homem houvesse morrido por causa dela, como se ela própria fosse sua assassina. O fato de odiar-se e tentar o suicídio era a expressão de seus sentimentos de culpa.

Por causa desses sentimentos de culpa, muitas meninas sexualmente molestadas assumem posteriormente a profissão de vítima. Muitas prostitutas que sofreram essa agressão na infância costumam ter, como adultas, a mesma experiência. Conheci freiras que foram vítimas de incesto e agressão sexual; aparentemente, entraram para o convento na tentativa de redimir o mal que supunham ter praticado. Outras vítimas se tornam doentes mentais, pagando pelo que já sofreram com mais sintomas dolorosos. Algumas chegam ao suicídio. Outras, ainda, defendem os agressores até o fim, permitindo que continuem a molestá-las de diversas maneiras, como se dissessem: "Você não precisa ter a consciência pesada pelo que sucedeu, pois na verdade eu não valho nada." Finalmente, algumas passam a ser, elas mesmas, agressoras.

Há um problema adicional para a criança: a primeira experiência sexual, mesmo de caráter incestuoso, normalmente estabelece um vínculo bastante forte. Crianças que se ligaram a alguém por causa de um antigo contato sexual têm dificuldades em relacionamentos sexuais subseqüentes, a menos que tomem consciência do vínculo e lidem com ele reconhecendo o amor envolvido.

Pagamento da Dívida da Mãe

Num grupo de terapia, uma mulher discorreu a respeito de suas dificuldades sexuais. Estivera casada por quase trinta anos, tinha um filho adulto e ainda amava o marido. Posto que tentasse, não conseguia ceder à paixão erótica com ele, conforme desejava.

Explorando sua experiência, lembrou-se dos primeiros contatos sexuais com um amigo adulto da família. Na constelação familiar, evocou que ele entrara para o exército com 17 anos de idade a fim de impressionar a mãe dela, de quem estava noivo. Por sete anos, sobreviveu a duros combates e passou mais seis num campo de prisioneiros nas mais terríveis condições. Enquanto isso, a noiva o abandonava para casar-se com seu pai. Mais tarde, a mãe enviava a menina para ficar com o homem durante as férias de verão.

Postada diante do representante dele, na constelação, mostrou-se severa e enraivecida. Lembrou-se de que a mãe chegara a processá-lo por molestar crianças e conseguira metê-lo na cadeia. De repente, prorrompeu em lágrimas e abraçou o representante, chorando copiosamente. Ela recordava-se do quanto o amara, de como ele fora a única pessoa capaz de entendê-la e dar-lhe atenção horas a fio — e de como lamentara profundamente sua solidão e sofrimento.

Reconheceu que lhe dera voluntariamente o corpo, embora fosse muito jovem; que apreciara sua gentileza e estava orgulhosa da própria capacidade de amenizar-lhe a dor. Sentiu, no corpo, profunda conexão com ele e foi preciso que o grupo a assegurasse de que esses sentimentos eram normais. Ela irradiava frescor e alegria ao evocar esse primeiro amor e ainda conseguiu dizer-lhe, afetuosamente, que era jovem demais para semelhante experiência.

Vários meses depois, escreveu ao terapeuta contando-lhe como se sentia livre para dar ao marido e a si própria o prazer apaixonado que ambos vinham aguardando tão pacientemente.

Pergunta: As crianças podem realmente ter prazer no incesto?

Hellinger: Sei que muita gente acha isso terrível, mas a verdade é que algumas crianças consideram agradáveis suas experiências incestuosas — até bonitas. Deve-se permitir, então, que elas admitam o fato. As pessoas em geral lhes dizem que algo de ruim aconteceu, e elas precisam ter certeza de que são inocentes, sobretudo quando a experiência foi agradável. Nesses casos, as crianças devem reconhecer sua experiência, a experiência de que a sexualidade pode ser fascinante, a despeito do que pensem os outros.

Nada mais normal, para as crianças, do que sentir curiosidade pelo sexo e querer experimentar o que acham fascinante. Se a curiosidade infantil não for considerada normal e saudável, sua sexualidade ficará exposta a uma luz terrível. Com risco de dizer algo controverso, a sexualidade não é má nem suja — mesmo quando há incesto. Se a criança ouvir isso, ficará aliviada.

Pergunta: Ouvi você dizer que talvez a criança tenha se mostrado sedutora e que, para ela, é muito importante compreender que isso não a torna culpada.

Hellinger: É perfeitamente normal que a criança, vez ou outra, se mostre sedutora. Não se deve criticá-la por isso. Por que não poderá ser sedutora? Se for insinuante com o pai, não quer dizer que deseje sexo como uma pessoa adulta; estará apenas praticando e aprendendo a ser mulher. Cabe a ele entender a diferença e deixar bem claros os limites. Sua obrigação é protegê-la. A dela não é satisfazer-lhe as necessidades.

Pergunta: Sinto-me confusa quanto à sua declaração de que as crianças apreciam o incesto. Na clínica onde trabalho, assistimos a um filme, semana passada, em que as meninas descreviam a experiência de modo muito diferente.

Hellinger: Se quisermos nos entender, você deve evitar transformar o que eu disse no que pensa ter ouvido. Eu não afirmei que "as crianças apreciam o incesto" — nem você saberá a verdade sobre o que acontece numa família baseando-se em filmes. Cada filme tem seu ponto de vista. Não conclua que sua cliente experimentou a mesma coisa que aquelas meninas.

Pergunta: Sei disso, mas não é bom pensar que as crianças gostem de incesto.

Hellinger: Concordo. Observe cuidadosamente a criança, ouça-a! Então saberá. Não tome decisões a respeito de seus clientes a partir do que viu num filme ou leu num livro. Cada criança é diferente. Ela deve reconhecer que o ato foi agradável *se foi agradável.* E, *se foi*, você também terá de admiti-lo. Então poderá garantir-lhe que ela é inocente, mesmo tendo estado curiosa e fascinada por sexo. Se o acontecido foi doloroso ou humilhante, a criança também precisará admiti-lo. Não se duvida de que a responsabilidade pelo incesto caiba por inteiro aos adultos, mas são os filhos que pagam o preço. Assim funcionam os sistemas familiares.

Pergunta: Faz diferença se o agressor é violento?

Hellinger: A violência intensifica as conseqüências tanto para a vítima quanto para o agressor. Mas, mesmo assim, evito qualquer entrave à minha decisão de ajudar os dois. A capacidade que a alma tem de afirmar a vida após a tragédia é miraculosa, de modo que mesmo nos casos mais dramáticos a esperança subsiste.

Transcrito

LESLIE: UMA CRIANÇA A SER ADOTADA

Leslie participou de um grande seminário para crianças adotadas, pais adotivos e pais que entregaram filhos para adoção. Seu caso explicita algumas complicações inesperadas que a adoção apresenta e mostra como obter boas soluções para situações difíceis.

Hellinger: Como poderemos ajudá-la?

Leslie: Tenho dificuldades de relacionamento e estou sempre doente. Creio que isso se prende ao meu constante desejo de me sentir em casa em algum lugar. Fui levada da maternidade pelos meus pais adotivos quando tinha apenas 14 dias. Acho que estou tentando restabelecer o contato original.

Hellinger: De que doenças sofre?

Leslie: Quando criança, eu estava constantemente com amigdalite. Hoje, tenho várias doenças psicossomáticas, a que chamo de "auto-esquecimento".

Hellinger: Que quer que eu faça?

Leslie: Li o seu livro e pensei: "É isso justamente o que eu quero fazer." Por isso estou aqui, ansiosa por esclarecer tudo ou, ao menos, obter uma nova perspectiva.

Hellinger: É casada?

Leslie: Separada.

Hellinger: Filhos?

Leslie: Um filho de 13 anos.

Hellinger: Com quem ele mora?

Leslie: Com um e outro. Depende.

Hellinger: O que você sabe de seus pais biológicos?

Leslie: Absolutamente nada, além dos nomes. Talvez pudesse ter descoberto o endereço deles, mas eu não quis fazer isso.

Hellinger: Que lhe contaram sobre a adoção? Quem sugeriu essa medida?

Leslie: Até onde meus pais adotivos estão informados, quem a sugeriu foi minha mãe, por causa da pobreza.

Hellinger: E quanto a seu pai?

Leslie: Não sei. Foi só isso que me contaram.

Hellinger: Vamos então montar o seguinte sistema: seu pai, sua mãe, você e seus pais adotivos. Sabe como se faz?

Leslie: Mais ou menos. Estou um tanto confusa.

Hellinger: Você escolhe pessoas — quem quiser — para representar o seu pai, a sua mãe, você mesma e seus pais adotivos. A propósito, seus pais adotivos têm filhos?

Leslie: Não, não puderam ter. *(Ela escolhe os representantes.)*

Hellinger *(para Leslie)*: Muito bem, agora encaminhe os representantes para seus lugares, relacionando-os uns com os outros. Concentre-se e faça isso com a consciência de estar plenamente lúcida. A constelação surgirá por si mesma à medida que você for instalando os representantes. *(Aos representantes)*: Vocês também se concentrem, prestando atenção às mudanças de sentimentos e sensações enquanto ela os estiver movimentando.

Hellinger *(aos representantes)*: Vou então perguntar-lhes o que está acontecendo e vocês irão me transmitir, o mais exatamente que puderem, qual a sua experiência. Que está acontecendo com a mãe?

Mãe: Sinto o pai afastando-se da constelação e estou sendo pressionada a segui-lo. A princípio, julguei que a filha iria aproximar-se, mas ela parou.

Hellinger: E o pai?

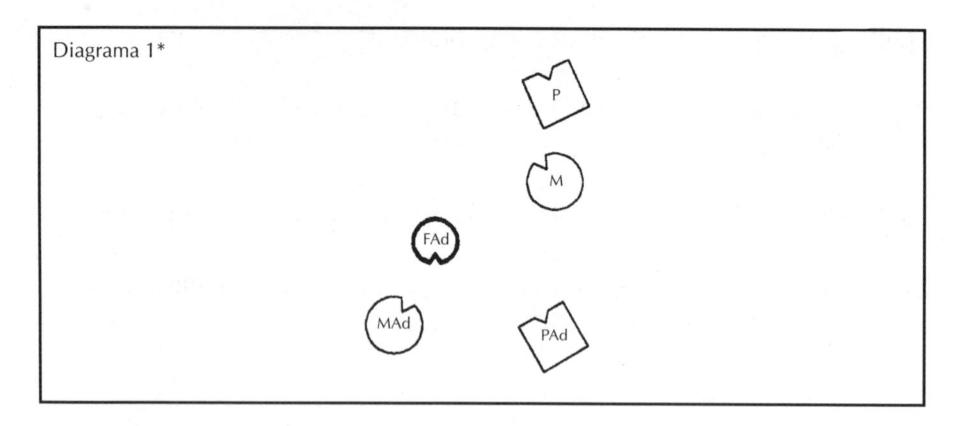

Pai: Sinto-me profundamente triste. Com um aperto no estômago. Sinto-me perdido aqui, muito triste.

Hellinger *(para o representante de Leslie)*: Que acontece com a filha?

Representante de Leslie: Depois que os pais adotivos entraram, sinto-me bem melhor. Mas continuo um pouco confusa.

Hellinger: Que acontece com a mãe adotiva?

Mãe Adotiva: Meu coração batia forte, antes de ser colocada aqui. Agora estou segura e posso ver a menina. Sinto também a diferença entre nós. A presença do pai adotivo me perturba, embora eu não possa vê-lo.

Hellinger: Refere-se ao seu marido?

Mãe Adotiva: Sim.

Hellinger: Que acontece com o pai adotivo?

Pai Adotivo: Sinto-me um pouco sozinho aqui, e também meio triste. Não tenho muito contato com a minha família. Estou num canto, o que me dá certa segurança, mas solitário. *(Hellinger desloca a mãe adotiva para junto do marido.)*

---

* Legenda: P — pai natural; M — mãe natural; PAd — pai adotivo; MAd — mãe adotiva — FAd — filha adotiva.

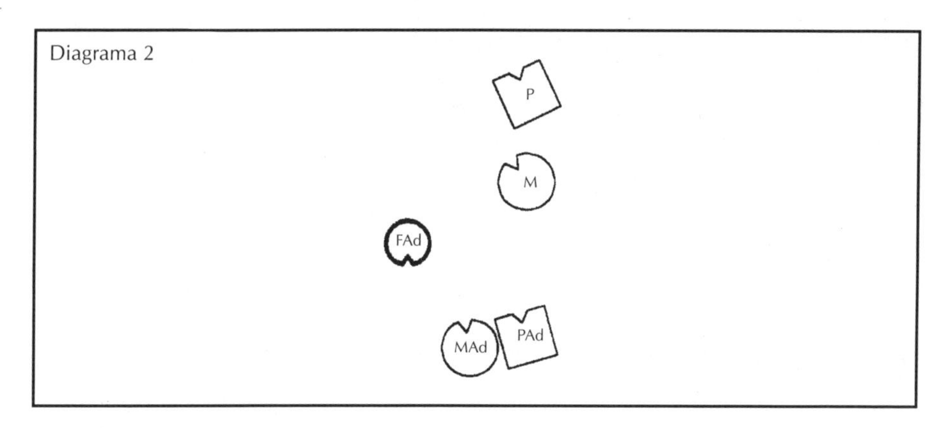

Diagrama 2

Hellinger: E agora?

Mãe Adotiva: Melhorou.

Pai Adotivo: A sensação desagradável de isolamento e solidão desapareceu. Sim, melhorou. Sinto-me confortado e amparado.

Hellinger *(ao representante de Leslie)*: Que mudou para você?

Representante de Leslie: Ficou mais difícil. Havia um grande vazio à minha direita e à minha esquerda. Eu estava melhor depois que os pais adotivos entraram, mas agora o vazio voltou. *(Hellinger faz com que ela encare um por um.)*

Diagrama 3

Hellinger: E agora, como está?

Representante de Leslie: Melhor. Eu não sentia nada pelos meus pais, mas agora pelo menos posso vê-los.

Hellinger *(para a mãe)*: O que mudou para a mãe?

Mãe: Quanto mais permaneço aqui, mais percebo que quero voltar-me para a menina e contemplá-la. Agora ela está mais à vista, porém mais longe. Quero ir para perto dela e virar-me.

Hellinger: Pois então vire-se para se sentir melhor. *(Para o pai)*: E quanto ao pai?

Pai: Sinto um peso enorme, como se alguém me houvesse abandonado.

Hellinger: Vire-se e fique perto da mãe.

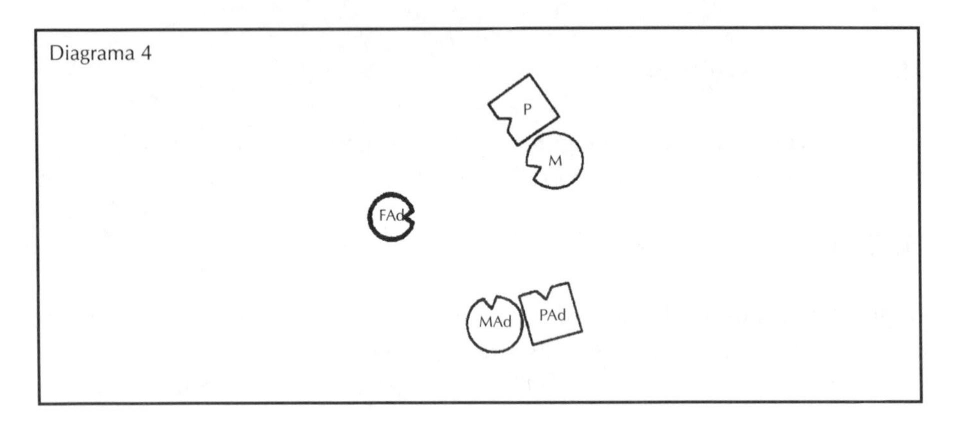

Hellinger *(para o representante de Leslie)*: E agora, como se sente?

Representante de Leslie *(em tom comovido)*: Quero ir para junto dela.

Hellinger: Então vá. *(O representante de Leslie aproxima-se da mãe, abraça-a e soluça incontrolavelmente.)*

Hellinger *(espera que se soltem)*: Agora vou colocar Leslie no seu devido lugar. *(Para Leslie)*: Vá para perto de sua mãe. *(Leslie obedece prontamente e estreita-a nos braços.) (Para o pai, enquanto mãe e filha estão abraçadas)*: Que está acontecendo com você?

Pai: Ainda me sinto sozinho e perdido. Acho melhor ir embora. Não estou integrado aqui.

Hellinger: Então volte-se e dê um passo à frente.

Hellinger *(para o pai)*: E agora?

Pai: Sinto-me mais leve aqui.

Hellinger *(para Leslie, enquanto ela se afasta lentamente da mãe)*: Olhe sua mãe nos olhos e chame-a de "mamãe".

Leslie *(sufocando as lágrimas)*: Mamãe.

Hellinger: "Mamãe, por favor!"

Leslie: Mamãe, por favor!

Hellinger: Que está acontecendo com a mãe?

Mãe: Não compreendo nada. Tudo está acontecendo muito rápido, mas devo acolhê-la. Sinto-me oprimida.

Hellinger: Diga-lhe: "Sinto muito."

Mãe: Sinto muito.

Hellinger *(para Leslie)*: Diga-lhe: "Por favor, olhe-me como sua filha."

Leslie: Por favor, olhe-me como sua filha.

Hellinger: "Por favor, mamãe."

Leslie: Por favor, mamãe. *(Mãe e filha se abraçam novamente. Leslie não consegue refrear os soluços.)*

Hellinger: "Por favor, mamãe, por favor."

Leslie: Por favor.

Hellinger *(para Leslie, já mais calma)*: Respire profundamente. É como se você acolhesse sua mãe no coração. Profunda e calmamente. *(Para a mãe adotiva)*: E quanto à mãe adotiva?

Mãe Adotiva: A princípio, tive vontade de abraçar fortemente minha filha adotiva. Sentia-me impelida para ela, mas não conseguia mover-me porque ela estava em outro lugar. Ao mesmo tempo, senti o toque leve de meu marido, o que me tranqüilizou muito. Depois percebi que minha filha adotiva encontrara realmente sua mãe natural e ficara feliz. Eu também fiquei feliz por isso.

Hellinger: E o pai adotivo?

Pai Adotivo: É gratificante notar que alguma coisa se encaixou. Isso me toca profundamente. Também sinto algo que não está claro pelo pai de Leslie. É como se eu carregasse um peso, uma responsabilidade que não me cabe.

Hellinger: E a mãe, como se sente agora?

Mãe: Muito bem.

Hellinger *(para Leslie, que se desprendeu da mãe)*: Olhe para ela e diga-lhe: "Recebo-a como minha mãe."

Leslie: Recebo-a como minha mãe. *(Mãe e filha se abraçam de novo, com naturalidade e simplicidade.)*

Hellinger *(para a mãe)*: Agora você pode tomar-lhe a mão e entregá-la aos pais adotivos. Incline-se diante deles da maneira que achar correta e diga-lhes: "Obrigada."

Mãe *(fazendo profunda reverência)*: Obrigada.

Hellinger: "Obrigada por cuidarem de minha filha."

Mãe: Obrigada por cuidarem de minha filha.

Hellinger: "E por lhe darem o que ela necessitava."

Mãe: E por lhe darem o que ela necessitava.

Hellinger: "Aprecio-os muito por fazerem isso."

Mãe: Aprecio-os muito por fazerem isso.

Hellinger *(para Leslie)*: Como se sente?

Leslie: Maravilhosa. Eles realmente me deram muita coisa.

Hellinger: Olhe para eles e diga-lhes "Obrigada" também.

Leslie *(fazendo espontaneamente uma profunda reverência diante dos pais adotivos)*: Obrigada.

Hellinger *(para a mãe adotiva)*: E quanto a você?

Mãe Adotiva: Sinto-me bem. Mas ainda desejo tomar minha filha adotiva nos braços e apertá-la contra mim.

Hellinger: Não vejo nenhum obstáculo a isso. *(Leslie e a mãe adotiva se abraçam ternamente. Em seguida, Leslie abraça também o pai adotivo.)*

Hellinger *(para o pai, enquanto Leslie abraça o pai adotivo)*: Como está?

Pai: Não muito bem. Ainda sinto um peso tremendo nos ombros e aquele aperto no estômago. Não tenho ligação nenhuma com os outros.

Hellinger: Vire-se e encare-os. *(Hellinger coloca Leslie perto da mãe adotiva e a mãe natural a certa distância, à esquerda.)*

Hellinger *(para Leslie)*: Olhe para o seu pai e tente dizer-lhe: "Recebo-o como meu pai."

Leslie: Isso não parece correto.

Hellinger: É o primeiro passo. Tente. Olhe-o e diga-lhe "Recebo-o como meu pai." *(A mãe adotiva dá-lhe uma palmadinha nas costas para encorajá-la.)*

Leslie *(estancando as lágrimas enquanto o pai inclina a cabeça)*: Recebo-o como meu pai.

Hellinger: "Por favor, abençoe-me como sua filha."

Leslie: Por favor, abençoe-me.

Hellinger: Como se sente o pai?

Pai: Gostaria de sair correndo daqui. Não posso ficar por mais tempo.

Hellinger *(para Leslie)*: Tente repetir mais uma vez: "Recebo-o como meu pai."

Leslie: Recebo-o como meu pai.

Hellinger: "E aprecio o que me deu."

Leslie: E aprecio o que me deu.

Hellinger: "E amorosamente deixo-o seguir o seu caminho."

Leslie: E amorosamente deixo-o seguir o seu caminho. *(Leslie começa a chorar; o pai inclina a cabeça e chora também.)*

Hellinger: Vá até ele. *(Leslie aproxima-se do pai e ambos se abraçam. O pai soluça.)*

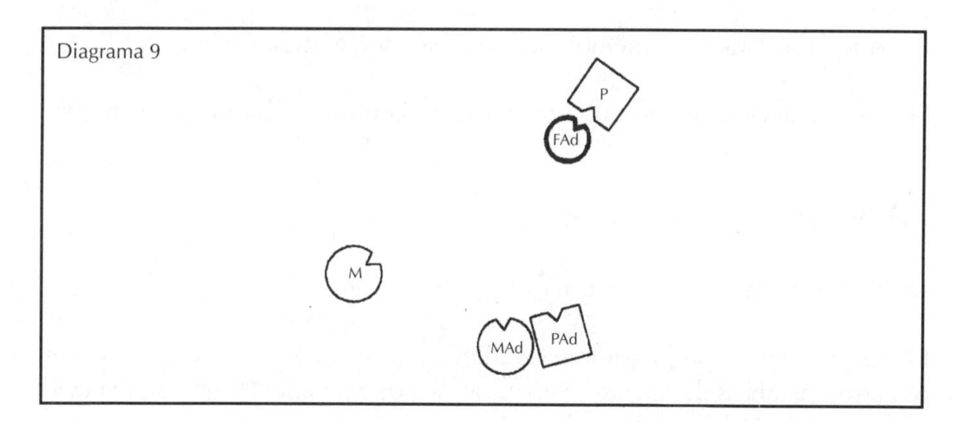

Hellinger *(ao pai)*: Respire profundamente, que a dor desaparecerá. Inspire e expire profundamente. *(Para Leslie)*: Como se sente com seu pai?

Leslie: Sinto-me como se devesse ser a mais forte aqui.

Hellinger: Sim, é isso mesmo. Volte para seu lugar, ao lado da mãe adotiva. *(Ela se coloca ao lado da mãe adotiva e ambas se dão as mãos.)*

Hellinger *(para o pai)*: Pegue a mão da mãe de Leslie e dirijam-se para os pais adotivos. Fiquem diante deles. *(Para os pais biológicos)*: Façam-lhes uma reverência e agradeçam-lhes. *(Eles se curvam com respeito e olham para os pais adotivos.)*

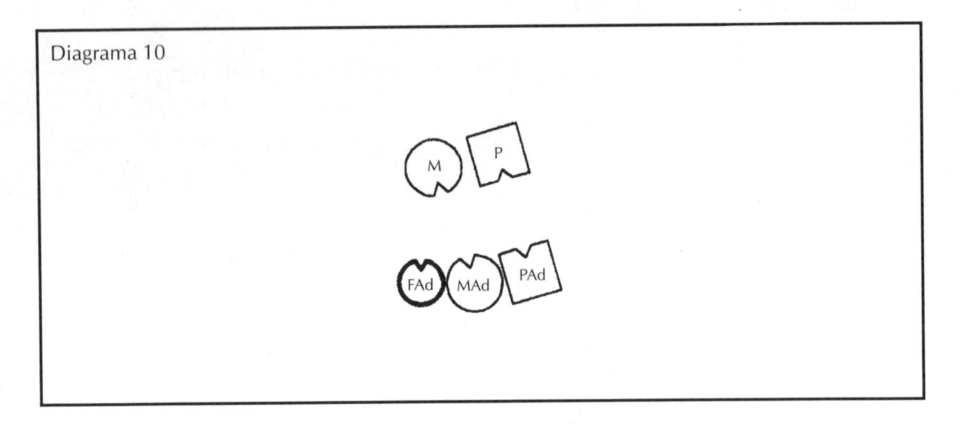

Mãe: Obrigada.

Pai: Obrigado.

Hellinger: Como se sentem os pais adotivos?

Pai Adotivo: Para mim, melhorou. Posso aceitar a gratidão deles.

Mãe Adotiva: Sim, melhorou. Estou feliz por ter minha filha adotiva bem perto de mim.

Hellinger: E você, como está?

Leslie: Quero meus irmãos e irmãs.

Hellinger: Isso será o próximo passo. Poderá procurá-los, bem como a todos os outros membros de sua família: seus avós, por exemplo. Acha que sua mãe adotiva irá apoiá-la se fizer isso?

Leslie: Não completamente, mas tentará.

Hellinger *(para a mãe adotiva)*: Diga-lhe "Permito que faça isso."

Mãe Adotiva: Permito que faça isso.

Hellinger: "E vou ajudá-la."

Mãe Adotiva: E vou ajudá-la.

Hellinger *(para o grupo)*: Um filho não pode fazer uma coisa dessas sem permissão. Um filho precisa da permissão e do apoio dos pais adotivos. *(Leslie e os representantes se sentam.)*

Hellinger: Nessa constelação, podemos notar claramente o poder do amor atuando nas famílias e como, às vezes, ele é oculto. Vocês podem observar que tipo de soluções são possíveis e como a energia de cura se liberta quando o amor é trazido à luz — e até que ponto é fácil trazê-lo à luz.

Se analisarmos uma família como esta, a quem iremos censurar? Quem se atreveria a incriminar qualquer dos cinco? Todos estão embaraçados de alguma maneira. Ouvindo as informações dos representantes, parece que a iniciativa de entregar a criança para adoção veio do pai. Foi ele que se sentiu mais culpado, que mais desejava ir embora à guisa de compensação. Por isso a filha achou mais fácil aproximar-se da mãe. Vimos isso com absoluta clareza.

Quando alguém monta uma constelação de modo tão concentrado, como fez Leslie, quero crer que as reações dos representantes nos informam sobre a situação real da família. Os representantes parecem mesmo sentir o que os representados sentiram. Sem dúvida, não é coisa que se possa verificar cientificamente, mas vemos com clareza de que modo as reações dos representantes abriram caminho para uma boa solução. Agora, Leslie tem uma imagem diferente de seus pais naturais, bem como de seus pais adotivos e de si própria. E, por ter essa nova imagem no coração, é outra pessoa. E, uma coisa curiosa: se encontrar qualquer dessas pessoas, os pais adotivos ou os pais naturais (caso o consiga), notará que elas também mudaram. Trata-se de um sistema familiar e, quando mudamos uma parte tornando-a mais afetuosa, o todo muda. Os outros membros do sistema são afetados.

Pergunta: Poderia explicar o papel do pai biológico? Não consegui ouvir tudo o que foi dito e as coisas aconteceram muito depressa. Não entendi.

Hellinger: Observando a reação do representante do pai na constelação, tive a impressão de que ele não queria envolver-se. Supus que se sentia culpado. Por isso queria ir embora. O fato de não querer nada com a filha teve graves conseqüências para sua posição na constelação. Para ser honesto, eu havia desistido dele, pois parecia ter renunciado a seus direitos de pai.

Quando uma pessoa entrega o filho, em geral se despoja dos direitos de pai ou mãe. Mas, mesmo nesse caso, às vezes existe uma solução. Até a mãe teve dificuldade para encarar a filha, porque também se sentia culpada.

Participante: Isso aconteceu muito depressa.

Hellinger: Em semelhantes situações, nunca acontece suficientemente rápido. Só quando a filha disse "Recebo-a como mãe", esta se sentiu reconhecida como tal e conseguiu superar os sentimentos de culpa para encarar a filha.

Pensei que não iria funcionar com o pai, mas, quando a filha lhe pediu a bênção, seu coração se afrouxou e o contato foi possível. Sempre que o amor flui, o poder deletério da culpa se dissolve. Então ela pôde ir até ele e ele pôde aproximar-se dela. Eis a dinâmica que está por trás do que vimos.

Pergunta: Tenho outra pergunta relativa ao pai. O senhor disse que ele poderia ter ido embora por causa dos sentimentos de culpa originados do fato de entregar a filha para adoção. Mas também não é possível que quisesse fazê-lo por sentir-se ligado à família de origem, devendo a filha aceitar esse fato? Não seria mais condizente com a situação real se, no fim, ele partisse? A filha, afinal de contas, não negou a realidade quando ficou ao lado dele, em vez de perceber que o homem estava envolvido com outras coisas e desejava afastar-se?

Hellinger: Eu vi apenas o que estava em primeiro plano. Independentemente do emaranhamento e envolvimento que ele possa ter tido, ele devia arcar com as conseqüências de seus atos. O emaranhamento não livrará seus atos das conseqüências. Seus outros envolvimentos talvez nos ajudassem a compreender o que fez, mas não poderiam anular os resultados do que foi feito. Numa situação dessas, não podemos agir como se a pessoa fosse incapaz de encarar as conseqüências de seus atos. Seria menosprezá-la. O homem estava agindo como criança, mesmo tendo conseguido engravidar a mulher. Seus sentimentos eram os de um menino. Ainda assim é o pai da criança, e a realidade não seria acatada se ele fingisse não ser o pai para dar o fora.

Fosse ele o cliente, e nós, é claro, exploraríamos seu emaranhamento; mas, nesse caso, nos esqueceríamos de Leslie, que era a personagem principal. O homem ocuparia o centro do palco, e a filha, que buscava uma solução, ficaria relegada aos bastidores. Temos de determinar exatamente quem está em evidência e manter a hierarquia.

Participante: Eu não quis sugerir que trabalhássemos com sua família de origem aqui, pois obviamente o cliente não era ele. Apenas me parece mais realista aceitar o fato de que ele queria safar-se por não conseguir desempenhar seu papel e arcar com a responsabilidade de pai. Isso talvez seja mais realista do que inseri-lo no quadro como uma força positiva, como o senhor fez.

Hellinger: Pois também vou lhe fazer uma pergunta. Quem ocupa o melhor lugar no coração dele: o pai ou a filha? É uma pergunta importante. Para a terapia, convém que as pessoas mais afetadas por uma situação ocupem um bom lugar em nossos corações. Em geral, são os filhos. Eu concedo aos filhos um lugar no meu coração e faço os adultos responsáveis pelos seus atos. Forço o pai a agir como pai, apesar de seu emaranhamento, a mãe a agir como mãe, apesar do emaranhamento dela.

Terapeutas e assistentes sociais às vezes se preocupam demais com os adultos. Eles perguntam: "Quem é essa pobre mãe? Como ajudá-la? De que modo a coitada irá criar o filho?" Então eles tratam a mãe como criança e a criança como um objeto disponível.

Eu ajo de outra maneira. Fico ao lado do filho e atribuo a outrem a responsabilidade pelos próprios atos. Procuro uma solução que devolva a responsabilidade aos adultos e alivie o filho. Muitas vezes, os filhos são obrigados a sofrer as conseqüências do que os adultos fizeram.

Participante: Tem razão. Acho que não me expressei com clareza. Também me preocupo com a criança. Reformulando a pergunta: Não seria melhor para a filha aceitar realisticamente o afastamento do pai? É a realidade com a qual ela terá de viver.

Hellinger: Não. Isso transformaria a filha em pai. Ela teria de compreender e agir como um adulto, enquanto o pai se comportaria como uma criança, livre das conseqüências de seus atos. Nós todos vimos o que pode acontecer se confiamos que os pais vão agir como pais.

Capítulo 4

A Consciência do Grupo Familiar

Além de sermos filhos, parceiros e talvez pais, partilhamos um destino comum com relacionamentos mais distantes — o que quer que aconteça a um membro de nosso grupo familiar, para bem ou para mal, nos afeta e afeta também os outros. Junto com a nossa família, formamos uma associação cujo destino é comum.

O Vento do Destino

Num grupo de terapia, um homem contou que, em criança, sentado no alto de um morro, contemplava sua aldeia sendo atacada e destruída por vizinhos de outra religião. Falou do ódio que sentira por aqueles homens, alguns dos quais conhecia e estimava. Pensou então: "Como eu me sentiria se tivesse nascido numa daquelas famílias? Se um vento desviasse minha alma umas poucas centenas de metros e eu penetrasse no ventre de uma daquelas mães, e não da minha? Nesse caso, agora eu estaria cheio de orgulho pela vitória, como eles, e não de dor e ódio, como estou — eles seriam amados e nós odiados.

O curso da vida desse menino foi influenciado pelos ventos do destino, não pelo que fez ou deixou de fazer, mas pelo fato de pertencer a uma família e não a outra.

Os vínculos, no grupo familiar, estendem-se também ao longo do tempo e das distâncias, de sorte que os membros da família estão ligados a outros que já morreram há muito tempo ou foram para longe.

Libero Minha Avó

Uma mulher de 42 anos contou que fora abandonada pela mãe e criada pelos avós. Como resultado de seu trabalho no grupo de terapia, ela sentiu forte ligação íntima com a mãe pela primeira vez na vida. À noite, depois da sessão, a mãe telefonou-lhe para informar que sua avó morrera de repente, mais ou menos na hora em que ela estava reunida com o grupo. A mulher se convenceu de que, ao estabelecer uma conexão íntima com a mãe, liberara a avó para morrer em paz.

A psicoterapia sistêmica está cheia de histórias parecidas sobre eventos relacionados no tempo — mesmo quando os mecanismos que os associam escapem a toda tentativa de explicação.

Sou Seu Filho

Um jovem pai perdeu a esposa e o filho num acidente trágico. Anos depois, uma segunda mulher engravidou dele; com medo de que o mesmo sucedesse a ela e ao filho, abandonou-os. Passados onze anos, num grupo de terapia, confessou que sentia profundo remorso e o desejo de conhecer o filho. O líder do grupo aconselhou-lhe paciência e ele nada fez.

Passada uma semana, recebeu uma carta: "Querido Ray, meu nome é Daniel. Sou seu filho. Tenho 11 anos de idade. Gosto de *skate* e de futebol. Gostaria de conhecê-lo logo."

As ordens sistêmicas que permitem ao amor florescer nas famílias são muito difíceis de se definir com precisão. Elas apresentam muito mais flexibilidade do que as normas sociais ou morais, inventadas por sociedades ou pessoas para serem obedecidas à risca. Elas são diferentes também das regras de um jogo, que podem ser modificadas de acordo com as circunstâncias ou o capricho. As ordens simplesmente estão aí. O amor exige o que exige, imune ao desejo das pessoas de que suas exigências sejam outras. Não se pode infringir a ordem como se infringe uma lei; mas as Ordens do Amor podem, e o fazem, castigar pessoas que insistem em ignorá-las. Se não agirmos segundo as exigências do amor, ele se enfraquece e morre, mas não sem pleitear compensação por tamanha negligência.

Num relacionamento, submeter-se às Ordens do Amor é prova de humildade. Em vez de ser limitadora, essa submissão ampara a vida e a liberdade. É como nadar num rio que nos arrasta: se acompanhamos a corrente, ficamos livres para manobrar de um lado para o outro.

Estejam vivos ou não, os seguintes elementos integram o sistema familiar:

- os filhos
- os pais e seus irmãos

- os avós e, às vezes, um ou mais bisavós
- quaisquer outros que se afastaram para dar lugar a alguém no sistema; por exemplo, um ex-parceiro ou ex-amante de um dos pais ou avós — mesmo que separado, divorciado ou falecido — e ainda uma pessoa que beneficiou um membro da família com a sua perda, infortúnio, partida ou morte.

A Mercearia

Uma mulher estava com dificuldades para pôr sua vida em ordem. Na constelação familiar, descobriu-se que seus pais haviam comprado uma pequena mercearia de um casal já idoso. Esse casal planejara transferir o negócio para o filho, que, no entanto, morrera. Embora o rapaz não fosse parente da mulher, de alguma forma pertencia ao seu sistema familiar porque ela, indiretamente, lucrara com sua morte. Nunca o vira, mas estava ligada a ele. Quando o rapaz foi incluído na constelação, a mulher acalmou-se. Reconhecer a importância de sua morte teve efeito positivo sobre ela, que logo começou a fazer na vida as mudanças há tanto tempo desejadas.

A ORGANIZAÇÃO DOS GRUPOS FAMILIARES

Como vimos, o amor floresce nos nossos relacionamentos quando o vínculo, o equilíbrio entre o dar e o receber, e a boa ordem são mantidos. Isso também se aplica à família ampliada. Entretanto, cinco dinâmicas adicionais condicionam o sucesso do amor nos sistemas familiares: (1) respeito ao direito de participação, (2) manutenção da integridade do sistema, (3) submissão à hierarquia de acordo com o tempo, (4) aceitação da ordem de precedência entre os sistemas e (5) sujeição às limitações de tempo.

Respeito ao Direito de Participação

As pessoas podem continuar a afetar os outros membros mesmo quando são evitadas pela família, excluídas de participação e às vezes até esquecidas. Na medida em que influenciam algum membro do grupo, conscientemente ou não, ainda são membros do sistema familiar; mas quem não influencia outro membro, de modo visível ou oculto, já não é membro do sistema. A participação não depende das decisões ou crenças da família: depende apenas dos efeitos.

Todos os membros, no sistema, têm igual direito à participação e nenhum pode negar ao outro o seu lugar. O sistema familiar se rompe quando um membro diz a outro: "Tenho o direito de participar, mas você não." Isso sucede, por exemplo, se os membros apagam da memória alguém que sofreu, fez um sacrifício ou cometeu uma falta — talvez uma irmã que morreu na infância ou um tio que enlouqueceu. Os membros de uma família se sentem naturalmente tentados a excluir os que cometeram um crime, envergonharam a família ou violaram-lhe os valores; mas a exclusão de qualquer membro é perniciosa para os que apareceram mais tarde no sistema, independentemente de qual tenha sido a justificativa original.

As constelações familiares de pessoas com sérios problemas psicológicos e físicos muitas vezes trazem à tona esses atos de exclusão. Embora esses pacientes não se dêem conta das conexões, eles reproduzem em suas vidas o destino da pessoa alijada ou esquecida. Os membros podem esquecer os excluídos, mas o sistema nunca os "des-membra". A exclusão de pessoas que têm direito de participação é a dinâmica mais comum de ruptura do sistema familiar.

Manutenção da Integridade

Os membros de uma família ampliada vêem-se como um todo e se sentem completos quando todos os que pertencem ao círculo familiar têm um lugar de honra em seus corações. Pessoas que só se ocupam de si mesmas e de sua própria felicidade não sentem essa plenitude. Sempre que um membro da família consegue restaurar no seu coração um excluído, a diferença é prontamente sentida. As imagens internas da família e do eu ficam mais completas e a pessoa de fato se *sente* mais integrada.

O Amante de Minha Mãe

Todos os representantes relataram inquietude e irritação quando uma mulher montou a constelação de sua família. Então, o primeiro amante de sua mãe, falecido muito jovem, foi acrescentado, bem como a primeira esposa de seu pai, a quem ele abandonara quando iniciou o caso com a mãe da mulher. Depois da inclusão dessas duas pessoas, os representantes imediatamente se acalmaram. Quando tomou o seu lugar na constelação, a mulher descreveu uma sensação de "abertura" no peito e um profundo sentimento de "correção". Nos dias seguintes, comunicou uma mudança na experiência de si mesma, como se houvesse crescido e alcançado a paz.

Essa sensação de "abertura" no corpo é típica das pessoas que estão restaurando um membro excluído do círculo familiar. Nosso senso do eu muda quando o excluído é levado de volta à consciência. Os sistemas são totalidades; e as pessoas, num sistema de relacionamento, só se sentem integradas quando o sistema inteiro está representado nelas.

Submissão à Hierarquia Dentro de um Sistema

As leis auto-evidentes e naturais do ser e do tempo aplicam-se também aos sistemas familiares. O ser é limitado pelo tempo: o mais antigo vem antes do mais novo. O tempo atribui seqüência e estrutura ao ser. Nos sistemas de relacionamento, isso significa que quem entra no sistema primeiro tem certa precedência sobre os que entram depois. Os pais entram no relacionamento antes dos filhos, o primogênito, antes do segundo filho, e assim por diante. Isso estabelece uma hierarquia natural dentro da família, que precisa ser respeitada.

Nas famílias desorganizadas, um membro mais jovem freqüentemente quebra a hierarquia, assumindo a responsabilidade, a função, o privilégio ou a culpa de um membro mais velho. Um exemplo disso é o filho que sofre pelos erros do pai ou tenta ser melhor marido que ele para sua própria mãe. Os mais jovens que agridem a hierarquia do tempo, assumindo as funções e responsabilidades dos mais velhos, muitas vezes reagem, de modo inconsciente, com tendências à autodestruição e ao fracasso. Uma vez que as violações da ordem de precedência são motivadas pelo amor, os que se enredam nessa dinâmica nunca reconhecem sua culpa. Essas violações contribuem em muito para as tragédias familiares: por exemplo, casos de suicídio ou doença mental psicogenética, e ainda casos de crime cometido por pessoa mais jovem.

As ordens de precedência no tempo, que sustentam o amor numa família, complicam-se ainda mais quando duas famílias preexistentes se associam. Se os parceiros trazem filhos de casamentos anteriores para um novo relacionamento, o amor de um pelo outro não tem precedência sobre o amor por esses filhos. Em famílias assim, o amor bem-sucedido usualmente requer que o vínculo anterior com os filhos se sobreponha ao amor recente de um parceiro pelo outro; segue-se sua união como homem e mulher numa parceria de iguais; e, finalmente, o vínculo a quaisquer filhos que venham a gerar.

Não devemos aplicar essa norma com muita rigidez. Contudo, inúmeros problemas ocorrem em segundos casamentos quando um dos novos parceiros sente ciúmes dos filhos anteriores do cônjuge; ou seja, quando quer que o novo amor tenha prioridade sobre o amor antigo entre os filhos e seu pai.

Amo-o Por Ser Fiel à Sua Filha

Um casal resolveu divorciar-se e a filha ficou com a mãe. O homem, que não queria mais filhos, casou-se com uma mulher que também não os queria. Anos depois, a primeira esposa faleceu subitamente e a filha foi morar com o pai e a madrasta.

Filha e madrasta não se davam bem. Disputavam o amor do homem e viviam brigando por precedência. O homem, por sua vez, sentia-se dividido entre o amor pela filha e o amor pela esposa.

Um dia, depois de uma discussão em que o casal chegara a examinar a hipótese de separação, a mulher foi visitar um amigo que a ajudou a compreender as implicações sistêmicas do caso. Nessa mesma noite, ela disse ao marido: "Quando considero o amor que você sente pela sua filha e pela sua primeira esposa, percebo como você é fiel. Amo-o ainda mais por isso."

Assim se expressou uma mulher ao iniciar um segundo relacionamento: "Eu não poderia amar um homem que não respeitasse o amor que eu sinto pelo meu filho."

Aceitação da Ordem de Precedência Entre Diferentes Sistemas

A ordem de precedência entre dois sistemas de relacionamento é diferente da ordem de precedência dentro de um sistema de relacionamento. Aqui, o sistema novo tem prioridade sobre o antigo. Quando, por exemplo, o casal forma uma família, esse novo sistema se sobrepõe às famílias de origem, assim como o segundo casamento se sobrepõe ao primeiro.

A experiência mostra que, quando as famílias não seguem a ordem de precedência entre sistemas, acabam encontrando dificuldades. Se o amor de um casal jovem por seus pais continua a impor-se a seu amor mútuo, ocorrem distúrbios na ordem de precedência, que tem de ser preservada caso esse relacionamento deva sobreviver.

As segundas parcerias apresentam complicações especiais. O segundo sistema tem de impor-se ao primeiro para que a nova família logre êxito. Entretanto, se um dos parceiros traz um filho do relacionamento anterior, o amor por ele deverá impor-se ao vínculo com o novo parceiro. Os casais se defrontam com problemas quando o novo parceiro exige precedência sobre o filho de relacionamento anterior ou quando pleiteia da criança o amor que pertence ao pai natural dela.

Se na vigência de um relacionamento a pessoa tem um filho com um estranho, a parceria quase sempre já chegou ao fim. Isso significa que, se a mulher tiver um filho com outro homem na vigência de seu casamento, formará com ele um novo sistema. Pela regra, ela deveria abandonar a primeira família e ir para junto do novo parceiro. Se preferir ficar com o marido, o único lugar seguro para o filho adulterino será junto ao pai natural.

A precedência do novo sistema sobre o anterior exige também do homem que tiver filho com outra mulher, durante a vigência do casamento, o abandono da família e a união com a nova mulher e o filho. Não obstante, terá de continuar sustentando a primeira esposa e os filhos desse relacionamento. Em situações como essa, os primeiros parceiros e filhos pagam um preço muito alto, mas a experiência mostra que quaisquer outras soluções resultam em profundo sofrimento para todos os envolvidos.

Os sistemas familiares reagem intensamente ao nascimento de um filho.

Sujeição às Limitações de Tempo

Embora seja necessário que todos os membros de uma família tenham seus lugares e sejam "restaurados", a família pode esquecer o passado no devido tempo.

O Urso Polar

Um urso polar vivia num circo. Em sua jaula, não podia sequer virar-se: mal dava dois passos para a frente e dois para trás.

O dono do circo cedeu-o a um zoológico, onde ele conquistou, enfim, amplo espaço para se movimentar. Mas continuou a dar apenas dois passos para a frente e dois para trás.

Um dos outros ursos perguntou-lhe: "Por que faz isso?"

E ele respondeu: "Porque vivi muito tempo dentro de uma jaula."

Vida e morte são inseparáveis, como lembrar e esquecer, passado e futuro. O reconhecimento de que toda vida, cedo ou tarde, chega ao fim ajuda os membros da família a perceber o que deve ou não ser feito em cada situação.

Há, no seio das famílias, forte tendência a apegar-se a coisas do passado, a lembranças de experiências boas e más. Quando os membros se agarram a algo que deveriam esquecer, o passado escraviza-os e continua a imiscuir-se negativamente no presente. Uma vez que o velho não pode fenecer, o novo encontra dificuldade em firmar-se. É preciso rígida disciplina para sair desse emaranhamento sistêmico e permitir que o que tem de terminar termine. Todos os membros da família devem desvencilhar-se de alguma coisa, positiva ou negativa, tão logo cesse seu efeito benéfico.

Como uma Viúva Atiçou a Curiosidade dos Filhos

Uma mulher ficou viúva ainda jovem. Ela amava o marido e não queria deixá-lo descansar em paz. Resolveu não procurar outro parceiro, mas não conseguia gozar a vida. Viveu com os filhos até eles saírem de casa e depois voltou ao lar que partilhara com o marido, onde se pôs a pensar nele dia e noite. Tornou-se uma mulher amarga e deprimida.

Longe dos filhos, não tinha vida própria. Mesmo os filhos não ficavam alegres ao visitá-la, embora se sentissem culpados quando não a visitavam. Divididos entre o aborrecimento de visitá-la e a culpa por deixá-la só, passaram a evitar a mãe. Ela ficou ainda mais deprimida e amarga.

Com a ajuda de um amigo, ela compreendeu que o apego ao passado estava destruindo o amor entre ela e os filhos. Foi para um retiro de idosos, fez novos amigos, criou novos interesses e, aos poucos, deixou que o passado ficasse no passado. Por algum tempo, quase se esqueceu dos filhos adultos.

Eles ficaram intrigados a respeito de sua nova vida e, logo, não conseguiram resistir à curiosidade e ao desejo de visitá-la.

É bom esquecer o que passou e deixar que o futuro venha como vier. Todas as folhas de uma árvore são modeladas de acordo com o mesmo padrão, mas cada uma é diferente. No outono, passam a ser amarelas, vermelhas ou douradas e, depois, caem. Na primavera, folhas diferentes modeladas pelo mesmo padrão básico emergem em tons suaves de verde. Eis o segredo dessa dinâmica sistêmica. A mudança é constante; as folhas se enfraquecem e caem, mas a árvore permanece. Mais tarde morrerá, mas a floresta continuará ali. Apegar-se a folhas caídas pode lisonjear a memória, mas não ajuda a árvore. Assim também, os membros da família nascem e morrem; e agarrar-se ao que foi bom ou mau inibe o fluxo natural da vida.

O Homem Que Não Percebeu Que a Guerra Acabara

No período terrível depois da Guerra dos Trinta Anos, as pessoas começaram lentamente a abandonar as florestas onde haviam se escondido e a reconstruir suas casas ou fazendas. Voltaram a semear os campos e a cuidar dos poucos animais sobreviventes. Um ano depois, puderam fazer a primeira colheita em paz — os animais haviam se multiplicado e as pessoas comemoravam.

No fim da aldeia, havia uma casa abandonada. Às vezes, de passagem, as pessoas julgavam ouvir barulho lá dentro, mas tinham muito que fazer para ir averiguar.

Uma noite, um cão ferido sentou-se ganindo diante da casa deserta. Um pedaço de argamassa desprendeu-se da parede e uma pedra caiu. Uma mão surgiu pela pequena abertura, agarrou o cãozinho e puxou-o para dentro. De fato, vivia lá alguém que não percebera a volta da paz ao mundo exterior. Essa pessoa abraçou o pequeno animal e sentiu-lhe o doce calor. O bichinho adormeceu. A pessoa então espiou pela abertura, viu as estrelas distantes no céu e respirou o ar fresco da noite.

Logo os primeiros raios do sol tingiam o horizonte, um galo cantou e o cãozinho despertou. A pessoa compreendeu que o animal pertencia a seus companheiros e permitiu que saísse pela abertura, enquanto o seguia com os olhos.

Quando o sol já estava alto, algumas crianças se aproximaram, uma delas trazendo uma suculenta maçã vermelha. Notaram a abertura, olharam para dentro e viram o homem dormindo tranqüilamente.

Para ele, um simples vislumbre da liberdade fora o bastante.

Assim como o apego ao passado, a tentativa de controlar o futuro limita a liberdade. Podemos, intuitivamente, perceber como funcionam as ordens sistêmicas mais amplas; porém, as soluções muitas vezes são surpreendentes e nada parecidas com o que desejávamos ou esperávamos. Por isso, como membros de uma família, enganamos a nós mesmos quando julgamos poder determinar o curso do destino. Por mais que pensemos o contrário, temos de nos sujeitar ao futuro, seja ele qual for — pois, embora às vezes consigamos influenciá-lo, não conseguimos determiná-lo.

O Veredito

Um homem rico morreu e foi bater à porta do céu. São Pedro abriu e perguntou o que ele queria. O homem rico disse: "Quero um quarto de primeira classe com boa vista da Terra, meus pratos favoritos e o jornal do dia."

São Pedro hesitou, mas o ricaço era durão. Assim, deu de ombros e levou-o para um quarto de primeira classe, com boa vista da Terra, onde não lhe faltaram os pratos favoritos nem o jornal do dia. Ele disse ao homem: "Bem, eis o que você queria. Volto dentro de mil anos." Saiu e trancou a porta.

Decorridos os mil anos, São Pedro voltou e espiou o quarto pelo buraco da fechadura. "Ei-lo finalmente", desabafou o homem. "O céu é terrível!"

São Pedro abanou tristemente a cabeça. "Está enganado", disse por fim, "o senhor escolheu o inferno."

COMPLICAÇÕES EM GRUPOS FAMILIARES

Os membros da família não sentem as agressões às ordens ocultas do grupo familiar como sentimentos de culpa em sua consciência pessoal. As agressões tornam-se óbvias apenas no sofrimento que trazem, especialmente aos filhos, os quais muitas vezes arcam com as conseqüências do que não fizeram. A dinâmica de uma família exige plena participação de todos os membros. Uma ave, em pleno vôo, pode voltar-se para qualquer direção, mas o que vemos é o bando conduzir-se como um todo. Cada ave submete-se ao esquema geral do bando e, graças a essa submissão, continua a participar do grupo.

De modo parecido, o todo familiar arregimenta cada membro de modo tão firme que as obrigações e sofrimentos de um membro são vivenciados pelos outros como dívidas e compromissos. Assim, qualquer membro da família pode enredar-se cegamente na teia de dívidas e privilégios de outro — em seus pensamentos, cuidados, sentimentos, conflitos e objetivos. A dor e a felicidade pessoal são limitadas ao interesse da família, tal como o todo contém as partes.

Como Encontraremos a Paz?

Num documentário de televisão, um jovem foi filmado à entrada de uma caverna. Lá dentro, haviam sido encontrados milhares de corpos, dispostos em três camadas. Os corpos da primeira camada eram de adeptos de uma certa ideologia política que tinham sido assassinados pelos membros de outro grupo, como vingança por injustiças cometidas. Na segunda camada jaziam os adeptos do segundo partido, liqüidados alguns anos depois pelos membros do primeiro. O poder, naquele país, mudara outra vez de mãos e, na terceira camada, jaziam novamente os partidários da primeira ideologia, dizimados pelos seus inimigos.

O jovem, cujos parentes estavam entre os corpos da camada intermediária, mortos há quase cinqüenta anos, indagado sobre se o morticínio teria um fim, respondeu: "Ouvindo os gritos de nossas mulheres e vendo-as chorar por seus filhos assassinados, poderemos encontrar a paz? Temos de vingar suas perdas."

O homem do documentário achava que estava agindo livremente, mas não estava. Por amar cegamente, fora colhido numa rede de tragédias que já existia muito antes de seu nascimento, exigia-lhe obediência e, infelizmente, só iria terminar muito depois de sua morte.

Quando o amor que une os membros de uma família age cegamente, exige obediência cega e, a menos que eles compreendam a dinâmica e tentem transformá-la, submetem-se sem perceber às leis implacáveis da justiça sistêmica — olho por olho, dente por dente. Em seguida, o dano é passado de geração para geração, e a família ampliada não encontra a paz.

As leis sistêmicas que atuam no seio da família não respondem ao amor de um filho. No grupo familiar, o impulso para o equilíbrio é mais importante que o amor, e sacrifica prontamente o afeto e a felicidade individual para manter o equilíbrio da família ampliada. A luta do amor contra a dinâmica dos sistemas familiares é o começo e o fim das maiores tragédias. Fugir desse campo de batalha requer compreensão das Ordens do Amor e disposição para obedecer a elas com desvelo. A compreensão da Simetria Oculta do Amor é sabedoria; segui-la com desvelo é humildade. Isso exige renúncia ao sentimento exagerado de auto-importância e a volta ao lugar devido na ordem familiar, com os que chegaram antes retomando os postos superiores na hierarquia.

O jovem postado à entrada da caverna ama, mas ama como criança, o que o leva a assumir uma responsabilidade inadequada à sua posição. Seu amor infantil busca equilíbrio na vingança cega, como se novas mortes pudessem preencher o vazio de mortes anteriores. A paz não voltará ao seu clã familiar até que ele consiga ouvir os "gritos de nossas mulheres", contemplar suas lágrimas e dizer-lhes com afeto: "A perda foi grande. Reverencio o seu sofrimento. E, porque as amo, não desembainharei a espada e vou honrá-las ainda mais deixando que encarem a sua própria dor. Ela estará em melhores mãos que as minhas." No seu coração, toda avó quer que seus netos vivam em paz. Assim, a morte dos que se foram antes produz efeitos benéficos nos que vêm depois. Eis o amor supremo.

O Reconhecimento dos Emaranhamentos

Pergunta: Como detectar emaranhamentos sistêmicos? Existem sinais ou indícios característicos, algo que possamos captar?

Hellinger: Situações não-resolvidas do passado expressam-se em relacionamentos posteriores sob a forma de ações impulsivas e deslocadas ou de sentimentos exagerados. A identificação com outra pessoa gera impressões como "parece que não sou eu" ou "alguma coisa tomou conta de mim". Sempre que uma pessoa exibe emoções inusitadamente fortes ou comportamentos incompreensíveis, nos termos da situação atual, podemos suspeitar da existência de alguma complicação sistêmica. Isso também é verdadeiro quando a pessoa tem dificuldades inexplicáveis para conversar com outra ou reage de maneira incompreensível — como se estivesse sob o jugo de conflitos e ansiedades invisíveis. Pessoas que teimam sempre em ter razão costumam estar com emaranhamentos. Quando "brigam" com veemência e mordacidade excessivas, talvez estejam representando algum outro membro do sistema. Havendo um bode expiatório na família atual, usualmente houve outro na geração anterior e convém observar isso com cuidado. Qualquer reação ou emoção exagerada, deslocada ou ampliada pode denunciar uma identificação.

Nós aprendemos a detectar os indícios de emaranhamentos. Esse senso se aprimora com a prática, como o ouvido se aguça para a música. Quando principiantes, distinguimos apenas as diferenças mais notórias; mas, graças à experiência, os matizes aos poucos vão sendo percebidos. Vou lhe dar um exemplo.

O Alvo Errado na Família

Um jovem tinha fortes compulsões suicidas que nem mesmo ele compreendia. Sob outros aspectos, sua vida parecia normal. Explorando esses impulsos, contou ao grupo que, quando criança, perguntara ao avô materno: "Quando o senhor vai morrer e deixar espaço?" O avô rira, mas a pergunta continuou a apoquentar o menino. A frase parecia deslocada no sistema. Eu lhe disse: "Essa frase pertence a outro membro do sistema, mas foi proferida pelo membro mais fraco e atingiu o alvo errado. Precisamos achar o autor e o alvo verdadeiros."

Descobrimos então que o avô paterno do menino tivera um longo caso com a secretária e, durante esse tempo, a esposa contraíra tuberculose. A frase pertencia a esse avô. Não foi difícil imaginar quais deveriam ter sido então seus sentimentos para com a esposa: "Por que você não morre de uma vez e deixa espaço para outra pessoa?" O desejo do avô paterno foi atendido e a esposa morreu.

Mas então as gerações seguintes assumiram inocentemente a tarefa de castigá-lo. Primeiro, um de seus filhos evitou que ele gozasse os benefícios da morte da esposa fugindo com a secretária. Depois o neto (o cliente) apanhou essa sentença fatídica, mas aplicou-a ao outro avô para depois voltá-la contra si mesmo. Eis a origem de sua compulsão suicida.

Pergunta: Pode-se perceber, numa constelação, se as emoções foram tomadas de outra pessoa ou pertencem aos próprios indivíduos?

Hellinger: Não, nem sempre. Às vezes, as emoções brotam durante a constelação. Com freqüência, no começo, a pessoa sente alguma coisa que não faz sentido no contexto. É, então, possível que se trate de uma transferência. Nesse caso, solto um balão de ensaio para avaliar a hipótese. As reações dos representantes constituem, em geral, um indicador confiável da possibilidade de alguma identificação.

Identificação

Um aspecto importante na solução de emaranhamentos é descobrir quem está faltando na família, quem foi dela excluído e, em seguida, conscientizar essa pessoa para que a união familiar se complete. Em regra, o excluído é aquele que sofreu ou foi vítima de alguma injustiça. Aos olhos dos outros membros, era quase sempre considerado mau, tendo sido alijado do sistema familiar porque isso parecia moralmente justo e correto. Em tais casos, os que permanecem sentem-se superiores do ponto de vista moral. A dinâmica nuclear é que alguém, no sistema, recorre a um pretexto moral para reivindicar um privilégio sistemicamente injustificado, ou seja, "Eu tenho mais direito de pertencer que você."

A pressão do grupo para restaurar todos os seus membros e preservar a integridade exige que uma pessoa mais nova represente a excluída. A integridade do grupo freqüentemente é mantida por *identificação* — um jovem, sem ter consciência disso, assume os papéis, as funções e até os sentimentos de um membro mais velho excluído.

Pergunta: Há cerca de um ano, descobri que tinha uma meia-irmã. A notícia correu após a morte de meu pai. Até então, fora um segredo entre meu pai e minha mãe. Fiquei chocada com a reação dos outros membros da família. Fui a única a telefonar para ela. Não cheguei, porém, a conhecê-la pessoalmente e agora perdemos o contato.

Hellinger: Parece que você se identificou com ela. Tomou-lhe os sentimentos — por exemplo, o sentimento de não ter o direito de participar. (*A interrogante começa a chorar amargamente.*) Sim, esse sentimento é dela.

Pergunta: O senhor está dizendo que o sentimento não é meu?

Hellinger: Bem, é seu quando você o experimenta, mas a meu ver está experimentando algo ligado ao que sua irmã deve ter sentido. Você poderá mudar isso imaginando-se ao lado dela, dizendo-lhe: "Você é minha irmã e eu sou sua irmã." A dor que você sente faz honra a ela. *(Sua atitude muda imediatamente. Ela sorri em meio às lágrimas.)*

O grupo familiar "recupera" os expulsos, os ignorados, os esquecidos, os renegados, os mortos. Quando um membro legítimo do grupo é afastado, alguém, em outra geração, terá de compensar essa injustiça sofrendo o mesmo castigo. As pessoas indicadas para esse serviço não escolhem o seu destino. Na verdade, muitas vezes nem se dão conta do que está acontecendo e não podem defender-se. Elas reproduzem o destino do excluído e recriam sua experiência, com toda a culpa, inocência e demais sentimentos que integraram essa experiência.

Identificação com Excluído de Outro Sexo

No grupo, Carla queixou-se de que se sentia incapaz de usar seus conhecimentos e experiência de vida. Ela acreditava que lhe era vedado saber ou compreender o que se passava em sua família. Esse excerto do trabalho de terapia começa na constelação. Aqui, busca-se uma possível identificação com uma pessoa excluída.

Hellinger: Alguém foi excluído do seu sistema familiar?

Carla: Minha mãe teve um noivo.

Hellinger: Pode ser ele a pessoa excluída. Vamos instalá-lo na constelação. *(Quando o representante do noivo da mãe se apresenta, os demais imediatamente se acalmam.)*

Carla: Lembro-me de que mamãe me deu as pinturas que o noivo fizera para ela. Conservei-as todas. Não pensei nelas por muito tempo, mas sempre me foram caras. São realmente especiais para mim.

Hellinger: Carla, você parece ter se identificado com o ex-noivo de sua mãe. Se isso for verdade, deve ter achado difícil manter um bom relacionamento com seu pai, pois você representava o rival dele. O relacionamento com sua mãe também não deve ter sido fácil, pois você não só era filha como também representante do antigo noivo. Além disso, sentiu sem dúvida dificuldade em desenvolver um senso claro de si mesma como mulher, já que se identificava com um homem. A solução seria dizer ao ex-noivo de sua mãe, apontando para seu pai: "É ele que me convém." Em seguida, ao pai: "É você que me convém e eu não quero mais nada com esse homem." Então poderia retomar a posição de filha do casal e afastar-se do noivo. Com isso, a pressão para reproduzir-lhe o destino se dissolveria. *(Fez-se isso, então, na constelação.)*

Carla *(depois da constelação)*: Mas que devo fazer para aprender? Essa é a minha pergunta.

Hellinger: Dê tempo a você mesma. Às vezes, são necessários um ou dois anos para que as imagens interiores completem sua transformação e tenham pleno efeito. Há também uma perda a encarar: a identificação com um homem que sua mãe parece ter amado muito. Esse é um passo decisivo para voltar à posição mais adequada, porém menos importante, no sistema.

Carla *(aliviada)*: Sim, eu sou a filha!

Hellinger: Exatamente! Essa foi a primeira lição.

A identificação é um fenômeno estranho, quase sobrenatural. A dinâmica sistêmica da integridade familiar protege os direitos de qualquer pessoa excluída no passado e não se preocupa com os direitos dos que vêm depois. Há justiça severa para os antigos ao preço de injustiça contra os mais jovens, e essa injustiça passa de geração em geração.

Anseio Incontrolável

Uma jovem sentia um anseio incontrolável, que não sabia explicar. Explorando esse estranho sentimento na constelação familiar, ficou claro para ela que o que estava sentindo não lhe pertencia e, sim, à sua meia-irmã mais velha. Seu pai se divorciara da primeira esposa e voltara a casar-se, mas a filha do primeiro casamento não teve permissão para vê-lo novamente. A cliente conseguiu localizar a meia-irmã na Austrália, entrou em contato com ela e mandou-lhe uma passagem de avião para vir vê-la na Alemanha. Mas o destino não devia mudar. A caminho do aeroporto, a meia-irmã desapareceu e não pôde mais ser encontrada.

A identificação é como uma compulsão sistêmica de repetição. Tenta recriar e reproduzir o passado para fazer justiça a uma pessoa excluída. Essa justiça, porém, é primitiva e cega: não traz solução. Segundo sua dinâmica, pessoas que vêm depois se enredam no destino de uma pessoa que veio antes. Ainda que seus atos sejam motivados pelo amor, elas assumem uma responsabilidade inadequada. Uma pessoa que vem depois nada pode fazer pela que veio antes, depois do fato consumado. Essa justiça retroativa apenas mantém, indefinidamente, o desequilíbrio sistêmico.

Quem Ela Está Tentando Lavar?

Uma terapeuta falou a seu supervisor de grupo sobre uma mulher que tinha compulsão por lavar as mãos. O supervisor perguntou-lhe: "Que mulher, no seu sistema, ela está tentando lavar?" Tudo ficou claro quando a terapeuta inquiriu sua cliente. Depois da guerra, a irmã de seu pai caíra na prostituição para conseguir sustentar a família e contraíra sífilis. Embora tivesse feito isso para ajudar os familiares e, de fato, contribuísse para seu bem-estar, fora repelida por eles e morrera abandonada.

Culpas e tragédias alheias freqüentemente parecem mais fáceis de assumir do que as nossas próprias. No entanto, viver a desgraça de outrem não gera energias para a vida. Para que o infortúnio seja útil ao desenvolvimento das energias, deve ser devolvido ao seu legítimo dono, que o terá de suportar.

Pergunta: Como as pessoas que se identificam com excluídos ficam sabendo a respeito deles? Quais são os canais de informação?

Hellinger: Não sei bem como isso funciona. Trata-se apenas de um fenômeno que pode ser observado nas constelações e nas famílias. Não o compreendo, mas felizmente essa compreensão não é necessária para a solução. Procuro evitar explicações teóricas. O que digo é o que observo, e não tenho outras pretensões. Gosto de restringir as coisas.

Pergunta: Quando, num sistema, alguém se identifica com um excluído, isso continuará nas gerações seguintes?

Hellinger: Parece que há um limite no tempo. O efeito das identificações vai diminuindo aos poucos, e chega um momento em que cessa. Se, por exemplo, um neto se identifica com o avô — por uma razão qualquer — e tem seus próprios filhos, não é provável que estes vão se identificar com o bisavô. Eu, pelo menos, raramente presenciei isso.

Pergunta: Pode haver identificação com os irmãos de um avô?

Hellinger: É raro, e parece ocorrer apenas em casos extremamente trágicos. Só vi isso duas ou três vezes.

Pergunta: Na terapia sistêmica e na hipnoterapia, o *aqui* e o *agora* são muito importantes. Como avalia a importância do passado no seu trabalho?

Hellinger: Acho que presente e passado formam uma polaridade inseparável. Por isso, trabalho com ambos.

Pergunta: Poderia explicar o que entende pela expressão "dupla transferência"?

Hellinger: Tudo o que foi reprimido numa família tende a reaparecer nos membros menos capazes de defender-se. Estes são, em geral, os filhos e os netos. A *dupla transferência* é um subtipo da identificação. A primeira ocorre quando uma pessoa mais nova assume os sentimentos de uma pessoa mais velha via identificação. A segunda ocorre quando os sentimentos do excluído se voltam, não para um culpado, mas para um inocente. Inúmeros problemas de relacionamento exibem essa dinâmica, inclusive situações nas quais a vítima é tão frágil que não consegue reagir apropriadamente. Problemas desses envolvem não só as pessoas mas também a família inteira, da qual qualquer membro pode ser convocado para compensar os erros de outro.

Um Assassino na Minha Família

Um homem de 40 anos procurou ajuda psicoterápica porque tinha medo de ficar violento e estrangular alguém — ou ser estrangulado. Da análise de seu caráter e comportamento, nenhuma explicação resultou. Foi-lhe então perguntado: "Há um assassino na sua família?"

A investigação posterior revelou que um tio, irmão de sua mãe, era assassino. Ele tivera uma empregada que era também sua amante. Certa feita, mostrou-lhe o retrato de uma mulher e pediu-lhe que cortasse e arrumasse o cabelo exatamente da mesma maneira. A amante usou esse estilo de cabelo por algum tempo; o homem levou-a para o exterior, matou-a e regressou com a mulher do retrato, que passou a ser sua nova empregada e amante. No entanto, foi preso e condenado à prisão perpétua.

O terapeuta solicitou informações adicionais sobre a família do tio, especialmente os avós, na tentativa de descobrir de onde provinha essa tendência. O paciente nada sabia do avô, mas disse que a avó era uma pessoa piedosa e respeitável. Mais tarde, esmiuçando a história da família, descobriu o seguinte. Durante o Terceiro Reich, aquela senhora piedosa, com a ajuda do irmão, acusara o marido de ser homossexual. Em conseqüência, ele fora detido e levado para um campo de concentração, onde acabou assassinado.

A boa senhora era a verdadeira assassina e dela provinha o impulso violento — pelo menos até onde pudemos rastreá-lo. O tio do cliente fora recrutado pela consciência do sistema familiar para agir em favor do pai assassinado. O tio poupara a mãe e, inconscientemente, redimira a injustiça cometida contra seu pai eliminando a mulher que amava. O cliente repetia o que seus pais haviam feito e mostrava solidariedade para com ambos: para com a mãe, por causa do assassinato; para com o pai, por causa da prisão. E ele próprio sentia a turbulência sistêmica dessa série de injustiças como medo de perpetrar violências.

A dupla transferência também opera positivamente. Eis um exemplo.

Estranho Amor

Entre os participantes de um grupo de terapia, havia um homem e uma mulher que tinham três filhos, o mais novo uma menina de 3 anos de idade. A ligação do homem com a menina era profunda, mas lembrava pouco o amor de um pai pela filha. Havia algo de tão íntimo e doce entre ambos que era bonito de se ver; mas essa intimidade, de algum modo, não parecia apropriada. Não era incestuosa; apenas não lembrava o amor normal entre um pai e uma filha. Algo estava errado.

O que se descobriu foi que o pai do homem — avô da menina — tivera uma irmã gêmea falecida muito nova. O amor do homem pela filha refletia o do pai pela irmã gêmea. O sentimento fora transferido.

O homem escreveu uma carta cerca de um mês após o término das sessões. Ele dizia que estavam todos felizes.Tinha a sensação nítida de ser o pai certo para a filha. Revelou que, de repente, se dera conta de que a chamavam de Didi, embora seu nome fosse Cláudia. E Didi era o apelido da gêmea falecida, coisa que, entretanto, ninguém notara.

Isso foi um emaranhamento, porém não um problema grave como muitos outros. E foi também a solução.

Pergunta: Se eu me identificar com alguém, como conseguirei escapar dessa identificação?

Hellinger: A identificação pode ser resolvida se a pessoa mais jovem, que estiver repetindo o destino de uma pessoa mais velha, compreender o problema. Ela então enfrentará o excluído ou ficará a seu lado, dando-lhe afetuosamente um lugar em seu coração. O afeto cria um relacionamento, e a pessoa alijada torna-se um amigo, um anjo da guarda, um amparo. Afinal, a identificação é o contrário do relacionamento. Quando me identifico com alguém, ajo e sinto como ele, mas não posso amá-lo porque não o considero como uma outra pessoa. Eu só posso amar quem está separado de mim. Se amo uma pessoa separada de mim, meu amor dissolve toda identificação que eu possa ter arquitetado. A pessoa identificada pode então voltar ao seu devido lugar na família, restabelecendo-se dessa forma o equilíbrio do sistema.

Dado que a identificação não é experimentada conscientemente, imitar sentimentos não fornece pistas eficazes para a sua solução, e aprender a expressar sentimentos também não desfaz identificações. Quer dizer que, quando o problema se prende a uma identificação ou desequilíbrio na família, o terapeuta não esperará que o cliente encontre a solução por si mesmo; a solução só será obtida pelo exame acurado da dinâmica do grupo.

Existe um fenômeno paralelo no corpo físico. Muitas são as condições perigosas de que não temos consciência, mas, mesmo assim, causam danos: a radiação atômica, por exemplo. A despeito do sentimento equivocado de que tudo vai bem, fatos trágicos ocorrem freqüentemente nos sistemas de relacionamento. Cabe ao terapeuta entender os processos sistêmicos que porventura possam ajudar o cliente a encontrar uma solução. Esta traz consigo a sensação de alívio, de paz e contentamento. Numa constelação familiar, é possível perceber a mudança do sistema quando o excluído retoma uma posição honrosa na família. Então, a tranqüilidade, a ordem e a plena participação se seguem.

Todavia, não é bom confiar cegamente no conhecimento teórico de sistemas familiares, pois há sempre variações sobre os temas comuns e cada família é diferente. O trabalho se desenvolve sempre à base de tentativa e erro; temos de arriscar várias possibilidades até encontrar uma que funcione. Se não houver alívio, a solução nos escapou, apesar de todas as teorias invocadas.

A tendência das famílias a buscar o próprio equilíbrio, compensando uma tragédia com outra, pode ser anulada quando os membros se dispõem a encontrar esse equilíbrio num nível superior — por exemplo, dignificando o membro excluído em vez de repetir seus erros. Isso é possível se os mais jovens aceitarem o que os mais velhos puderem dar, respeitando-os, apesar da natureza de seus atos. A certa altura, o passado, bom ou mau, tem de ficar no passado para que o sistema encontre a paz. Membros excluídos tornam-se fonte de bênçãos e não de intimidações quando são reinstalados como hóspedes na alma. E quando alguém que pertence ao sistema reencontra seu lugar no coração dos outros membros, todos mergulham na plenitude e na serenidade.

Se o permitirem, eis aqui uma história que cria o que descreve.

O Retorno

Este é um convite para uma jornada ao passado, em visita a lugares onde aconteceram coisas muitos anos atrás — como velhos soldados a percorrer os campos de batalha em que foram postos duramente a prova. Agora, todos os perigos passaram, todas as dificuldades foram superadas. As chagas da terra cicatrizaram. A relva voltou a crescer há longo tempo, os arbustos florescem, as árvores estão pejadas de frutos cujo perfume embalsama o ar. É mesmo difícil reconhecer o lugar; parece tão diferente da lembrança que temos que precisamos de ajuda para atinar com o caminho.

Enfrentamos o perigo de muitas maneiras. A criança treme de medo à vista de um cão enorme. Chega a mãe, levanta-a e aperta-a nos braços. A tensão desaparece, os soluços irrompem. E logo, da segurança daquele suave regaço, a criança contempla calmamente o animal. Às vezes não suportamos a visão de nosso próprio sangue; mas, se desviamos o olhar, mal sentimos a dor. Grande alívio, desviar o olhar — um sentido atuando independentemente do outro, não mais se concentrando todos naquele único evento. Já não estamos acabrunhados. Podemos observar, ouvir e sentir a realidade — conhecer o que independe de nossos medos.

Essa jornada permite que cada um de nós, segundo a vontade individual, veja tudo, mas não ao mesmo tempo; experimente tudo, mas não sem proteção. Assim, as coisas importantes são isoladas das que não o são. E quem quiser mandará outra pessoa em seu lugar, como o sonhador em sua confortável poltrona doméstica, a devanear de olhos fechados. O sonhador se põe a caminho, resolve tudo o que precisa ser resolvido, mas ainda assim lá está seguro em sua casa, adormecido.

A jornada nos conduz a uma cidade outrora rica e famosa, mas hoje uma cidade fantasma cheia de vazios. As minas de ouro estão em ruínas, as casas desabitadas ainda estão intactas, o teatro de ópera em bom estado, à espera do público. Mas tudo foi abandonado e só restaram lembranças.

Quem viaja por ali procura e encontra um guia; e, seguindo-o, acha o lugar onde as recordações despertam. Foi nesse lugar que, há muitos e muitos anos, fatos dolorosos aconteceram. Agora, porém, o sol brilha, aquecendo a cidade abandonada. As ruas, no passado estuantes de vida, estão calmas.

O viajante sobe e desce as ruas, encontra a casa lembrada, mas hesita em entrar. O guia entra sozinho para ver se há segurança e inventariar o que foi deixado.

Aguardando do lado de fora, o viajante contempla a rua deserta, evocando vizinhos e velhos amigos, trazendo de volta o tempo dos risos, a descuidada infância alimentada com o júbilo da vida, curiosa de experimentar coisas novas, arrastada para a aventura do grande desconhecido, em desafio ao medo. E o tempo passa.

O guia faz um sinal. O viajante dirige-se para a entrada da casa e dá-se conta de tudo o que as pessoas poderiam ter feito para ajudar aquela criança a superar as dificuldades dos dias idos — pessoas fortes, afetuosas, sábias. É como se essas pessoas estivessem presentes, como se suas vozes pudessem ser ouvidas, como se seu apoio fosse sentido. O guia toma o viajante pela mão e ambos entram na casa.

Segurando com firmeza a mão do guia, o viajante observa serenamente o quarto, fixando-se ora num objeto, ora em outro e, finalmente, no conjunto, tal qual deveria ter sido no passado. Estranho como tudo parece diferente quando observado de um ponto central, na companhia do guia! Lembranças de há muito esquecidas regressam livremente, e muitos fragmentos encontram seu lugar no conjunto. O viajante espera pacientemente até compreender.

Junto com as memórias, irrompem as velhas emoções; e, junto com o sofrimento, irrompe o amor. É como voltar ao lar: algo subsiste à vingança, ao certo e ao errado, enquanto o destino segue o seu curso, a humildade cura e a pureza de alma traz serenidade. O viajante respira profundamente e libera antigas tensões, que desaparecem como água derramada no deserto.

O guia então se volta e diz: "Talvez você tenha levado daqui alguma coisa que não lhe pertence — uma culpa, uma enfermidade, uma crença, um sentimento que não eram seus. Quem sabe se uma decisão então tomada não o prejudicou? Deixe aqui tudo o que pertence ao lugar."

Essas palavras produzem efeito. Com profundo suspiro, o viajante se sente finalmente livre de um pesado fardo. O guia prossegue: "Mas talvez você tenha deixado aqui algo que deveria levar: uma habilidade ou desejo, alguma culpa ou inocência, possivelmente uma recordação ou esperança e, mesmo, a coragem para viver plenamente a vida. Apanhe o que perdeu ou deixou e leve-o consigo para o futuro."

Também essas palavras produzem efeito. Revendo o que perdeu e reclamando o que devia ser reclamado, o viajante sente a terra sob os pés e o peso transbordante de sua substância pessoal.

O guia o leva para mais longe, até chegarem a uma porta oculta. Abrem-na... e por fim encontram a reconciliação.

Já não há mais nada a resolver nessa velha casa. Sentindo-se pronto, o viajante agradece ao guia e enceta a jornada de volta. De novo em casa, procura acomodar-se à liberdade e à força recém-encontradas. Mas, secretamente, já planeja a próxima viagem — desta feita para uma terra desconhecida.

Transcrito

VÍNCULOS NA FAMÍLIA DE ORIGEM I

O caso seguinte foi transcrito de um vídeo feito durante um seminário para terapeutas sistêmicos profissionais. Mais de vinte pessoas com doenças graves, juntamente com seus médicos e psicoterapeutas, foram convidadas a participar do círculo interno, enquanto um grupo maior de profissionais de saúde mental observava os trabalhos. A presença do médico ou psicoterapeuta de cada paciente propiciava continuidade de tratamento. A constelação familiar que se segue foi a primeira do seminário de dois dias. Uma breve introdução e quatro diálogos curtos, com intervenções sem importância, foram omitidos do transcrito. Irene está na quadra dos 30 anos.

Hellinger: Olá! Como se chama e o que a traz aqui?

Irene: Sou Irene. Tenho câncer.

Hellinger: Que tipo de câncer?

Irene: Câncer das glândulas linfáticas.

Hellinger: Há quanto tempo tem a doença?

Irene: Há cerca de um ano. Antes, tive câncer de bexiga, que precisou ser removida. Houve metástases para as glândulas linfáticas.

Hellinger: Venha até aqui e sente-se ao meu lado. Vou lhe fazer algumas perguntas sobre sua família e depois colocar sua constelação familiar. É casada?

Irene: Sou.

Hellinger: Tem filhos?

Irene: Sim, dois meninos.

Hellinger: Você ou seu marido já tiveram outro relacionamento importante?

Irene: Não.

Hellinger: Morreu algum filho em suas famílias?

Irene: Na minha, sim.

Hellinger: Quem?

Irene: Meu irmão. Tinha 14 meses.

Hellinger: De que morreu?

Irene: Teve sarampo e não resistiu.

Hellinger: Ele era mais velho ou mais novo que você?

Irene: Um ano mais novo.

Hellinger: Vamos colocar primeiro a constelação de sua família de origem. Isso inclui seu pai, mãe, você e seu irmão. Há outros membros?

Irene: Tenho mais dois irmãos. Estão vivos.

Hellinger: Já colocou uma constelação familiar antes? Sabe como funciona?

Irene: Sei.

Hellinger: Está bem, vá em frente. Escolha alguém para representar o seu pai. *(Irene hesita.)* Vamos, vamos, não importa muito quem você escolha. Muito bem, agora os representantes para os outros membros da família. Deixaremos de fora seu irmão falecido, no princípio. Reúna os representantes aqui, no centro do círculo. *(Irene acomoda os representantes no lugar indicado.)* Ótimo, agora coloque-os em relação um com o outro — em silêncio. Tome-os pela mão, um de cada vez, e leve-os para seus lugares. Faça como achar melhor. Pensar a respeito não ajuda em nada. *(Para os representantes)*: Vocês também não precisam conversar. Apenas se concentrem e prestem atenção à mudança de sensações enquanto ela os posiciona. *(Para Irene, depois que ela concluiu a tarefa)*: Agora, dê a volta ao grupo. Concentre-se e examine se a constelação está certa, mudando o que achar que deve ser mudado. Devagar. Agora, escolha alguém para representar o irmão falecido e coloque-o na constelação. Em seguida, sente-se de modo a poder ver tudo.

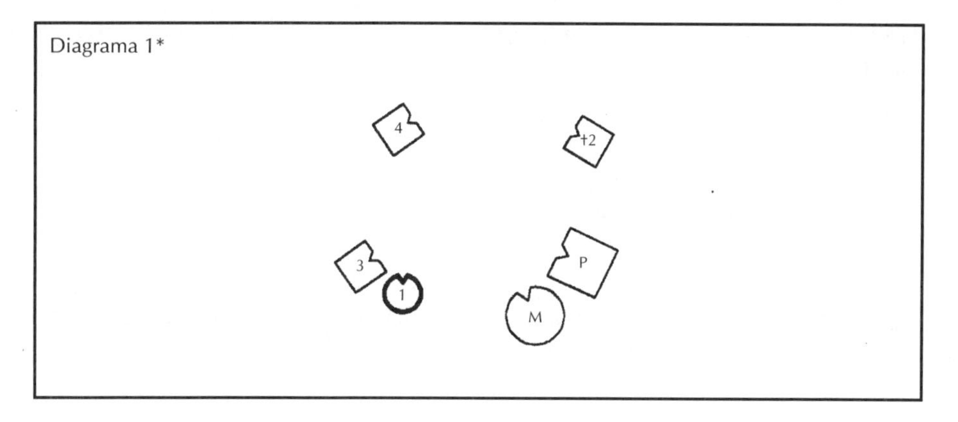

Hellinger: Como se sente o pai?

Pai: Bem, muito à vontade.

Hellinger: Estranho, mas não parece. *(Para a mãe)*: E você, como se sente?

Mãe: Meu coração bate forte. As crianças estão tão distantes! Não me sinto nada bem.

Hellinger *(para o representante de Irene)*: Como se sente?

Representante de Irene: Estou muito longe de minha mãe e sinto-me bem ao lado de meu irmão.

Terceiro Filho: O mesmo digo eu. Estou feliz ao lado de minha irmã. Não tenho idéia do que o meu outro irmão está fazendo.

Hellinger *(para o quarto filho)*: Como se sente?

Quarto Filho: Não tenho vínculos com minha família. A única pessoa que posso ver é o meu irmãozinho falecido e gostaria muito de sair daqui. Estou com dor de cabeça.

Hellinger *(para o irmão falecido)*: E você, como se sente?

Irmão Falecido: Não sei quem é essa gente. Estou olhando na direção oposta. Não me sinto especialmente bem *(risos)*.

---

* Legenda: P — Pai; M — Mãe; 1 — Representante de Irene; †2 — Segundo filho, falecido com 14 meses de idade; 3 — Terceiro filho, 4 — Quarto filho.

Hellinger: Posso imaginar. *(Para Irene)*: O que aconteceu de significativo na família do seu pai?

Irene: O pai dele morreu cedo, quando ele estava na quarta série. Papai realmente sofreu muito por causa disso. Não pôde aprender uma profissão como desejava porque a mãe dele era uma pessoa fraca e nunca conseguiu recuperar-se.

Hellinger: Isso não nos ajuda em nada. É apenas a descrição de um caráter. As coisas que realmente aconteceram é que são úteis: por exemplo, saber que o pai dele morreu cedo. Escolha alguém para representar o pai de seu pai e instale-o na constelação. *(Para Irene, enquanto ela instala o avô paterno.)* Irene, cuidado! Você não foi suficientemente respeitosa quando começou a montar a constelação. Eu quase interrompi o trabalho porque você não estava levando a coisa a sério. Não se concentrou. Como sabemos, isso acontece freqüentemente com pessoas que têm câncer; elas não se concentram. Às vezes chegam a evitar soluções. Inconscientemente, acreditam que é mais fácil morrer. Deixei-a prosseguir, mesmo percebendo que você não estava instalando os representantes com o devido respeito, porque sei que pessoas com câncer têm essa dificuldade. Agora, vejamos: qual é o lugar do pai de seu pai? Coloque-o lá.

Irene: O problema é que eu não sei onde colocá-lo.

Hellinger: Sim, você está distante de sua própria alma, de sua porção que sabe o que lhe convém. *(Para o representante do pai)*: Onde imagina que seu pai deveria ficar? *(Para o grupo)*: Estão vendo? Ele imediatamente me indicou, com o olhar, onde seu pai deveria ficar. É aqui *(muda o avô de posição)*.

Hellinger *(ao irmão falecido)*: Como se sente com o seu avô nessa posição?

Irmão Falecido: Um pouco melhor que antes.

Hellinger: Sim, percebo isso no seu rosto. *(Para o grupo)*: O terapeuta sempre observa o efeito de toda mudança na constelação. As reações espontâneas dos representantes dão as melhores informações. *(Para o irmão mais novo)*: Como se sente?

Quarto Filho: Muito melhor.

Hellinger *(para o pai)*: E você?

Pai: Melhor.

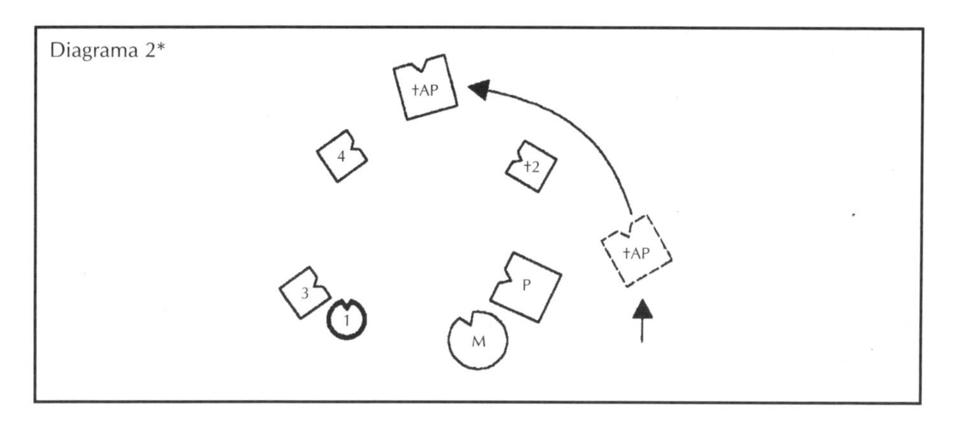

Hellinger *(para o grupo)*: Tenho uma hipótese sobre a dinâmica dessa família. Suponho que o pai deseja seguir seu próprio pai... Vou mostrar-lhes. *(Instala o pai atrás do avô.) (Para os irmãos 2 e 4, irmão falecido e irmão mais novo)*: Agora vocês dois virem-se e encarem a sua família.

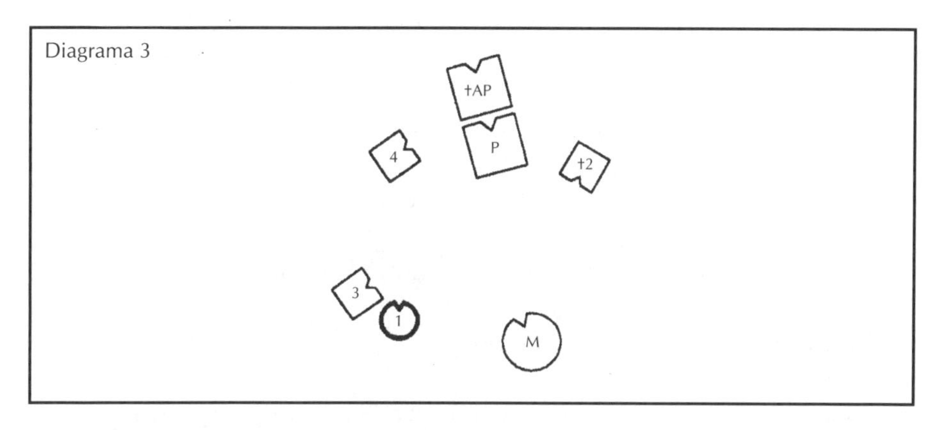

Hellinger *(para o grupo)*: Ah, perceberam a reação imediata da mãe? *(Para a mãe)*: Como está se sentindo neste momento?

Mãe: Melhor *(profundo suspiro de alívio)*.

Hellinger *(para o irmão mais novo, cujo rosto começara a brilhar)*: Sim, isso é óbvio. *(Para o irmão falecido, cujo rosto também está radiante)*: Você também! *(Para o representante de Irene)*: E você, como está se sentindo agora?

Representante de Irene: Um pouco mais alegre quando olho para o meu irmão falecido.

---

* Acréscimo à legenda: †AP — Avô paterno, falecido quando Irene tinha 10 anos de idade.

Hellinger: Como é o relacionamento com o seu pai?

Representante de Irene: Pouco me importa se ele está aqui.

Hellinger *(para Irene)*: Então, o que faremos com esta família?

Irene: Junte-os para que não fiquem olhando em direções diferentes.

Hellinger: Acha mesmo que é tão simples assim? Que basta mudá-los de posição à vontade para que isso produza efeito positivo? Venha aqui e tome o seu lugar na constelação, a fim de trabalharmos com você diretamente. *(Para o representante de Irene)*: Agora pode sentar-se. Muito obrigado. *(Irene assume o seu posto.)*

Hellinger: Como se sente o avô?

Avô Paterno: Não muito bem. Não sei o que aconteceu a essa gente às minhas costas depois que morri.

Hellinger *(para o pai)*: Como está se sentindo, melhor ou pior?

Pai: Um pouco melhor, mas não posso ver o rosto do meu pai.

Hellinger: Então, vou virá-lo e colocar você ao lado dele.

Hellinger *(para o avô)*: Está bem assim?

Avô Paterno: Enfim, posso ter uma visão geral da situação. Que bagunça!

Pai: Sinto-me melhor que antes. Meu ângulo de visão aumentou.

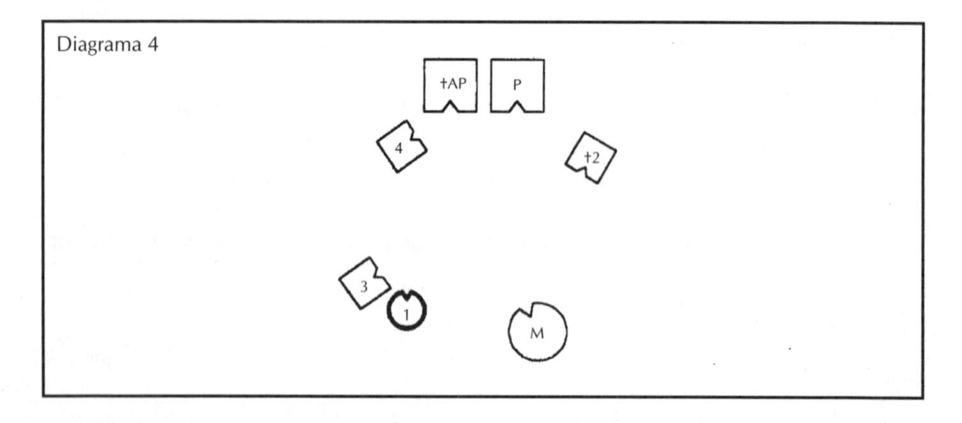

Hellinger *(para a mãe)*: Agora você pode ver o seu marido de novo. Que tal?

Mãe: Bom.

Hellinger: Fique perto dele.

Mãe: Bem melhor!

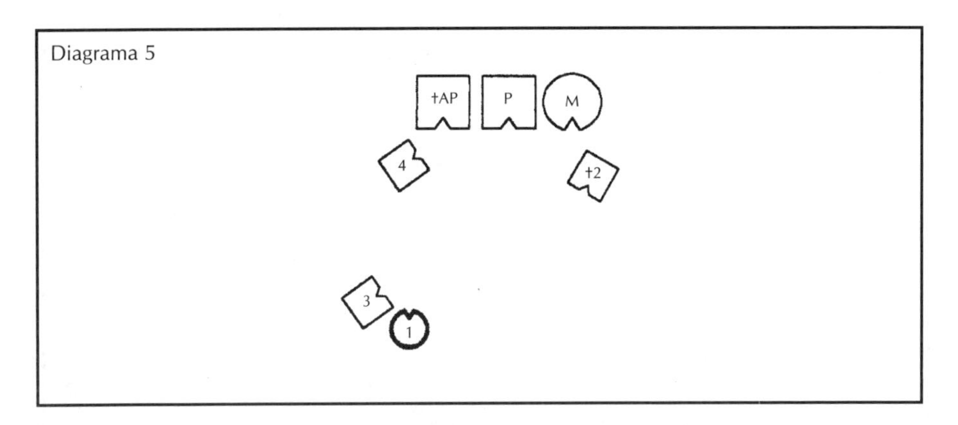

Hellinger *(para o grupo)*: Essa é, de um modo geral, a mesma posição de antes *(a mulher está de novo perto do marido)*, mas agora o avô falecido está presente. Pode-se perceber a diferença quando alguém que morreu cedo volta ao sistema. *(Para Irene)*: Como se sente?

Irene: Antes eu tinha a sensação de que cada um estava cuidando de si mesmo; mas agora melhorou um pouco. Percebo uma certa união.

Hellinger: Seu irmão falecido era lembrado na família ou não?

Irene: Era lembrado. Não com muita freqüência, mas de vez em quando pensávamos nele.
(Hellinger afasta um pouco o avô e alinha os filhos diante dos pais, por ordem de nascimento.)

Hellinger *(para Irene)*: Que acha disso?

Irene: Muito bom. Na verdade, não consigo sentir nada intensamente. Meus sentimentos estão um tanto embotados.

Hellinger: Tente distanciar-se um pouco. *(Hellinger afasta-a da família, deslocando-a para um lado.)*

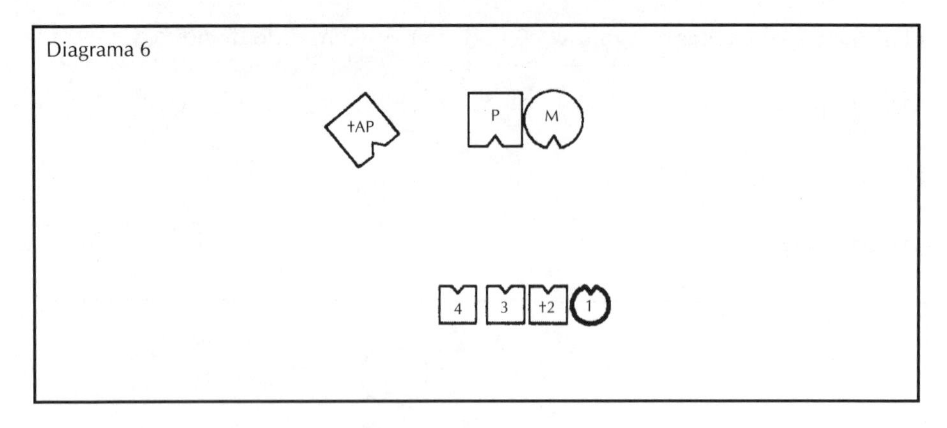

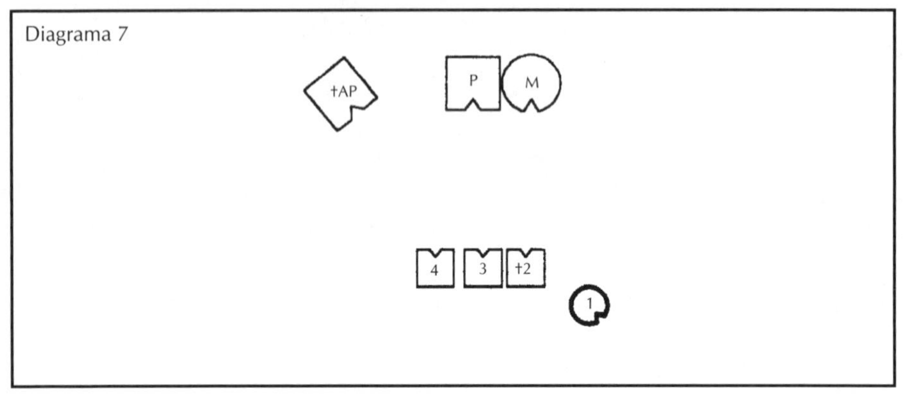

Hellinger *(para o pai)*: Como se sente depois que ela mudou de lugar? Melhor ou pior?

Pai: Não tão bem.

Mãe: Pior.

Hellinger *(para o irmão falecido)*: E você?

Irmão Falecido: Pior.

Terceiro Filho: Eu também.

Quarto Filho: Pior.

Hellinger *(para Irene)*: E você?

Irene: Sinto-me bem aqui sozinha. *(Murmúrio de surpresa no grupo.)*

Hellinger *(para o irmão falecido)*: Quero fazer uma pequena experiência com você. Venha até aqui e fique na frente da sua irmã, olhando para ela.

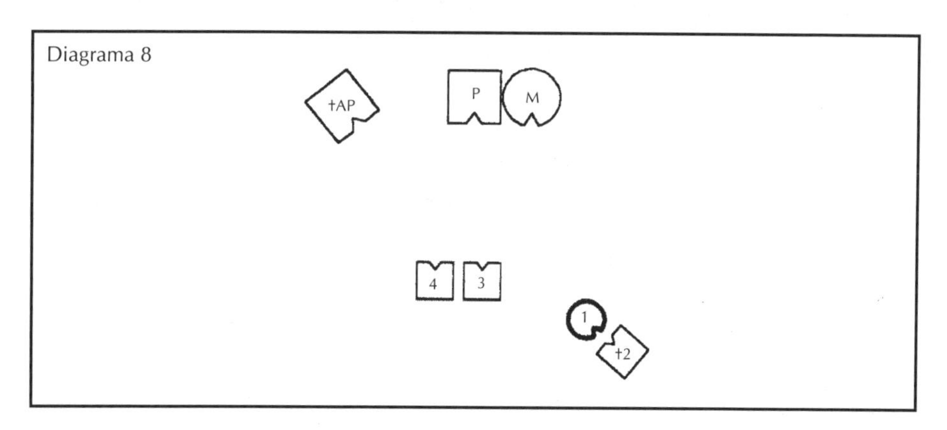

Hellinger *(para Irene, após longa pausa)*: Que está acontecendo?

Irene: Sinto vontade de chorar. Não sei por quê.

Hellinger *(para o irmão falecido)*: Como se sente?

Irmão Falecido: Não sei exatamente. Percebo que ela está muito comovida.

Hellinger: Como se sente vendo-a comovida: melhor ou pior?

Irmão Falecido: Melhor ou pior? Melhor, creio eu.

Hellinger: O que está acontecendo exatamente?

Irmão Falecido *(rindo)*: Na verdade, eu também estou muito comovido, mas não consigo responder "melhor" ou "pior".

Hellinger *(para Irene)*: Agora, vá para o seu antigo lugar. *(Para o irmão falecido)*: Quanto a você, fique na frente de seus pais, mas de costas para eles. *(Para os pais)*: Pousem a mão suavemente nos ombros dele.

Hellinger *(para o grupo)*: Esse filho foi excluído da família. Percebem isso? Vêem como se sente profundamente comovido quando consegue aproximar-se dos pais? Eles sem dúvida o repeliram. *(Para Irene)*: Que está acontecendo com você agora?

Irene: Meus sentimentos continuam embotados, tão embotados que não sei dizer o que está acontecendo. Nem mesmo pensar consigo. É como se me encontrasse num quarto vazio.

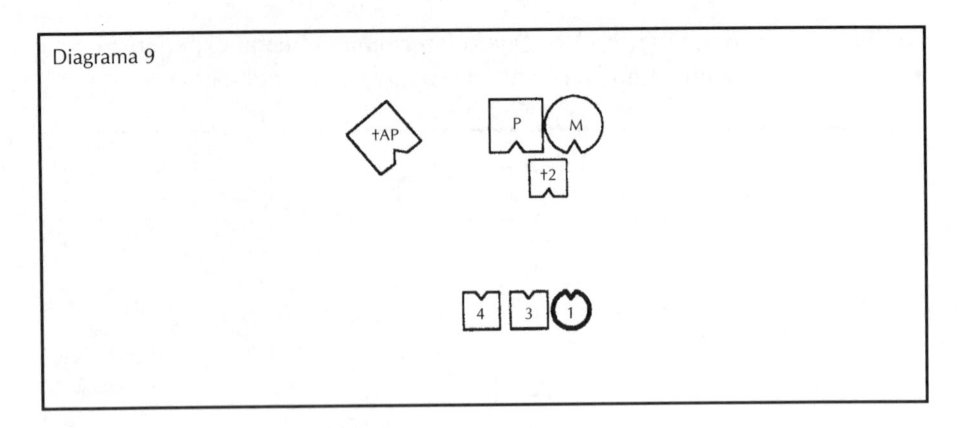

Hellinger *(para o grupo)*: Eis aí, por assim dizer, os sentimentos de uma pessoa morta. Ora, quem morreu na família? O irmão.

Irmão Falecido: Realmente, eu estava bastante comovido.

Hellinger *(para o grupo)*: Não sei o que é melhor para eles. Com base na última constelação e na nossa experiência, presumo que Irene esteja tentando, inconscientemente, seguir o irmão na morte e que esse é um dos fatores de sua doença: ela quer segui-lo, ficar com ele. *(Longa pausa.)* Não, eu não creio que possa fazer alguma coisa para detê-la. *(Para Irene)*: Quem poderia deter você?

Irene: Eu mesma?

Hellinger: Acha mesmo que poderá levantar-se puxando os próprios cabelos?

Irene: Não sei. Quem, então?

Hellinger: Conheço uma pessoa.

Irene: É mesmo? *(Começa a soluçar.)*

Hellinger: Respire, abra os olhos. *(Com muita delicadeza.)* Venha comigo. *(Toma-a pelo braço e leva-a para diante do irmão falecido.)*

Hellinger *(para Irene)*: Abrace-o. *(O representante do irmão hesita.)* Vá, abrace-a. Está tudo bem. *(Para Irene, que ainda soluça incontrolavelmente.)* Respire fundo e mantenha a boca aberta. Qual era o nome de seu irmão?

Irene: Peter.

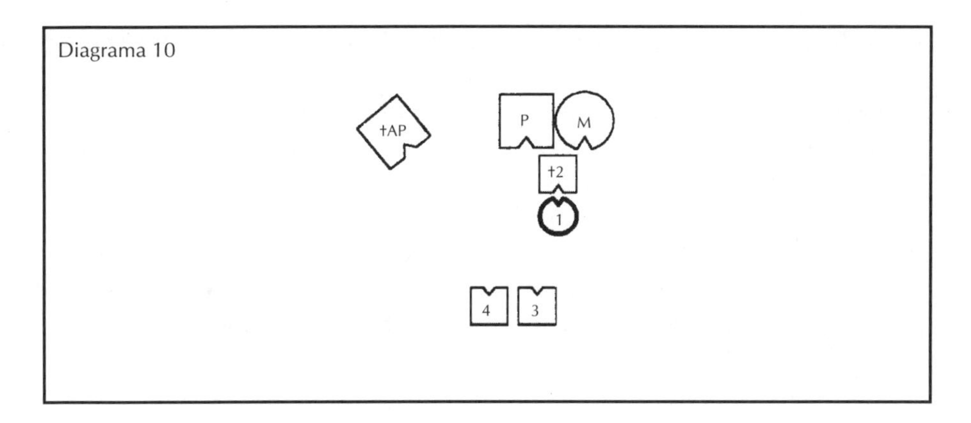

Hellinger: Diga-lhe "Querido Peter."

Irene: Querido Peter.

Hellinger: Diga-lhe "Estou indo também." *(Irene hesita; Hellinger, gentilmente)*: É bom dizer-lhe isso.

Irene: Estou indo também.

Hellinger: Respire. Boca aberta. Diga "Estou indo também."

Irene *(respira profundamente e, entre dois soluços)*: Estou indo também. Estou indo também.

Hellinger: Respire fundo e deixe que a frase flua livremente: "Estou indo também."

Irene: Estou indo também. *(Soluça por algum tempo e vai se acalmando aos poucos. O representante do irmão abraça-a ternamente.)*

Hellinger *(para o irmão falecido)*: Como se sente ao ouvi-la dizer isso?

Irmão Falecido: Quero confortá-la.

Hellinger: É claro. Diga-lhe "Irene, fique."

Irmão Falecido: Irene, fique.

Hellinger: Diga-lhe "Basta que venha mais tarde."

Irmão Falecido: Basta que venha mais tarde. *(Irene começa a chorar de novo.)*

Hellinger *(após longa pausa. Irene está calma)*: Irene, acho que já é o suficiente. Está bem assim? *(Ela confirma com um aceno.)* Ótimo. *(Para os representantes)*: Obrigado pela ajuda. Agora podem sentar-se. *(Para o grupo)*: Doenças graves, suicídios ou tentativas de suicídio e acidentes são algumas das coisas que freqüentemente presenciamos em psicoterapia. São motivadas pelo amor — o amor de uma criança. As crianças amam de acordo com um sistema de crenças mágicas. Para elas, o amor significa: "Para onde você for, eu vou também. O que você fizer, eu farei" ou "Amo-o tanto que quero estar sempre com você." Isto é: "Vou acompanhá-lo na doença" e "Vou acompanhá-lo na morte." Quando alguém ama dessa maneira, fica evidentemente vulnerável às doenças graves.

Mas como se sente a pessoa amada assim? Que fará ao perceber que sua doença ou morte está tornando uma criança doente? *(Para o representante do irmão falecido)*: Como se sentem essas pessoas? Mal, não é? Exatamente! Suas reações mostraram isso com a maior clareza. *(Para o grupo)*: Nas constelações, sempre observamos que os mortos, os doentes e os que padeceram um destino adverso querem que os sobreviventes estejam bem. Uma morte ou infortúnio é suficiente. Os mortos querem bem aos vivos. Não é apenas a criança que ama: amam também todos os que sofreram ou morreram. Para que se dê a cura sistêmica, Irene precisa reconhecer o amor do irmão falecido e reverenciar o destino dele. *(Para Irene)*: Os bons desejos de seu irmão podem curá-la. Seria uma solução. Está tudo bem com você?

Irene: Mais que isso!

Hellinger: Ótimo. Você se saiu muito bem. Acolha na alma a força do amor do seu irmão. Certo?

Irene: Certo.

Hellinger: Excelente! *(Para o grupo)*: Bem, essa foi a nossa primeira constelação. Como viram, às vezes é possível trazer à luz uma dinâmica familiar oculta — dinâmica que pode ser a causa ou, pelo menos, um fator da doença. Mas viram também que a dinâmica familiar indica o caminho para uma solução eficaz. Alguma pergunta?

Irene: Não sei bem o que o senhor quer dizer com "reconhecer o amor do irmão falecido e reverenciar o destino dele".

Hellinger: Quando uma criança morre, os outros membros da família tendem a ficar atemorizados — em parte, talvez, porque eles também, até de modo inconsciente, sentem o tipo de amor que os leva a desejar seguir a criança. Para conter o medo, eles calam seus sentimentos. De fato, expulsam a criança de seus corações e almas. Podem falar do filho, mas seus sentimentos estão embotados. Assim, mesmo morta, a criança continua a influenciar o sistema familiar, sufocando-lhe os sentimentos. Para que o amor triunfe, o filho precisa ter um lugar na família, como se estivesse vivo. Os membros sobreviventes têm de dar largas a seu afeto pela criança e a seus sofrimentos. Devem exibir o retrato do morto ou plantar uma árvore em sua memória. Porém, o mais importante é que o tenham sempre consigo, permitindo que o amor por ele ganhe vida. *(Para Irene)*: Você pode, por exemplo, mostrar seus filhos ao irmão falecido. *(Para o grupo)*: Muita gente age como se os mortos tivessem ido embora. Mas para onde iriam? Sem dúvida, estão fisicamente ausentes, mas o efeito que continuam a provocar nos vivos assegura a sua presença. Quando ocupam o devido lugar na família, os mortos são benéficos. Do contrário, causam ansiedade. Se têm seu lugar, ajudam os sobreviventes a viver, em vez de alimentar-lhes a ilusão de que devem morrer também.

Questões Correlatas

Pergunta: Quando eu estava representando, tive sentimentos e idéias realmente estranhos para mim. Era como se eu fosse uma outra pessoa, como se me houvesse transformado de fato na pessoa representada. Por que isso acontece? Pode dizer alguma coisa a respeito desse fenômeno?

Hellinger: Estranho, não? Não sei por que acontece. Apenas observo o fato e aproveito-o. Os observadores às vezes não acreditam na força do fenômeno até terem a oportunidade de ser, eles próprios, representantes. Quando os representantes se sujeitam de boa vontade ao papel, a informação que se torna disponível beira o sobrenatural.

Certa vez, uma médica representava a mãe numa constelação e, de repente, sentiu uma dor aguda no peito e no braço esquerdo, ficando coberta de suor frio. Imaginou que estava tendo um infarto. Descobriu-se que a mãe a quem ela representava sofrera realmente um sério ataque cardíaco seis semanas antes. Outro representante começou a apresentar sintomas de epilepsia, e descobrimos que o homem a quem ele representava era epiléptico. Coisas assim acontecem o tempo todo. Não posso explicá-las nem tento fazer isso. Gosto de apegar-me ao que posso ver e evito especulações; aprendi, com a experiência, a acreditar no que emerge das constelações. As reações físicas espontâneas dos representantes propiciam excelente informação sobre o efeito do sistema em seus membros.

Pergunta: Mas os representantes não projetam seu próprio material no papel que desempenham? Como você sabe se o que eles dizem tem algo que ver com esse papel?

Hellinger: Sim, às vezes fica claro que os representantes estão trazendo seu próprio material para a constelação, circunstância em que o terapeuta deve removê-los e substituí-los. Outras vezes o papel é tão difícil que os representantes não conseguem sustentá-lo por muito tempo, como quando interpretam um assassino, um estuprador de crianças ou um tipo parecido. Nesses casos, o efeito negativo do papel é forte demais. Contudo, ressalvadas essas exceções, eu sempre encaro o que emerge como uma função do papel e só do papel. Essa orientação preserva a saúde do trabalho. Se o material da própria pessoa se mistura com sua experiência do papel, ela fica bastante confusa e o terapeuta perde a visão do todo.

Já me sucedeu ter a sensação de que as pessoas estavam projetando seu material no papel; decidi removê-las, mas apenas para constatar que seus substitutos reagiram da mesma maneira. Pela minha experiência, quase sempre é possível confiar nos representantes e reconhecer que estão fornecendo informações úteis sobre o sistema.

Pergunta: Às vezes, quando você deslocava as pessoas por pouco que fosse, eu sentia uma nítida mudança no meu corpo. No fim, sobrevinha uma sensação física de descontração completa, do tipo "agora tudo está certo". Eu poderia falar a respeito dessa sensação de ajustamento e descontração?

Hellinger: Quando todos se descontraem numa constelação, concluo que o sistema está se aproximando do equilíbrio e que cada qual encontrou seu lugar e função apropriada. Dou o nome de "Simetria Oculta do Amor" às leis sistêmicas que operam nessas constelações e geram a sensação física de ajustamento e descontração.

A Simetria Oculta do Amor é o que enseja a sensação física de "ajustamento" que você mencionou. Ela promove a cura e a comunicação na família. O objetivo deste seminário cifra-se no aprendizado de como ajudar as famílias a encontrar essa simetria. Todos podem perceber com que facilidade e profundidade o amor flui num sistema ordenado. Até os representantes se comovem com o que sentem. A sensação física de que "tudo está certo" é o que torna a presente abordagem fenomenológica e não apenas mais uma teoria sobre o funcionamento familiar. Testamos e observamos cuidadosamente até perceber essa reação. Em nosso trabalho, estamos sempre em busca de soluções, de contingências sistêmicas que alimentam o livre fluxo do amor e da significação.

Pergunta: O senhor disse que o amor do irmão poderia curar Irene, mas ele era uma criança quando morreu. O que foi encenado aqui não é o que realmente se passou com ela na família. Como saberemos se, de fato, um bebê ama a irmã?

Hellinger *(para o grupo)*: Eu só lido com o que acontece diante de meus olhos. No final da constelação, todos os presentes viram e sentiram que alguma coisa forte aconteceu quando Irene encarou seu irmão. Todos nos sentimos bem, cheios de afeto. O que vimos e sentimos foi o efeito do amor do irmão. Isso é uma metáfora descritiva para o que Irene sentiu diante do representante do irmão — para o que nós todos sentimos. Trata-se de um nome para a boa dinâmica que testemunhamos. E essa dinâmica é, no momento, real. Traz esperança. O que quer que suceda a Irene será melhor se, em vez do que acontecia na família dela antes, ela puder contar com essa boa dinâmica.

Pergunta: Todos percebemos que houve um movimento impressionante e creio que ninguém deixou de ficar profundamente emocionado. Mas o que significa esse trabalho em termos do que Irene pode esperar? Seu câncer foi curado? Existem pesquisas sobre os efeitos, a longo prazo, desse trabalho?

Hellinger: Não responderei diretamente à sua pergunta. Não convém, no momento. Explico-me. Como você disse, todos sentimos a atuação de uma forte dinâmica, mas o resultado final não está sob o nosso controle. O benefício que acontecer ocorrerá graças ao que chamei de "o amor de seu irmão". Ele constitui uma dinâmica nova no seu sistema e devemos evitar toda tentação capaz de distraí-la (ou a nós) da percepção dessa dinâmica. Quando prestamos atenção à dinâmica do amor dentro de nós, entramos num estado mental diferente do que experimentamos quando pensamos em resultados. Se pensarmos em resultados, logo nos dispersaremos e bloquearemos o efeito benéfico do amor.

Eis o motivo por que, ao trabalhar como terapeuta, jamais cogito de resultados. Eu não desejo nem mesmo conhecê-los. Se eu começar a pensar em resultados, deixarei de ver o que está acontecendo às pessoas na minha presença. Minha atenção vagueará pelo futuro e procurarei fazer com que as coisas aconteçam no meu interesse, não no interesse do cliente. Assim, o tipo de amor que vimos e sentimos há pouco não se manifestaria. Numa situação como esta, a cura que porventura ocorrer será exclusivamente por causa do amor no sistema familiar; quanto ao resultado, não é comigo. Disponho-me ajudar a família a encontrar uma solução que deixe o amor dos membros visível e fluido; mas depois disso minha tarefa termina: retiro-me então, certo dos bons efeitos de seu amor.

Findo o trabalho, esqueço as pessoas envolvidas e, desse modo, elas ficam em paz para completar a tarefa como bem entenderem. Eu acredito na força benfazeja de seu amor e, porque acredito nela, deixo intacta a sua liberdade: deixo-as livres para mudar ou não. Mas não posso fazer sem violar ou desrespeitar o amor.

Não afirmo que essas experiências sejam coisa diversa do que vocês viram aqui; e, é claro, não tenho a pretensão de curar o câncer. O que faço é uma coisa pequena, simples e bem mais modesta: tento ajudar pessoas a encontrar boas dinâmicas em seus sistemas familiares, "ampará-las em sua caminhada". Se houver uma cura surpreendente, ficarei feliz por elas, mas eu não quero ser informado. Para mim, basta o amor que todos pudemos ver em ação.

Considerações Adicionais

O terapeuta de Irene contou que ela se viu livre dos sintomas por sete meses depois da constelação. Sua vida familiar era tranqüila e alegre. Depois, deu entrada no hospital porque não estava se sentindo bem. Os médicos não encontraram novas metástases e ela logo teve alta, sem nenhuma outra prescrição. Passou os próximos três meses agradavelmente em casa, com a família, e faleceu dias depois de voltar pela última vez ao hospital. [H. B.]

Capítulo 5

O Amor e a Grande Alma

Além de nossos relacionamentos pessoais e dos sistemas sociais a que pertencemos, somos também membros de sistemas de relacionamento mais abrangentes. As diversas Ordens do Amor que nos secundam em nossos relacionamentos íntimos não se aplicam a outros sistemas. Se estamos às voltas com totalidades maiores e com metassistemas, por exemplo, com Deus — não importa o nome que dermos ao mistério além do mundo —, com o destino ou com a plenitude do universo, essas ordens e princípios não são aplicáveis. Tentar aplicá-los leva a conseqüências absurdas.

A evocação de nossas experiências infantis pode fazer com que busquemos Deus ou o mistério além do mundo, à semelhança de crianças que buscam seus pais — um bom pai ou uma boa mãe. Então acreditamos como crianças, esperamos como crianças, confiamos como crianças, amamos como crianças — e, como crianças, temos medo do que está além de nossa experiência.

Se lembrarmos nossas experiências como membros da família ampliada, poderemos nos ligar ao destino ou ao mistério além do mundo da mesma forma que nos ligamos aos membros de nossa família, como se fôssemos irmãos de sangue na companhia dos santos. Mas então, como numa família, talvez sejamos escolhidos ou rejeitados de acordo com uma lei que não conhecemos nem influenciamos.

Evocando nossas experiências na qualidade de membros de grupos livremente escolhidos, podemos ligar-nos ao mistério do mundo como se fôssemos seus sócios, representantes ou porta-vozes, fazendo alianças e acordos como se a vida nos permitisse regular o dar e o receber mútuos e controlar os lucros e as perdas mútuas.

Podemos ainda lobrigar o mistério além do mundo como se estabelecêssemos um relacionamento íntimo onde haja um amante e uma amada, um noivo e uma noiva.

Finalmente, podemos nos ligar ao mistério como os pais se ligam aos filhos, comunicando-lhe o que achamos errado em seu mundo e exigindo melhorias. Não satisfeitos com o mundo tal qual é, tentamos salvar dele a nós mesmos e aos outros.

Há, porém, outro caminho. Quando nos associamos ao mistério do mundo, conseguimos esquecer o que se aplicava aos relacionamentos conhecidos, assim como, ao nadar no oceano, esquecemos os rios que o alimentam e, quando alcançamos um fim, esquecemos os meios.

Ausência e Presença

Um monge, saindo em busca do Absoluto,
Aproximou-se de um vendedor no mercado
E pediu-lhe comida.

O vendedor observou-o por um momento.
E, dando-lhe o que podia dar,
Perguntou-lhe:

"Como se explica que me peças
O de que precisas para sobreviver
E, mesmo assim, te permites achar a mim e
ao meu negócio
Coisas insignificantes
Em comparação contigo e com o que é teu?"

O monge respondeu:
"Em comparação com o Absoluto que procuro,
De fato, tudo o mais parece insignificante."

O vendedor não ficou satisfeito
E fez outra pergunta:

"Se esse Absoluto existe,
Está além de nosso alcance.
Portanto, como ousar buscá-lo
Como se ele pudesse ser encontrado
No fim de uma longa estrada?
De que modo tomar posse dele

Ou pretender ter dele um quinhão maior?
Ao contrário, se esse Absoluto existe,
Como poderia alguém distanciar-se dele
E ficar excluído de sua vontade e zelo?"

O monge respondeu:
"Somente aqueles que podem despojar-se
De tudo o que lhes pertence
E, de boa vontade, esquecer o que está atado
Ao Aqui-e-Agora,
Alcançarão o Absoluto."

Não convencido ainda,
O vendedor o pôs à prova com outro raciocínio:

"Presumindo que o Absoluto exista,
Ele deve estar perto de todos,
Embora oculto no aparente e no eterno,
Assim como a Ausência está escondida na Presença,
O Passado e o Futuro no Aqui-e-Agora.

Comparado ao que está Presente
E se nos afigura contingente e fugidio,
O Absoluto parece ilimitado no espaço e no tempo,
Como o Passado e o Futuro
Em comparação com o Aqui-e-Agora.

Mas o que está Ausente só se mostra no Presente,
Como o Passado e o Futuro só se mostram
No Aqui-e-Agora.

Como a Noite e a Morte,
O Absoluto encerra, oculto para nós,
Algo que ainda virá.

Há, porém, momentos em que,
Num piscar de olhos,
O Absoluto ilumina de súbito o Presente,
Como o relâmpago ilumina a noite.

Assim também o Absoluto se aproxima de nós
No atual Aqui
E ilumina o Agora."

O monge, por seu turno,
Perguntou então ao vendedor:

"Se o que dizes é verdade,
Que resta
Para nós dois?"

E o vendedor respondeu:
"Para nós ainda resta,
Mas por pouco tempo,
A Terra."

TROCAR UMA FÉ MENOR POR UMA FÉ MAIOR

O pai de um dos participantes de um grupo era um ex-sacerdote que renunciara à ordem religiosa, constituíra família e tivera vários filhos com a esposa. Na constelação, acabou tendo uma posição entre a ordem religiosa e a família.

Hellinger: Observando a constelação, vocês podem perceber que teria sido mais fácil para o pai ter ficado no mosteiro. Trata-se de um caso comum, por isso o menciono. Quando alguém pertenceu a Deus, ou deveria pertencer, e depois abandona a igreja ou a ordem religiosa, costuma viver uma vida ainda mais limitada que antes. Isso é mais notório com católicos do que com protestantes, pois as restrições são maiores (o celibato). Essas pessoas só conseguem deixar a igreja rompendo totalmente com ela, isto é, trocando uma fé menor por uma fé maior.

A fé é nociva quando nos ensina que podemos pertencer a Deus de um modo especial, que Deus se tornará colérico e vingativo se agirmos de acordo com a criação. Crença e descrença, como culpa e inocência, estão estreitamente ligadas na alma; assim como entre a culpa e a inocência, debatemo-nos continuamente entre a crença e a descrença.

Segundo uma crença religiosa, o mundo é mau. Se eu adotar essa crença, terei de me divorciar da criação *tal qual é* e, implicitamente, do Criador. Para tanto, deverei afastar-me de tudo quanto vejo e experimento, voltando-me para outro deus sobre o qual sei apenas o que outros afirmaram ter-lhes sido revelado. É tudo quanto poderei saber sobre esse deus. Não tenho experiência pessoal dele, só disponho de palavras alheias. Portanto, a crença nesse deus não passa, afinal de contas, de uma crença em afirmações de outrem, cujo testemunho passa a ser coercitivo para mim. Se eu quiser adorar e seguir esse deus, precisarei esquecer e negar o que toco e vejo, além de confiar no que outros acreditam ter-lhes sido revelado.

Essa religião é transmitida pela cultura e pela tradição familiar. As pessoas a adotam principalmente porque a família a adotou. Renunciar a ela é renunciar à própria família. Assim se explica por que os que se afastam desse tipo de religião têm os mesmos sentimentos de culpa, sejam muçulmanos, católicos, judeus, protestantes ou budistas. Portanto, essa fé nada tem que ver com os conteúdos do catolicismo, do protestantismo, do islamismo ou do budismo. É mera questão de lealdade ou deslealdade para com a família, não uma experiência concreta de Deus ou da Grande Alma.

A religião e a fé baseadas na aceitação do mundo tal qual é unem a humanidade, ao passo que a fé de um determinado credo ou grupo ergue barreiras entre as pessoas. A experiência religiosa que abarca e ama o mundo tal qual é não reconhece fronteiras.

Aqueles que aceitam e amam a Terra tal qual é não podem confinar-se num único grupo. Eles vão além dos limites de um grupo em particular e abraçam a totalidade do mundo assim como é. O amor à Terra e o movimento que esses amantes empreendem — para ir além do grupo e alcançar a totalidade do mundo — nada têm que ver com a crença que teme, odeia e divide. Esse amor abarca, sustenta e acata a diversidade na unidade da vida.

Os Discípulos

O homem nasce em seu país, em sua cultura, em sua família. Ainda criança, encantam-no as histórias sobre aquele que foi seu profeta e senhor; e ele deseja ardentemente assemelhar-se a esse ideal. Ele passa por um longo período de aprendizado até se identificar plenamente com seu modelo, até começar a pensar e a falar como ele.

Mas, a seu ver, ainda falta uma coisa. Portanto, empreende uma jornada rumo à mais solitária das regiões, esperando cruzar a fronteira final. Em seu caminho, passa por velhos jardins, de há muito abandonados. Rosas silvestres ainda crescem na espessura e os frutos que caem das altas árvores, todos os anos, se perdem. Ninguém está ali para recolhê-los.

E ele prossegue.

Chega à fímbria do deserto.

Logo se vê cercado pela solidão desconhecida. Observa que, naquele ermo, poderá escolher a direção que quiser — o vazio há de ser sempre o mesmo. Reconhece que a solidão do lugar tirou-lhe toda ilusão de estar tomando um caminho determinado.

E assim vai avançando ao acaso até que, um dia, bem depois de já ter deixado de confiar nos sentidos, surpreende-se ao notar um jorro de água brotando do chão, à sua frente. A areia bebe-a silenciosamente, mas até onde ela chega, o deserto floresce como o Paraíso.

Ainda surpreso, olha em derredor e percebe, à distância, dois estranhos que se aproximam. Também eles fizeram o que ele fez. Cada qual seguiu seu profeta e senhor até ficar praticamente igual a ele. Um e outro também partiram para a solidão, esperando cruzar a fronteira final. E um e outro, finalmente, encontraram a fonte.

Os três se inclinam para beber da mesma água, sentindo que o objetivo buscado está a seu alcance. Depois, declinam seus nomes: "Eu me tornei um com o meu Senhor, Gautama, o Buda." "Eu me tornei um com o meu Senhor, Jesus, o Cristo." "Eu me tornei um com o meu Senhor, Maomé, o Profeta."

Cai a noite sobre os três homens. Eles vêem o céu cobrir-se de estrelas imóveis, silentes, remotas. Recolhem-se num silêncio respeitoso sob a vastidão daquela eternidade e um deles sente, por um instante, o que o seu senhor deve ter sentido ao dar-se conta dessa mesma impotência, da irrelevância absoluta dos projetos humanos perante a imensidão. E sente, também, o que o seu senhor deve ter sentido ao compreender a inevitabilidade da culpa.

Sabe que foi longe demais. Assim, espera pela aurora, retoma o caminho de casa e deixa por fim o deserto. Outra vez passa pelos jardins abandonados até deter-se diante daquele que sabe que é seu. Um velho, ao portão, parece esperá-lo. Diz ao recém-chegado: "Quem encontrou o caminho de volta depois de ir tão longe deve amar a terra úmida e fértil. Deve saber que tudo o que nasce há de morrer e, morrendo, nutrirá a vida."

O viandante responde: "Agora submeto-me à terra." E põe-se a cuidar amorosamente do jardim.

Transcrito

GRACE: "NO MEU CORAÇÃO, VOCÊ ESTÁ VIVO"

Grace: Sou filha de sobreviventes do Holocausto e creio que isso marcou a minha vida. Outra coisa que a marcou foi o fato de eu ter crescido na Alemanha do pós-guerra.

Hellinger: Você cresceu na Alemanha do pós-guerra?

Grace: Sim. Atribuo a isso a total falta de relacionamentos na minha vida.

Hellinger: Como seus pais conseguiram sobreviver?

Grace: Eles eram judeus poloneses e fugiram para a Ásia. Nasci no fim da guerra. Findo o conflito, vieram parar na Alemanha e eu me tornei alemã por acaso.

Hellinger: Teve parentes mortos?

Grace: Praticamente todos, exceto meus pais e uma irmã de meu pai.

Hellinger: Diga os nomes dos que morreram.

Grace: Os nomes? Não posso. Não sei.

Hellinger: Refiro-me aos seus avós.

Grace: Todos os avós.

Hellinger: Os quatro morreram?

Grace: Sim.

Hellinger: Quem mais?

Grace: Todos. Minha mãe tinha quatro irmãs e um irmão; morreram. Dos seis irmãos de meu pai, ele conseguiu salvar uma irmã; os outros se foram. Meus pais eram os mais jovens de suas famílias, o que quer dizer que os membros restantes já tinham filhos. Meus pais se casaram quando a guerra eclodiu. Tudo muito confuso. Não sei mais nada.

Hellinger: Vou escolher os representantes.

Grace: Talvez seja bom eu dizer mais uma coisa. Meu pai me dizia, aliás tanto ele quanto minha mãe, que eu me pareço muito com uma de suas irmãs.

Hellinger: E foi bom mesmo dizer isso. Vou escolher os representantes de seus avós e de todos os tios e tias que já faleceram. Tem irmãos e irmãs?

Grace: Uma irmã e dois irmãos; mas um irmão morreu com apenas um dia de vida. Sou a primeira, mas não deveria ser. Na verdade, sou a segunda.

Hellinger: O primeiro filho morreu?

Grace: Sim.

Hellinger: Precisamos dele também. Escolha os representantes de todos os que morreram, da família de seu pai e de sua mãe. *(Grace escolhe os representantes.)*

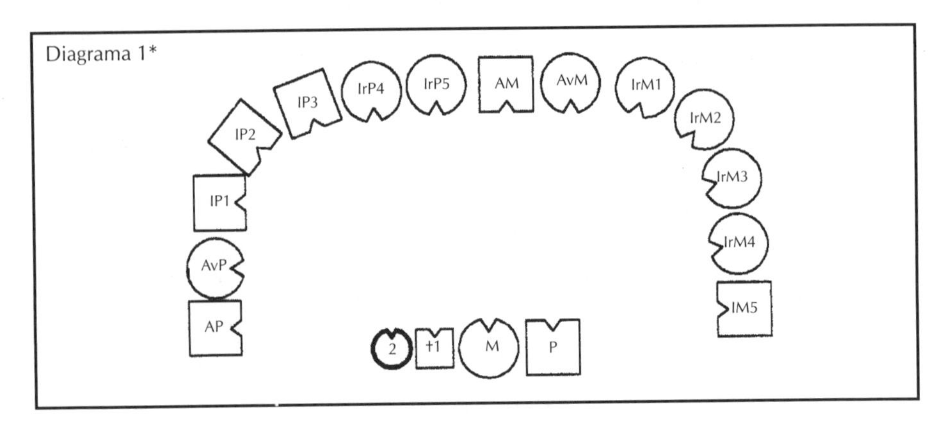

Hellinger *(para Grace)*: Agora olhe para eles, para cada um deles. *(Para o pai)*: Tome-a pela mão, aproxime-se dos membros de sua família e incline-se respei-

* Legenda: †1 — Primeiro filho, falecido; 2 — Segundo filho (representante de Grace); M — Mãe; P — Pai; AM — Avô materno; AvP — Avó paterna; AvM — Avó materna; AP — Avô paterno; IrM1 — Primeira irmã da mãe; IP1 — Primeiro irmão do pai; IrM2 — Segunda irmã da mãe; IP2 — Segundo irmão do pai; IrM3 — Terceira irmã da mãe; IP3 — Terceiro irmão do pai — IrM4 — Quarta irmã da mãe; IrP4 — Primeira irmã do pai; IM5 — Irmão da mãe; IrP5 — Segunda irmã do pai.

tosamente diante de cada um. *(Grace e o pai fazem profunda reverência ao avô paterno.)*

Hellinger *(para Grace)*: Não há pressa, use o tempo que for necessário. *(Longo silêncio.)* Olhe para ele e diga-lhe "Querido vovô..." *(Grace começa a chorar.)*

Grace: Querido vovô...

Hellinger: "Olhe para mim..."

Grace *(ainda chorando)*: Olhe para mim...

Hellinger: "Afetuosamente."

Grace: Afetuosamente.

Hellinger: "Ainda estou viva."

Grace: Ainda estou viva.

Hellinger: "Considero a minha vida um dom especial."

Grace: Considero a minha vida um dom especial.

Hellinger: "No meu coração, você está vivo."

Grace: No meu coração, você está vivo. *(Grace e o avô paterno se abraçam.)*

Hellinger *(para Grace)*: Respire profundamente. *(Para o pai, após longa pausa)*: Leve-a para junto da avó e faça a mesma coisa. *(Grace e o pai curvam-se profundamente diante da avó paterna.)*

Hellinger: Diga "Querida vovó..."

Grace: Querida vovó... *(chorando)*.

Hellinger: "Eu a reverencio."

Grace: Eu a reverencio.

Hellinger: "Por favor, seja afetuosa enquanto eu estou viva e você está morta."

Grace: Por favor, seja afetuosa enquanto eu estou viva e você está morta.

Hellinger: Vá até ela. (*Grace e a avó paterna se abraçam.*) Agora, curvem-se diante de todos com respeito e amor. (*Grace e o pai fazem profundas reverências às tias e tios paternos.*) (*Para a mãe*): Tome-lhe a mão e vá para junto de seus pais, irmãos e irmãs. Curvem-se diante deles profundamente. (*Grace e a mãe curvam-se diante do avô materno. Grace e o avô se abraçam.*) (*Para Grace*): Peça-lhe a bênção.

Grace (*soluçando baixinho*): Por favor, abençoe-me.

Hellinger: Diga "Você tem um lugar no meu coração."

Grace: Você tem um lugar no meu coração.

Hellinger: "Em mim, você ainda está vivo."

Grace: Em mim, você ainda está vivo.

Hellinger (*para Grace*): Agora vá até sua avó. (*Grace e a avó materna se abraçam; a seguir, Grace e a mãe fazem reverências às tias e tios maternos, abraçando-os depois.*) Agora, abrace seu irmão. (*Ela abraça o irmão falecido.*) Vou colocá-la entre seus pais.

Hellinger: Olhe para seu pai e para sua mãe. Como está se sentindo?

Grace: Agora, sinto-me segura. Quero dizer uma coisa ao meu irmão.

Hellinger: Pois diga.

Grace *(ao irmão)*: Você escolheu a saída mais fácil.

Hellinger *(para Grace)*: Diga-lhe "Eu o perdi."

Grace *(chorosa)*: Eu o perdi.

Hellinger: "Você é o meu irmão mais velho."

Grace: Você é o meu irmão mais velho.

Hellinger: "Sou a sua irmãzinha."

Grace: Sou a sua irmãzinha.

Hellinger *(para os representantes)*: Quero saber qual foi a experiência de vocês.

Avô Paterno: Muito triste, muito comovente, mas ainda assim me sinto feliz e alegre por ela estar viva.

Avó Paterna: Fiquei feliz e pensei: "Sua tolinha, vá viver a sua vida e não se preocupe conosco."

Irmão Mais Velho do Pai: Senti-me triste e comovido, mas afetuoso para com ela, querendo-lhe bem.

Segundo Irmão do Pai: Fiquei muito triste, mas de coração aberto para ela.

Terceiro Irmão do Pai: Senti-me triste, agitado como um motor em movimento. *(Pausa.)* A certa altura, foi como ficar diante de um pelotão de fuzilamento.

Irmã Mais Velha do Pai: Senti-me profundamente comovida e feliz pela oportunidade de encontrar você, de saber que está viva.

Segunda Irmã do Pai: Senti muita tristeza e queria você viva.

Avô Materno: Muito comovido, uma mescla de alegria, tristeza e orgulho.

Avó Materna: A princípio, senti-me triste, depois orgulhosa e por fim excitada quando todos nos abraçamos.

Irmã Mais Velha da Mãe: Senti-me trêmula, agitada, muito excitada por encontrá-la.

Segunda Irmã da Mãe: Meu coração chegou a doer, mas em seguida fiquei feliz por poder abraçá-la.

Terceira Irmã da Mãe: Senti o coração cheio de amor e esperança ao saber que você estava realmente viva.

Quarta Irmã da Mãe: Senti-me triste e queria abraçá-la.

Irmão da Mãe: Fiquei triste por ignorar se você sabia quando e onde, exatamente, eu morri. Mas também muito feliz por poder voltar e nos vermos.

Hellinger: E o pai, o que sentiu?

Pai: Muito amor pela minha filha e gratidão por ela encontrar meus pais, meus irmãos e irmãs, a quem pude apresentá-la convenientemente pela primeira vez. Isso significou muito para mim.

Hellinger: E a mãe?

Mãe: Sobretudo nos últimos minutos, percebi uma luz na minha filha. Meu coração ardia por essa luz, pois perdi muitos entes queridos e sabia que pelo menos ela estava viva.

Hellinger: E o irmão?

Irmão Falecido: A princípio, fiquei bastante isolado, mas depois notei que me reconheciam e precisavam de mim. Senti-me então um irmão e um protetor.

Hellinger: Desejo-lhes todo o bem e toda a paz possíveis. Obrigado. *(Para os presentes, após longa pausa)*: Na Alemanha, ensinam-nos que não devemos esquecer — devemos recordar o que aconteceu. Freqüentemente somos censurados por pessoas que se julgam superiores, o que produz péssimo efeito na alma. A maneira certa de recordar é o que acabamos de fazer aqui, lamentando junto com os mortos — sendo um com eles. Isso cura a alma, tudo o mais é prejudicial. *(Longo silêncio.)* Preciso de algum tempo para me recuperar. Espero que entendam. *(Longo silêncio.)*

PARTE II

Considerações Psicoterapêuticas

Capítulo 6

A Postura Terapêutica

O elemento mais importante para o sucesso do trabalho com sistemas é a postura do terapeuta. Mais do que aprender técnicas e procedimentos, os que desejarem atuar sistemicamente devem entender a orientação básica e os valores que orientam a tarefa. Os terapeutas que adotam essa postura preferem lidar com recursos e não com frouxidão, com soluções e não com problemas, fazendo o mínimo possível de intervenções necessárias para promover mudanças. Acima de tudo, atentam para o que está realmente à vista, evitando deixar-se levar por teorias, crenças ou ideologias.

VER

Pergunta: O senhor fala muitas vezes em *ver* uma pessoa. Pode explicar melhor o que quer dizer com isso?

Hellinger: Faço uma distinção entre "observar" e "ver". A palavra "observar" significa captar detalhes isolados à custa da percepção do todo. Quando observo o comportamento de alguma pessoa, capto o que ela faz, mas a pessoa como um todo me escapa. Quando "vejo" uma pessoa, no entanto, apreendo-a como um todo. Em seguida, apesar de me escaparem muitos detalhes de seu comportamento, capto imediatamente (apreendo) o que é essencial nessa pessoa e faço isso em proveito dela como "outra".

Ver a outra pessoa desse modo só é possível quando me volto para ela sem segundas intenções. Vê-la assim cria um relacionamento, fazendo nascer uma intimidade que, não obstante, exige profundo respeito pelas diferenças individuais — portanto, um certo distanciamento. Quando eu a vejo, cada pessoa é tratada como única, sem que se estabeleçam normas a serem mais tarde derrogadas. No ato de ver não há juízos de valores: o que se pretende é servir o amor e a busca de soluções.

Ver a outra pessoa sujeita-me ainda ao imperativo de servir. Posso julgar-me livre para fazer o que quiser, mas, tão logo *vejo* uma pessoa em determinada situação e descubro o que ela necessita, sou forçado a adaptar-me, a *ser* o que essa situação exige de mim.

No contexto terapêutico, apenas o ato de ver pode ajudar na busca de soluções, e o *ver* só é util para essa finalidade. Esse ato não nos ajuda a fazer diagnósticos ou observações empíricas, a menos que observações e diagnósticos possam, eles próprios, conduzir a uma solução. O ver descobre solução e completude, não verdade objetiva. Ele suscita perguntas do tipo: "O que a situação do cliente exige de mim agora?" e "Até onde posso agir?" Como terapeuta, faço a mim mesmo tais perguntas e ponho-me a serviço dos outros. Quando uma pessoa me diz alguma coisa, pergunto-me: "O que é apropriado para *esta pessoa*?" Se realmente consigo ver o cliente, ponho-me em contato com algo bem maior do que qualquer um de nós sozinho. Meu objetivo imediato talvez nem seja ajudar, mas apenas ver o cliente no contexto de uma ordem superior. É assim que o ato de ver funciona. Ele permite que as intervenções terapêuticas permaneçam respeitosas e amáveis, sem entretanto perder sua energia curativa.

É estranho como as pessoas mudam depois que lhes digo o que vejo. Ver é um processo criativo que tanto afeta a pessoa vista quanto a pessoa que vê. Há nisso alguns mistérios que não consigo entender, mas que também podem ser vistos e utilizados.

Quando vocês tiverem uma idéia sobre o que está ocorrendo com uma pessoa, e se perguntarem se devem comunicá-la ou não, tentem *ver* essa pessoa. Caso obtenham êxito, descobrirão se a idéia será útil ou prejudicial. O ato de ver não é algo que possamos forçar. Quando me abro para alguém, muitas vezes fico surpreso com o que vejo, ou seja, coisas que jamais eu poderia imaginar. Não raro, tenho medo de ver, mas, se fujo do que vejo, ainda que para não magoar alguém, alguma coisa se cerra em minha alma, como se eu houvesse desdenhado um objeto precioso.

Pergunta: Ver não é o mesmo que intuir?

Hellinger: Para mim, a intuição é diferente. Ver é mais que intuir. A intuição surge como um relâmpago de compreensão que me diz para onde caminhar, que me orienta rumo ao futuro. Ela sobrevém instantaneamente, sem que eu faça coisa alguma. Ver é diferente. Significa abrir-me completamente a conexões complexas e permitir que operem em mim, que me afetem.

Foi assim que cheguei a um conceito de consciência. Durante muito tempo, eu não conseguia entender o que acontecia quando as pessoas afirmavam que estavam agindo segundo sua consciência, ou agindo conscientemente. Isso é um fenômeno complicado e ainda não o apreendo por inteiro. Mas, justamente porque não o compreendia, eu procurava ver o que estava acontecendo. Apenas deixava que ele agisse em mim, prestava-lhe atenção, aceitava-o, mas sem interferir para tentar entendê-lo. Passaram-se anos, e, de repente, percebi o que a consciência realmente é e como opera. A consciência é o órgão que percebe o equilíbrio sistêmico e nos ajuda a saber se estamos ou não em harmonia com o nosso sistema de referência. Adverte-nos se o que estamos na iminência de fazer irá nos excluir do sistema ou nos garantir a permanência nele. Descobri que consciência leve significa unicamente o sentimento de que estou habilitado a continuar pertencendo ao sistema. Consciência pesada nada mais é que a inquietação de deixar de pertencer ao sistema.

Então, em meio à complexidade dos fenômenos, a essência da coisa ficou clara para mim. E essa luz teve enorme efeito em tudo o que fiz. Chamo esse processo de "método fenomenológico". Ele só funciona quando não desejo alcançar um objetivo — confirmar uma crença, por exemplo, ou glorificar uma tradição. Trata-se de um método de conhecimento muito simples, humilde e elementar.

Eis um poema que corrobora a minha descrição. Ainda que indiretamente, ele aponta o caminho. O poema é um esboço de epistemologia terapêutica.

Medida Dupla

Um observador de detalhes perguntou a um Vidente:
"Como poderá a parte
Reconhecer o seu lugar
No todo?

Será o conhecimento da parte
Diferente do conhecimento
Da plenitude do Todo Superior?"

O Vidente respondeu:
"As partes dispersas se tornam um todo
Quando cedem
À pressão de seu centro,
Permitindo-lhe
Que as reúna.

Sua totalidade as faz
Belas e reais.
Para nós, essa totalidade
É perfeitamente óbvia,
Um nada delicado,
Uma necessidade
De agregar
Oculta no eterno.

Para conhecer o todo,
Não é preciso conhecer
Suas muitas partes,
Nem dizê-las,
Nem apreendê-las,
Nem praticá-las,
Nem mostrá-las.

Chego a todos os pontos de uma cidade
Entrando por um único portão.
Toco o gongo:
Sua nota uniforme reverbera
Nos sinos menores.
Apanho uma maçã
E seguro-a na mão.
Embora nada saiba
De sua origem, como-a."

O Estudioso objetou:
"Quem anseia pelo Todo
Deve conhecer também suas partes."

O Sábio respondeu:
"Apenas pelo que passou
Todas as partes podem ser conhecidas.
A Verdade brota do Vazio
Para o Ser.
Ela é sempre nova
E esconde sua finalidade em si mesma
Como a semente esconde a árvore.

Por isso, quem hesita em agir,
Esperando até saber mais,

Ignora o que funciona,
Como se o vir-a-ser justificasse a temeridade.
Confunde a moeda
Com a mercadoria
E só tira lenha
Das árvores vivas."

O Estudioso pensou:
"Deve haver uma resposta
Melhor para o Todo",
E quis saber mais
Sobre o que acreditava
Estar faltando.

O Vidente disse:
"O Todo é como um barril de sidra fresca,
Doce e escura.
Precisa de tempo para fermentar
E clarear.
Os tolos que a bebem
Em vez de degustá-la,
Ficam ébrios."

DIÁLOGO DE PARCEIROS

Pergunta: Há uma atmosfera particular em seus grupos, uma mescla de abertura, percepção crítica e confiança. Há também um forte senso de comunidade, mas, ainda assim, cada qual está aqui por interesse próprio. Surpreende-me a franqueza com que as pessoas às vezes respondem com críticas e dúvidas.

Hellinger: Pode-se dizer muita coisa num ambiente em que as pessoas são atentas, críticas e respeitosas. Se elas avaliam cada palavra minha, tenho de ser muito cuidadoso com o que digo. Por outro lado, sabendo que os participantes irão comparar meticulosamente minhas idéias com a sua experiência interior, em vez de aceitar tudo sem nenhum senso crítico, o risco que corro é grande. Quando o *outro* é meu parceiro na investigação da experiência, pode acontecer um diálogo entre iguais. A liberdade que tenho de correr riscos é em função da minha confiança no outro, o que traz grandes benefícios para nós dois.

A comunidade, nos grupos, só ocorre quando seus membros individuais estão concentrados e recolhidos em si mesmos. Não sendo assim, sua mente inconsciente fica inerme contra dinâmicas de grupo que podem aliená-los de si mesmos. Os mecanismos psicológicos que permitem que cada membro se concentre e a dinâmica de grupo que os vincula ao grupo maior são amplamente inconscientes. O processo de concentração e de agremiação faz com que todos os membros do grupo passam a ser partes do todo maior, sem com isso perderem sua personalidade. Concentração e agremiação são as bases de uma comunidade de pessoas.

Sempre que se faz terapia num grupo de pessoas ao mesmo tempo centradas em si mesmas e conectadas umas às outras, tanto o cliente quanto o terapeuta sentem o apoio do grupo maior e ficam seguros para permitir que o trabalho alcance uma força que seria assustadora na terapia individual.

O PENSAMENTO HOLÍSTICO PARA ALÉM DO BEM E DO MAL

Pergunta: Ouvimos aqui as experiências de muitas pessoas e grande parte do que lhes aconteceu me parece puro mal. Refiro-me a abusos de crianças e coisas desse tipo. No entanto, o senhor aparentemente não faz julgamentos.

Hellinger: Quando *vejo* pessoas, vejo-as no contexto em que vivem, no quadro dos grupos maiores, nos grupos e subgrupos a que pertencem. Qualquer sistema de relacionamento é um todo. Se virmos as pessoas em seus contextos mais amplos, nossas percepções de liberdade de escolha, responsabilidade, bem e mal mudarão. Veremos então que a maior parte das más ações, se não todas, não são cometidas porque as pessoas são intrinsecamente más, mas porque se viram apanhadas numa trama em larga escala. O mal é, acima de tudo, uma função de problemas sistêmicos; não é realmente pessoal.

Bem e mal acham-se ligados sistemicamente. Se quisermos trabalhar com pessoas de modo sistêmico, devemos assumir uma posição além dos juízos morais, uma posição que nos permita contemplar fenômenos sistêmicos maiores e seus efeitos nas pessoas.

Quando, por exemplo, um membro se coloca em posição de superioridade moral, reclama para si mais direitos de pertencer ao sistema do que a pessoa julgada, chegando mesmo a contestar os direitos dela à participação. Isso sempre traz resultados desastrosos. Filosófica ou teologicamente, não tem sentido pensar que algumas pessoas já não pertençam à ordem superior do universo por causa de seu comportamento. As pessoas não escolhem os papéis que o destino as faz representar; esses papéis, no entanto, geram conseqüências para o grupo maior.

Os estudantes que integravam a Rosa Branca*, por exemplo, pertenciam a um grupo extremamente fechado, à margem do grupo principal, e puderam

* A Rosa Branca era um grupo de estudantes de Munique, Alemanha, que se opunham ativamente ao regime nazista. Muitos deles foram presos e executados.

agir como agiram por causa dos seus vínculos internos. A união no grupo capacitou-os a superar o medo da morte e a fazer o que fizeram. Se compararmos os estudantes da Rosa Branca com os nazistas, fica claro que os dois grupos valorizavam coisas diferentes, sendo diferente também o que um e outro exigiam de seus membros e consideravam bom. Não obstante, a dinâmica sistêmica que presidia à união nos dois grupos era quase a mesma: se você agir como os outros, será aceito; do contrário, será excluído. Os grupos a que pertencemos determinam o modo como agimos e, na maioria dos casos, nós não os escolhemos.

Do ponto de vista sistêmico, a diferença capital nas crenças individuais a respeito do bem e do mal é arbitrária. Nenhum grupo sabe o que é melhor para outros grupos maiores. Se os nazistas tivessem vencido, nós provavelmente consideraríamos os membros da Rosa Branca criminosos. Todavia, somos livres para vê-los como heróis porque os nazistas foram derrotados. Muitas crenças a respeito do bem e do mal são determinadas unicamente pelas normas do grupo, e é difícil, para qualquer um, romper essa limitação. Para que a pessoa rompa as limitações da moralidade de seu grupo, ela tem de identificar-se com uma ordem sistêmica mais ampla. Trata-se de um movimento verdadeiramente moral, e é necessário termos vontade e capacidade para suportar o sentimento de culpa e alienação que sobrevém quando violamos o que nossos amigos e familiares consideram bom.

Em psicoterapia sistêmica, é mais simples e mais eficaz evitar por completo os juízos morais, assumindo a postura de que todos são fundamentalmente bons e só praticam más ações quando enfrentam dificuldades. Desse modo, permanecemos livres para vê-los, para tentar compreender por que estão com problemas e descobrir o que é preciso fazer para livrá-los. Já que não nos sentimos moralmente superiores, podemos também observar como nos afetam enquanto trabalhamos com eles. Assim, cada qual preserva a igualdade e a dignidade humana. É bom, em psicoterapia, manter distância da idéia de perversidade pessoal.

Entretanto, o que fizermos trará conseqüências. Arcaremos com a culpa e pagaremos o preço dos males que provocarmos — ainda que os provoquemos por pressão de dificuldades ou de crenças de nosso grupo.

Pergunta: Gosto muito de uma parte de seu trabalho: o respeito. Você respeita as diferenças individuais que em geral consideramos boas ou más.

Hellinger: Vou lhe dizer como faço isso: estou sempre pensando numa boa solução. Segundo a Bíblia, conhecemos a árvore por seus frutos e o dia pelo seu fim. O importante é o desfecho. Quando *vemos* realmente, percebemos que quem clama inocência quase nunca realiza boas obras.

A realidade está sempre contrariando as nossas expectativas. Há uma norma básica na terapia sistêmica com relação ao bem e ao mal, que são geralmente o oposto do que as pessoas nos dizem. Poucas vezes encontrei uma exceção. Nas constelações em que o pai aparece como vilão, convém averiguar a destrutividade e as dificuldades da mãe. Quando a mãe é a vilã, convém observar imediatamente o pai.

Pergunta: Na Alemanha, durante a era nazista, as pessoas não tinham nenhum senso crítico: obedeciam como carneiros. Não quero dizer que eu faria melhor nas mesmas circunstâncias, e é justamente isso que torna tudo tão difícil para mim. Como decidir quando devo acreditar nas autoridades e submeter-me e quando duvidar e resistir?

Hellinger: Creio que existe um erro básico no pensamento ocidental. Achamos que as pessoas têm o poder de escolher e moldar seu destino; ora, há forças poderosas que nos influenciam e não podemos controlar, forças que se impõem à nossa liberdade de opção: as históricas, por exemplo. Pensemos nas mudanças do bloco europeu-oriental. Nenhuma pessoa provocou isso, nem mesmo Gorbachev. Foi um processo histórico vigoroso que envolveu milhões de criaturas, mudando suas vidas quer elas o apoiassem ou não.

O que julgamos destrutivo ou perverso é uma força desse tipo, que envolve as pessoas e as arrasta. O mal se presta a algo que está além de nossa compreensão e controle.

Pergunta: Mas que dizer da responsabilidade pessoal? A força do destino anula essa responsabilidade?

Hellinger: Você pergunta em termos psicoterapêuticos ou éticos? Quando você considera alguém pessoalmente responsável, decide de maneira implícita que essa pessoa deveria ter agido de outra forma, caso em que então as coisas seriam melhores. Decide, de maneira implícita, que sabe o que a pessoa deveria ter feito. Essa é uma postura de superioridade moral sem nenhum valor terapêutico. Se a pergunta for em termos psicoterapêuticos, será melhor ajudar a pessoa a encontrar uma solução que cure ou a corrigir o que estiver errado. Se a pergunta for em termos éticos, você prestará atenção ao passado, onde não há nenhuma liberdade de escolha. A pergunta terapêutica enfoca o presente, onde uma ação corretiva ainda é possível.

Pergunta: Quer dizer então que somos controlados pelo destino e não temos nenhuma liberdade de escolha, nenhuma responsabilidade?

Hellinger: Não exageremos. Essa foi sua experiência concreta ou está levantando uma questão puramente hipotética? É claro que podemos influenciar o curso dos acontecimentos e *somos* responsáveis pelo que fazemos, ainda que envolvidos em uma situação fora de nosso controle. Contudo, só temos liberdade de escolha nas pequenas coisas. As conseqüências de nossos atos para os sistemas de relacionamento e o todo maior continuam sendo de nossa responsabilidade. E é a responsabilidade que realmente importa. As conseqüências permanecem, sintamo-nos ou não culpados pessoalmente. A questão se resume em saber se temos coragem para encarar com honestidade o que fazemos e a verdadeira natureza das conseqüências.

Pergunta: Penso que a responsabilidade só pode ser definida em termos pessoais, que só o indivíduo é responsável. Não se pode responsabilizar a história ou a sociedade pelos atos das pessoas.

Hellinger: Sim, a pessoa é responsável quando é livre. Mas, se for apanhada num torvelinho de acontecimentos, já não será livre. As pessoas são responsáveis no sentido de que o que fazem traz conseqüências — talvez mais para os outros do que para elas próprias. A liberdade de escolha, porém, é freqüentemente muito limitada. Nós arcamos com a responsabilidade sistêmica pelas conseqüências de nossos atos mesmo quando esses atos não foram livremente determinados.

OS ATOS TÊM CONSEQÜÊNCIAS

Pergunta: Você então não condenaria os guardas dos campos de concentração — ou melhor, os oficiais — que enviaram milhões de judeus para as câmaras de gás?

Hellinger: Ao contrário! Condeno-os. Eles cometeram crimes hediondos contra a humanidade e precisam aceitar as conseqüências de seus atos. Ainda assim, estavam enredados em alguma coisa maior que eles. Considerá-los responsáveis por seus atos e, ao mesmo tempo, compreender que estavam envolvidos num mal bem maior é diferente de julgá-los moralmente como pessoas perversas — e sentir-se moralmente superior a eles. Você tem de decidir se vai pensar moralmente, legalmente ou sistemicamente. Todas as ações perversas são cometidas por pessoas que pensam ser, em algum ponto, melhores que as outras; e, como seus juízes também se consideram melhores, correm o mesmo perigo de perpetrar o mal. A polícia secreta da ex-Alemanha Oriental, por exemplo, fez coisas terríveis. Agora está sendo julgada por suas vítimas, mas quem delata esses policiais corre grande perigo de tornar-se como eles. A espionagem, a denúncia e a intimidação continuam. Ocorre apenas que outras pessoas estão se encarregando da tarefa. As vítimas de ontem são os algozes de hoje e pensam saber mais — exatamente como a polícia secreta fazia. O mal prossegue, inabalável.

Quando assumimos posturas de correção moral e agimos como se soubéssemos o que é melhor para os outros, sempre prejudicamos as ordens sistêmicas mais amplas.

Pergunta: Quando você trabalhou com Beno, disse que seu pai era um assassino por ter enviado o irmão excepcional de Beno para uma instituição, durante o Terceiro Reich. Mas, pelo que está dizendo agora, parece-me que o pai de Beno não era um assassino. Ele não matou o menino; os nazistas o mataram. Ele foi vítima das circunstâncias — como o próprio menino. Quero dizer que, numa dada situação histórica, ele foi arrastado pela moral cultural vigente e colocou o filho num asilo. Não agiu, pois, como você afirma: como assassino. Parece inconsistente chamá-lo assim.

Hellinger *(para o grupo)*: Prestem atenção porque essa pergunta afeta vocês. Trata-se de uma intervenção leviana, que compromete a seriedade do caso. Ele está nos induzindo a debater questões éticas. Quando eu disse que o homem era um assassino, descrevia o efeito de suas ações em seu sistema familiar. Não o estava julgando pessoalmente perverso. Sem dúvida, foi apanhado pelo espírito da época, mas para nosso trabalho pouco importa qual tenha sido a sua motivação. A criança está morta. É com isso que nos preocupávamos, com o efeito dessa morte em Beno. Uma questão de vida ou morte. Uma questão consistente. A criança fora instada a renunciar à vida em proveito da família. Foi um enorme sacrifício. Quando ocorre uma injustiça dessa grandeza, algum membro da família é forçado a dar compensação. E isso Beno estava fazendo sem saber.

Quando um pai mata um filho, ainda que haja circunstâncias atenuantes, o filho continua morto. Tanto o pai quanto os outros membros da família se vêem obrigados a suportar esse fato e suas conseqüências. Reconhecer as dificuldades do pai não muda as conseqüências. Se assim fosse, a vítima seria forçada a sofrer todas as conseqüências do problema e o agressor, nenhuma. Isso é loucura! Responsabilizar as pessoas por seus atos não é a mesma coisa que julgá-las boas ou más.

A COMPREENSÃO DOS PRINCÍPIOS DA AJUDA

Pergunta: Quando alguém faz uma pergunta abrangente, você às vezes responde com uma única frase e passa adiante. Dias depois, no entanto, volta ao mesmo tema.

Hellinger: Se de fato respeitarmos as pessoas, devemos renunciar ao desejo de ajudá-las e resgatá-las. Uma importante descoberta antiga talvez nos oriente nisso: pode-se praticar uma ação pela "não-ação" deliberada. Estar ativamente presente sem agir de modo intencional cria uma força compacta que atua pela não-ação, que não é recuo ou omissão. A omissão nada traz de bom. Lao-tsé descreveu magnificamente o princípio da não-ação no *Tao te Ching*:

O Mestre

Repousando na ação, não agindo,
Ensinando, não falando:
Diante dele, todos os seres estão presentes.
Dá-se inteiro aos que chegam;
Sem possuí-los, convence-os,
Sem agarrá-los, toca-os.
Não permanecendo, findo seu trabalho,
Deixa-os livres.
Sem se apegar a eles,
Não fica abandonado.

Quando o terapeuta acolhe ativamente o que *vê* dentro de si mesmo, sem dizê-lo, o que ele viu também acontecerá muitas vezes com o cliente. Não raro, é mais fácil para o cliente encontrar solução se o terapeuta nada fizer ativamente. É difícil conduzir ativamente a não-ação, mas ela deixa o cliente livre para descobrir. De qualquer forma, o terapeuta não pode controlar o que os clientes fazem com suas intervenções.

Pensei muito na história do jovem rico que se afastou após conversar com Jesus e concluí que era um bom modelo para a terapia. O terapeuta tem de respeitar a liberdade do cliente de ir embora sem se deixar mudar. É uma questão de respeito básico pela liberdade individual — inclusive a de fracassar e permanecer problemático. A boa terapia deve estar presente nos relacionamentos sem a intenção de alcançar objetivos específicos. Ou seja, até certo ponto, precisamos renunciar a quaisquer tentativas de influenciar o cliente. Esse tipo de presença cria o espaço vazio em que a cura poderá ocorrer. Tudo o que ultrapassa o mínimo necessário para incentivar a mudança debilita o cliente. Em terapia, menos é geralmente mais.

Petra: Às vezes, sinto que poderei fazer terapia até cair morta sem que nada realmente aconteça.

Hellinger: Até cair morta?

Petra: Sim, sem que nada aconteça.

Hellinger *(amavelmente)*: Você está inflada de auto-importância.

Petra: Para mim, é muito importante ajudar pessoas sofridas.

Hellinger: Vou lhe contar uma pequena história que explica o que está por trás de seus sentimentos. Mas devo adverti-la de que ela terá graves conseqüências se você realmente entendê-la.

Crença

Um homem contou que ouvira duas pessoas discutindo sobre qual seria a reação de Jesus se, após dizer ao inválido: "Levanta-te, toma o teu leito e vai para casa", o homem respondesse: "Mas não quero fazer isso."

Um dos interlocutores propôs: "Jesus, provavelmente, ficaria em silêncio por alguns momentos e, em seguida, voltando-se para os discípulos, diria: 'Ele faz mais honra a Deus do que eu'."

Pergunta: Os filhos de meu irmão são todos adotivos. Vieram de diferentes famílias e um deles não está se dando bem. Como posso ajudá-los?

Hellinger: No momento, ajudará mais se deixar o problema como está. Eles próprios encontrarão respostas sem que você precise se envolver.

Pergunta: Mas não poderei interferir quando o momento for apropriado?

Hellinger: Num de meus seminários, havia uma terapeuta cuja filha se casara com um homem esquizofrênico, apesar da oposição da família, e o casal já tinha muitos filhos. Mãe e filha viviam em constante conflito, o que é uma situação particularmente difícil em se tratando de uma terapeuta. Sugeri-lhe então: "Evitem contato por dois anos. Deixe sua filha em paz durante esse tempo." Findo o prazo, recebi uma carta da terapeuta. Acabara de visitar a filha pela primeira vez após os dois anos e tinham se entendido bem.

Pergunta: Eu ainda não disse nada a meu irmão sobre as crianças.

Hellinger: Certas pessoas não conseguem deixar de atirar a tocha das boas ações no paiol do mundo *(risos)*. Um homem contou-me a história de dois amigos. Um deles caiu doente e o outro assistiu-o a noite inteira. De manhã, o doente se recuperou, mas o assistente morreu.

Se seus sobrinhos precisarem de ajuda, virão até você ou darão um jeito de informá-la do que necessitam. Enquanto isso, você aprenderá a estar presente sem agir. Se conseguir, passará a encarar a ajuda de uma forma completamente diferente. O pior erro daqueles que supõem estar ajudando é fazer mais do que os outros realmente querem ou podem assimilar. Eis uma história que talvez leve você a compreender como ajudar as crianças.

A Cura

Na terra de Aram — atual Síria —, viveu outrora um velho general muito conhecido pela força e a coragem em combate. Um dia, esse homem adoeceu e não pôde mais ter contato com as pessoas, nem mesmo com sua própria esposa. Contraíra a lepra.

Ele ouviu de uma escrava que havia um homem em sua terra capaz de curar aquela doença. O velho general providenciou numeroso séquito, dez talentos de prata, 6 mil peças de ouro, dez trajes cerimoniais e uma carta de apresentação do próprio punho do rei. Em seguida, saiu em busca do grande curador.

Após longa jornada e muitas aventuras, chegou à casa onde o curador vivia e pediu para entrar. Ficou esperando com seu séquito, seus tesouros e a carta do rei. Ninguém, contudo, veio atendê-lo. Começou a ficar impaciente e um pouco nervoso. Uma criada abriu uma portinha lateral, aproximou-se e disse: "Meu senhor mandou dizer-lhe que vá se banhar no Jordão para curar-se."

O general pensou que estavam zombando dele. "Quê?", exclamou. "E ele ainda se considera um curador? O mínimo que poderia fazer seria vir até aqui pessoalmente, invocar seu Deus, cumprir um longo e complicado ritual e, em seguida, tocar cada chaga de meu corpo com a mão. Isso, sim, me ajudaria. Mas não, o patife quer que eu vá tomar banho no rio!" Afastou-se com raiva e voltou para casa.

Esse seria de fato o final da história, mas, como se trata de um conto de fadas, deve ter um final feliz. Assim...

Enquanto o general fazia o caminho de volta, a escrava foi procurá-lo de novo e disse-lhe mansamente: "Querido Senhor, se o curador exigisse de vós algo de extraordinário, teríeis obedecido. Se vos mandasse navegar para longe, adorar deuses estranhos, renunciar à riqueza e ficar em contemplação por anos a fio, vós certamente teríeis feito isso. Mas apenas pediu que fizésseis uma coisa muito simples." O general então se deixou convencer de bom grado pela escrava.

Dirigiu-se ao rio Jordão e banhou-se demoradamente em suas águas, embora ainda um tanto aborrecido e sem muita convicção. Porém, ao contrário do que esperava, um milagre ocorreu e ele se viu curado.

De volta ao lar, sua esposa espantou-se ao vê-lo saudável e quis saber tudo o que acontecera. "Ah", disse ele, "estou me sentindo muitíssimo bem, mas além disso nada de especial aconteceu."

SOLUÇÕES, NÃO PROBLEMAS

Pergunta: Freqüentemente, quando trabalhamos com grupos e os clientes apresentam seus problemas numa constelação, nada acontece.

Hellinger: Pois vou lhe dizer por quê. É porque você não está *vendo*. Se olhar um problema como problema, terá um problema. O ato de ver só funciona quando buscamos soluções. Se você diz que um cliente "apresenta um problema numa constelação", já está às voltas com uma definição do problema ou com algum diagnóstico. Tente perguntar-se: "Que deverá acontecer? Aonde o cliente quer chegar e de que precisa para chegar lá?" Então começará a ver a luz no fim do túnel e poderá nadar a favor da corrente. Não precisamos de um problema para encontrar uma solução.

Sem dúvida, em psicoterapia, existe a gloriosa tradição de tratar problemas como se entendê-los significasse resolvê-los. Mas é muito fácil envolver-se com o problema e ignorar a solução. De um ponto de vista sistêmico, os problemas nada mais são que tentativas frustradas de amar, e o amor que alimenta o problema pode ser redirecionado para solucioná-lo. A tarefa terapêutica consiste, acima de tudo, em encontrar o ponto em que o cliente ama. Se descubro esse ponto, tenho uma base de apoio para a terapia. Quando o cliente encontra um modo apropriado e maduro de amar, o problema se dissolve e o amor que alimentava o problema o resolve.

Pergunta: Há ciúme quando a mulher reclama que o marido não se entrega totalmente ao casamento porque ainda não se afastou da mãe?

Hellinger *(longa pausa)*: Ajudaria se ela dissesse: "Respeito o amor que você sente por sua mãe"? *(Para o grupo)*: Eis aí um ótimo exemplo da mudança de foco do problema para a solução. A força criativa não funciona em relação ao problema, só em relação à solução. O movimento rumo à solução é o amor; e o ato de *ver* só favorece as boas intenções e o afeto. Quando encontro uma pessoa com um problema e descrevo-o para ela, estou em posição isolada, mas é como iguais que buscamos juntos uma solução.

Outra dificuldade surge quando, após encontrar a solução, queremos também uma teoria sobre ela. Perdemos a solução se a teorizamos. A teoria é sempre insignificante perto da experiência que tenta descrever e não dá conta de seu alcance total. Quando alguma coisa acontece e procuro explicá-la com uma teoria, fico apenas com a ponta do *iceberg*. Eis por que cheguei lentamente a uma posição em que evito teorias. Em vez de adotar uma teoria sobre como as coisas são ou deveriam ser, tenho um vasto acervo de experiências com pessoas reais e me esforço para descrever acuradamente diversos tipos de situações concretas, que em seguida passam para meu acervo. Assim, estou sempre aberto a novas experiências. Não preciso me preocupar com casos que porventura venham a contrariar minha teoria nem limitar minhas intervenções ao âmbito dessa teoria, a fim de provar a mim mesmo que ela está certa ou errada. Sou livre para concluir se as teorias funcionam ou não. Se algo de novo e inesperado acontece, adquiro outra experiência para minha coleção.

Pergunta: Impressiona-me a maneira atenta com que você escuta as pessoas. Todavia, interrompe-as tão logo as vê empenhar-se na descrição de seus problemas. Isso é muito importante.

Hellinger: Sim. Quando falam de seus problemas, as pessoas querem que você aceite sua visão do mundo. E sua visão do mundo justifica seus problemas. É um forte impulso. Por isso, temos de interromper imediatamente a descrição de problemas. Se não o fizermos, ficaremos enredados em seu sistema de crenças. E uma vez ali dentro, fica difícil avistar alguma coisa lá fora, de modo que é impossível ajudá-las a encontrar uma solução.

Uma mulher perguntou-me certa vez: "Você trabalha com hipnose?" Respondi: "Às vezes". E ela: "Tenho aqui uma cliente cujo psiquiatra deu-lhe uma sugestão hipnótica que tem sido muito prejudicial. Precisa de alguém que a hipnotize de novo para descobrir qual foi exatamente essa sugestão e dar-lhe outra que anule a primeira." Declarei: "Isso é loucura, uma ilusão. Não trabalho dessa maneira."

Em situações assim, o melhor é interromper. Devemos interromper a descrição de problemas no ponto em que percebermos uma pressão para aceitar, como reais, fantasias malucas sobre o mundo. Se a descrição fosse correta, o problema estaria resolvido. Se não está, a descrição é, por definição, errônea.

Em regra, os problemas são descritos de maneira a evitar uma solução. Por isso, num grupo, não preciso ouvir todas as descrições apresentadas pelos participantes: são certamente falsas. Fossem verdadeiras e eles não estariam mais falando no assunto. A descrição correta de um problema já contém a sua solução.

Pergunta: Muitas vezes não sei quando interromper alguém.

Hellinger: Quando você está trabalhando com um grupo, deve saber se o que está sendo dito é relevante ou não. Se o grupo se mostra inquieto, não é relevante. Então, interrompa a pessoa. Se estiver trabalhando com pessoas, faça-as saber delicadamente que está começando a perder o interesse e pergunte-lhes se também não notaram uma mudança. Descubra se continuam interessadas no processo. É uma maneira menos difícil de interromper.

Pergunta: Não entendo o que você quer dizer com "descrição correta do problema". A meu ver, existem muitas descrições alternativas de um problema, muitos modos de encará-lo que podem ser igualmente úteis.

Hellinger: O que é certo não depende de escolha: ou funciona ou não funciona. A "descrição correta" é a primeira capaz de oferecer uma solução. Precisamos apenas de uma. Mas achar uma boa solução não significa que o cliente vá implementá-la. É importante saber que, quando as pessoas entram por um caminho — o caminho do sofrimento, por exemplo —, fazem-no por amor, ainda que seja um amor distorcido ou cego. Não devemos interferir sem sua permissão.

Um Golpe Prudente

Numa ilha longínqua dos Mares do Sul, mal nasceu o sol, um macaquinho subiu ao topo de uma palmeira e, apanhando um coco bem pesado, pôs-se a gritar o mais alto que podia. Um camelo, ouvindo o barulho, aproximou-se, olhou para cima e perguntou: "Que se passa?"

"Estou esperando a rainha dos elefantes. Vou partir este coco em sua cabeça para que ela não mais possa ver ou raciocinar." O camelo pensou: "Mas que se passa realmente?"

Ao meio-dia, um leão se acercou e, ouvindo o estardalhaço que o macaquinho fazia, olhou para ele e perguntou: "Precisa de alguma coisa?" "Sim", replicou o macaquinho, "preciso da rainha dos elefantes. Vou golpeá-la na cabeça com este coco e derramar-lhe os miolos". O leão pensou: "De que precisará ele realmente?"

À tarde, apareceu um rinoceronte que, curioso, perguntou ao macaquinho: "Qual é o seu problema?"

"Estou esperando a rainha dos elefantes. Quero rachar-lhe a cabeça com este coco para que ela não possa mais ver nem ouvir." O rinoceronte pensou: "Sim, ele tem um problema."

À noite, surgiu a própria rainha dos elefantes. Esfregou o dorso na palmeira e alçou a tromba para alcançar algumas folhas. Lá em cima estava tudo na mais perfeita calma. Quando avistou o macaquinho, ela perguntou: "Precisa de alguma coisa?"

O macaquinho respondeu: "Não, não preciso de nada. Hoje eu disse algumas tolices, reconheço, mas sem dúvida Vossa Majestade não levou nada a sério, não é?" A rainha dos elefantes pensou então: "Ele precisa mesmo de alguma coisa." Depois, avistando sua manada ao longe, partiu.

O macaquinho pôs-se a refletir. Após algum tempo, desceu da palmeira, quebrou o coco numa pedra, bebeu-lhe a água e comeu-lhe a polpa.

A "RESISTÊNCIA" COMO AMOR DESLOCADO

Pergunta: Você não parece se preocupar de modo algum com a resistência. Fui treinado para tentar identificar a resistência o mais rápido possível, mas você não parece preocupar-se com isso.

Hellinger: Aos poucos, foi ficando claro para mim que os clientes têm forte tendência a usar sua força para apegar-se aos problemas e evitar soluções. Isso tem muito que ver com o fato de os problemas psicológicos, a infelicidade ou os sintomas nos darem a segurança íntima de que poderemos continuar integrando o nosso grupo. O sofrimento é a prova de que nossa alma pueril necessita para não se sentir culpada perante a família. Ele garante e protege o direito de participação. Toda desventura causada por dificuldades sistêmicas é acompanhada pela satisfação profunda de pertencer à família.

Portanto, achar soluções para os nossos problemas é algo de ameaçador e desagradável. Traz consigo o medo de perder os vínculos, os sentimentos confortadores de culpa e traição, o favor, a confiança do grupo. Quando lutamos por uma solução, imaginamos estar rompendo as normas familiares a que até então obedecemos e sentimo-nos culpados. Solução e felicidade parecem perigosas porque acreditamos que nos vão tornar solitários. Problemas e vicissitudes, por outro lado, fortalecem o sentimento de participação. E, muitas vezes, esse tipo de participação parece mais importante que a própria felicidade.

Por causa dessa dinâmica, as soluções são acompanhadas freqüentemente de culpa; ora, a mudança exige coragem para encarar a culpa. Ao compadecer-se desse tipo de sofrimento, os terapeutas vêem apenas um lado da situação. É muito importante, para quem deseja ajudar, compreender que a dor sistemicamente provocada sempre acarreta sentimentos de segurança e inocência. Pedir às pessoas que mudem é pedir-lhes que renunciem à inocência.

COMO DISTINGUIR OS DIFERENTES TIPOS DE SENTIMENTOS

Pergunta: Sempre tentei conciliar as pessoas com os seus sentimentos, mas você, muitas vezes, impede que elas expressem livremente o que estão sentindo. Quando você faz isso, o efeito é em geral notável e as pessoas de fato empreendem um movimento real. Pode explicar melhor o que acontece nesses casos?

Hellinger: Distingo quatro tipos diferentes de sentimentos: primários, secundários, sistêmicos e metassentimentos.

A diferença principal entre sentimentos primários e secundários é que os primeiros estimulam a ação construtiva, enquanto os secundários consomem a energia que, de outro modo, iria estimular mudanças. Sentimentos que geram ação efetiva fortalecem as pessoas. Os que embaraçam ou substituem a ação efetiva, ou ainda justificam a omissão, enfraquecem-nas. Chamo, pois, os sentimentos que geram ação construtiva de *sentimentos primários* e os outros de *sentimentos secundários*.

Os sentimentos primários são simples e não exigem descrição minuciosa. São fortes sem ser dramáticos ou exagerados. Por isso, embora excitantes e vívidos, trazem uma sensação de segurança e calma. Existem, é claro, situações dramáticas, às quais convêm emoções igualmente dramáticas. Há uma diferença, por exemplo, entre o medo dos soldados na frente de combate e o medo que sentimos nos pesadelos.

Muitos sentimentos com que lidamos em terapia são secundários. Sua função principal consiste em convencer os outros de que não podemos encetar ação efetiva, razão pela qual têm de ser sentimentos dramáticos e exagerados. Quando sob o império de sentimentos secundários, somos fracos e os demais presentes sentem a necessidade de ajudar. Se as emoções forem suficientemente dramáticas, os que pretendem ajudar não percebem que, na verdade, pouco há a fazer em tal situação.

Quando as pessoas cultivam sentimentos secundários, evitam contemplar a realidade. Esta compromete as imagens interiores necessárias para manter esses sentimentos e prevenir mudanças. Quando essas pessoas "trabalham" com terapia, freqüentemente fecham os olhos e se recolhem ao seu mundo particular. Respondem por outro modo ao que lhes é perguntado, mas quase nunca percebem o que fazem. Convém lembrá-los de que devem abrir os olhos e observar o mundo. Eu costumo dizer-lhes: "Olhem para cá. Olhem para mim." Se conseguirem abrir os olhos e ver realmente, mas ainda assim continuarem com o mesmo sentimento, é porque se trata de um sentimento primário. Mas se o sentimento lhes fugir tão logo abrirem os olhos e começarem a ver, podemos estar certos de que foram envolvidos por sentimentos secundários.

Quando sentimentos primários emergem na terapia ou na vida, os presentes demonstram naturalmente compaixão, mas sentem-se também livres para responder de maneira adequada. A pessoa que ostenta esses sentimentos permanece forte e capaz de agir efetivamente. Dado que eles conduzem a um objetivo definido, não duram muito: surgem, executam seu trabalho e vão embora. Não fazem rodeios. Resolvem-se graças a uma expressão apropriada e a uma ação efetiva, correta.

Os sentimentos secundários, por sua vez, duram mais e pioram com a expressão, ao invés de melhorar. Esse é o motivo básico pelo qual as terapias que encorajam a expressão de sentimentos secundários são tão demoradas.

Desejo corrigir também outro conceito errôneo sobre a perda de controle. É algo que aprendi com a Terapia Primal. Muitas pessoas supõem que, curvando-se a uma necessidade ou sentimento premente, perdem o controle. Não é verdade. Quando acedemos a um sentimento primário — por exemplo, à dor elementar de uma separação, a uma cólera justa ou a um forte desejo —, e confiamos plenamente nesse sentimento, tanto este quanto a necessidade são naturalmente controlados.

Os sentimentos primários vão até onde convém. Ninguém fará nada vergonhoso por causa de um sentimento primário, pois este sabe reconhecer os limites da vergonha. É muito raro que se zombe de uma pessoa que exibe um sentimento primário. Ao contrário, os outros em geral se comovem profundamente e participam da experiência.

Isso se aplica apenas aos sentimentos primários. Os sentimentos secundários não conhecem os mesmos limites à vergonha e é muito fácil bancar o idiota expressando-os. Não se pode confiar neles.

Mas os sentimentos secundários têm o seu fascínio. São dramáticos, excitantes, dão a ilusão de vida. Todavia, o preço dessa vida é as pessoas ficarem eternamente fracas e indefesas.

As explicações ou interpretações também perturbam um cliente. Em vez de conduzir efetivamente as pessoas a seus sentimentos primários, elas tendem a mantê-los intoxicados de imagens que alimentam os sentimentos secundários.

O luto, por exemplo, pode ser primário ou secundário. O luto primário nada mais é que a dor lancinante da separação. Se nos submetemos à dor, permitindo que ela execute seu trabalho, o luto finalmente encontra sua própria saciedade e nós ficamos livres para começar de novo. Muitas vezes, entretanto, as pessoas recusam submissão ao luto, transformando-o, ao contrário, em sentimento secundário, autopiedade ou tentativa de atrair a piedade alheia. Esse luto secundário pode durar a vida inteira, inviabilizando uma separação limpa e terna, e negando a evidência da perda. Trata-se de um mau substituto para o luto primário.

A culpa primária conduz à ação saneadora. Se aceitamos a culpa, fazemos naturalmente o que é possível e necessário para corrigir os erros, endireitar a situação e viver com o que não pode ser mudado. A culpa secundária transforma ação em preocupação. Não promove mudanças: na verdade, previne-as. As pessoas podem remoer um bom problema durante anos, como o cão rói seu osso, mas nada muda. Atormentam-se e atormentam os outros, sem nenhuma alteração produtiva. As pessoas que precisam evitar mudanças positivas, por uma razão qualquer, devem converter a culpa primária em culpa secundária.

O desejo de vingança pode ser também primário e secundário. A vingança primária possibilita a reconciliação porque liberta tanto a vítima quanto o agressor. A vingança secundária preserva a agressão e o desequilíbrio sistêmico, impedindo que se chegue a uma solução. Exemplo disso são as lutas de clãs herdadas de gerações anteriores. Os vingadores se acham no dever de cobrar prejuízos que não sofreram e seus atos se voltam quase sempre contra os que não fizeram nenhum mal.

A cólera tem formas primárias e secundárias. A cólera primária purga um relacionamento e passa sem deixar cicatrizes. A cólera secundária contra alguém freqüentemente se segue a um dano que lhe infligimos, e o ofendido tem boas razões para odiar-nos. Ficando encolerizados, rebatemos seu ódio. A cólera secundária, como a culpa secundária, é muitas vezes um pretexto para não agir. Nos relacionamentos, a cólera costuma ser utilizada para não pedir o que se quer, como: “Você nunca percebeu que eu necessitava de alguma coisa.”

Outro exemplo é o homem que se julga merecedor de um aumento salarial, mas nunca o pede. Em vez de procurar o patrão e negociar com ele, vai para casa encolerizado com a esposa e os filhos.

Quando o sofrimento é primário, os clientes suportam o que tem de ser suportado para, em seguida, juntar os pedaços de suas vidas e começar de novo. Quando o sofrimento é secundário, iniciam outra rodada de dores. Queixar-se de algo não passa, geralmente, de uma distorção secundária da aceitação da realidade.

A diferença entre o que fortalece e o que enfraquece aplica-se também a várias outras áreas, como o conhecimento e a informação. Podemos perguntar-nos: "Esse conhecimento facilita uma solução ou a impede? Essa informação estimula a ação ou a embaraça? O que está acontecendo fortalece ou enfraquece as pessoas, impulsiona ou anula a ação efetiva em prol de mudanças?" Estou menos interessado em ajudar pessoas a "pôr para fora seus sentimentos" do que em promover mudanças construtivas. Extravasar sentimentos às vezes é bom, mas freqüentemente obstrui a mudança.

Recomendo, pois, aos terapeutas que evitem a todo custo lidar com sentimentos secundários e distraiam o cliente, talvez contando-lhe uma anedota oportuna ou fazendo-o concentrar-se em outra coisa. Minha intenção não é modificar as experiências dos clientes e sim orientá-los rumo a seus sentimentos primários, que constituem um pré-requisito para a descoberta de soluções.

Pergunta: A distinção entre sentimentos que enfraquecem e os que fortalecem é nova para mim, mas fascinante. Uma coisa tão simples! Contudo, não saberia dizer se o choro me enfraquece ou liberta.

Hellinger: A força pode residir na continência emocional. Sabe o que é continência?

Pergunta: Moderação.

Hellinger: Não exatamente. Você sabe o que é *incontinência*, portanto continência é não sujar as calças. Não é o mesmo que moderação: tem qualidades de competência e energia. Você pode observar meu trabalho com sentimentos que enfraquecem. E pode aprender a reconhecê-los: são sentimentos que de certo modo induzem as pessoas a fazer alguma coisa, como se elas não pudessem fazê-la por si mesmas. Servem de pretexto para não agir e para remoer problemas. Eis a razão pela qual, usualmente, você não consegue fazer um trabalho efetivo com um cliente que nutre sentimentos secundários.

A terceira categoria engloba sentimentos tirados do sistema. Isso acontece quando a pessoa toma como seu um sentimento alheio. Achamos estranho alguém pensar que seu sentimento não é seu, mas de outrem. Todavia, por mais estranho que pareça, isso acontece muito nas constelações e geralmente é fácil de reconhecer. Depois que o reconhecemos, passamos a vê-lo em outras situações. Sempre que nutrimos um sentimento alheio, somos envolvidos por algo que não nos diz respeito. Por isso nossas tentativas de modificar a situação costumam falhar.

Pergunta: Estou muito interessado na idéia de emoções tiradas do sistema, pois tenho freqüentemente essa experiência. Às vezes, fico irritado. Há algo de excessivo e impróprio nesse sentimento. Mais tarde, sinto-me bastante mal, como se não fosse eu a pessoa que ficou irritada.

Hellinger: Sim, esse tipo de cólera e irritação costuma estar associado a uma exagerada necessidade sistêmica de justiça. O desejo de vingança, tentativa de fazer justiça a alguém do passado, é muitas vezes extraído do sistema. Esses sentimentos são em geral bem menos fortes quando as injustiças foram cometidas contra o vingador. É como se a identificação com alguém de nosso passado de fato avivasse os sentimentos, assim como os sonhos avivam determinadas emoções.

Pergunta: São precisamente esses os sentimentos com que acho mais difícil lidar.

Hellinger: Sem dúvida. Para lidar corretamente com sentimentos dessa natureza, é preciso passar por um processo de purificação ou iluminação interior. Temos de nos livrar da contaminação sistêmica que na verdade não nos pertence.

Pergunta: Muitas vezes sinto-me agredida pelas pessoas, sobretudo por meu marido. A agressão parece acontecer de repente e não consigo evitá-la. Durante anos tentei manter isso sob controle, mas ainda é muito fácil magoar-me. Seria essa uma emoção de empréstimo?

Hellinger: Para nos certificarmos, teríamos de montar uma constelação. Entretanto, a julgar pelo modo com que você descreve o fato, bem poderia ser. Talvez você tenha se identificado com alguém que realmente era agredido.

Há ainda uma quarta categoria. Chamo-a de *metassentimentos*. Eles são de qualidade inteiramente diversa. Trata-se de sensações ou sentimentos destituídos de emoções. São energia pura, concentrada. Coragem, humildade (a aceitação do mundo tal qual é), serenidade, remorso, sabedoria e satisfação profunda constituem exemplos de metassentimentos. Há também metaamor e metaagressão.

Um exemplo de metaagressão seria o que um médico gentil experimenta ao fazer uma cirurgia ou o que um terapeuta ocasionalmente sente. A disciplina necessária para fazer intervenções respeitosas e estratégicas é metaagressão. Intervenções estratégicas exigem autodisciplina absoluta da parte do terapeuta para atender realmente às necessidades e interesses do cliente; do contrário, degeneram em manipulações abusivas e consomem enorme quantidade de energia.

O remorso autêntico é metassentimento. Quando o remorso é autêntico, as pessoas concentram-se em si mesmas e sabem o que é conveniente para elas. O que fazem é então imediatamente possível, apropriado e eficaz.

Quando as pessoas se sentem mal por estarem na iminência de fazer algo que não convém às suas almas, temos um metassentimento. Podemos chamálo de uma consciência de ordem superior. Às vezes, é a única coisa que nos detém quando o nosso grupo se envolveu num processo destrutivo.

Sentir o que é conveniente para a alma também nos impede de desempenhar um papel herdado do sistema. O papel tem conseqüências; influencia o que fazemos e experimentamos, o que cremos e percebemos, mas não promove a plenitude de nossa individualidade. Por outro lado, uma vez desenvolvida a percepção da metaconsciência, surgem critérios para avaliar o que realmente nos convém. Então as limitações impostas pela dinâmica sistêmica e pelos papéis desaparecem gradualmente.

O coroamento de todos os metassentimentos é a sabedoria. Ela está associada à coragem, humildade e energia vital. Trata-se de um metassentimento que nos ajuda a distinguir o que realmente importa. Ter sabedoria não significa conhecer muito, mas antes ser capaz de determinar o que é ou não apropriado nas circunstâncias imediatas. A sabedoria nos ensina o que nossa integridade pessoal requer de nós em cada situação. Está sempre relacionada à ação. Os atos de um homem sábio não decorrem de princípios, mas da percepção direta do que a situação exige. Por isso o comportamento de um verdadeiro sábio com tanta freqüência nos surpreende.

Quando se manifestam, os metassentimentos são vivenciados como dons. Não se pode forçá-los: eles vêm por conta própria, como bênçãos. São a recompensa da experiência de vida — frutos maduros.

O metaamor é propriedade fundamental do quinhão da vida e podemos senti-lo em todas as áreas de nossa existência, sobretudo nos relacionamentos. O metaamor, além do amor primário, dá aos relacionamentos força e segurança, sendo a fonte da verdadeira responsabilidade, confiança e fé.

SOFRIMENTO INTENCIONAL E SOFRIMENTO POR OBRA DO DESTINO

Pergunta: Freqüento os Alcoólicos Anônimos e sinto-me profundamente tocado pela atmosfera de franqueza e confiança nas reuniões. Todos os membros sofreram muito. Minha pergunta é: essa emoção pode ocorrer num sentido saudável, alegre e feliz ou exige alguma espécie de sofrimento para que se estabeleça um clima de fraternidade e união?

Hellinger: Sua pergunta parece conter a resposta. Portanto, presumo que me consulta a respeito de algo que já conhece. Creio que esse tipo de comunidade não é possível sem um pouco de sofrimento e culpa. Culpa e sofrimento são forças poderosas que estreitam os vínculos de uma comunidade.

Pergunta: Mas não haverá a tentação de cultivar o sofrimento para preservar o sentimento de comunidade?

Hellinger: É claro, mas o sofrimento intencional não cria comunidade. Só o sofrimento por obra do destino pode garantir força e sabedoria aos que o experimentam. A dor auto-induzida ou neurótica não faz nenhum bem. Isso é parte importante do programa dos AA: a não-intencionalidade. Ninguém ali procura mudar os outros.

TRABALHAR COM FATOS, NÃO COM OPINIÕES

Pergunta: Fiz a constelação de minha família de origem em um de seus seminários, há cerca de quatro anos, mas agora observo que você trabalha com o que está no fundo. Sucedeu algo de errado com a família de minha mãe. Ela ficou órfã muito cedo e passou a viver com uma tia materna excessivamente severa.

Hellinger: Evito toda descrição desrespeitosa, toda atribuição de qualidades negativas, como a palavra "severa" que você acaba de proferir. As descrições de caráter são irrelevantes. Esse nível de informação é perturbador e traz confusão. Quando omitimos tais descrições, os fatos concretos da vida das pessoas retomam sua importância. Uma das influências negativas da psicanálise em nossa cultura é a tendência a dar mais importância à interpretação dos fatos do que aos próprios fatos. Isso é absurdo! Vou dar-lhe um exemplo do que quero dizer.

A Morte do Pai Foi Esquecida

Num curso para terapeutas, pedi aos participantes que relatassem os eventos mais importantes de sua infância. Um homem contou que o avô pousara a mão em sua cabeça. Isso fora muitíssimo importante para ele. Depois falou em surras, tombos e por aí além, acrescentando que quando tinha 5 anos seu pai falecera. Perguntei ao grupo qual fora o acontecimento mais importante. Mencionaram todos eles, exceto a morte do pai. Eis a distorção da psicanálise.

Sua mãe foi viver com a tia, que estava preparada para cuidar dela — ponto final. Isso encurta grandemente o processo todo. Nas constelações, a descrição de caráter não faz nenhuma diferença. O que nos ajuda são os fatos simples e as reações dos participantes na própria constelação. Portanto, você pode esfriar a cabeça, está bem?

Pergunta: Sinto-me atraída pelo marido da irmã de minha mãe, embora raramente o veja. Sei apenas que ele nos ajudou muito no campo de refugiados. Afora isso — e talvez eu não devesse dizê-lo —, era completamente maluco.

Hellinger *(para o grupo)*: Percebem o efeito dessas palavras? Finalizando seu relato com a frase "era completamente maluco", ela reduziu suas possibilidades de solução. A solução está sempre ligada à honra e ao respeito. Ela disse algo que merece cumprimentos, "ajudou-nos muito no campo de refugiados", mas arrematou a sentença com um dito que negou sua estima. Revestir coisas boas com coisas negativas é maluquice. E fazer maluquices distorce a realidade. Algo mais?

Pergunta: Pelo contrário *(risos)*.

AS INTERPRETAÇÕES SÓ FUNCIONAM QUANDO TOCAM O AMOR DO CLIENTE

Pergunta: Parece-me que o que você faz é reinterpretar ou rearticular de maneira positiva. Isso é consciente?

Hellinger: A interpretação só é eficaz quando adequada, quando toca o coração do cliente. Eis o princípio terapêutico aplicável aqui. As intervenções só são eficazes quando tocam o amor do cliente, ativam-no, afirmam-no — e as reações do cliente constituem o critério que utilizamos para determinar a adequação da interpretação.

Se não formos cuidadosos, rearticular positivamente uma situação deteriorada pode ser uma intervenção caprichosa que banaliza a seriedade da situação e não funciona. O tipo de intervenção e rearticulação que funciona surge da *visão* do que *é*. Com essa interpretação, ofereço à consciência do cliente o que vi. Interpretações e rearticulações eficazes repousam na verdade.

Há muita discussão em torno da palavra "verdade". Os construtivistas não gostam de empregá-la, mas eu encontrei uma definição que me satisfaz. A verdade é o que fomenta e melhora a vida. Se vocês prestarem atenção, perceberão imediatamente se uma frase é verdadeira nesse sentido — seu corpo responderá com vivacidade se for verdadeira, com contração, enrijecimento e desfalecimento se não for. Quando uma interpretação é verdadeira, as pessoas pressentem-na de imediato; têm uma sensação de alívio físico, uma noção nítida de que "está tudo bem". É difícil definir a verdade, mas é fácil senti-la. Não preciso definir o que a vida requer de mim. Se estou desperto, sinto-a. Em geral, definimos conceitos e objetivos de acordo com o que não queremos e o que não se conforma aos imperativos da existência.

Quando os terapeutas interpretam eventos e pessoas, tentam assumir o controle das vidas dos clientes, agindo como se isso fosse possível. É muita pretensão. Descrever o que vejo não é o mesmo que interpretá-lo. Quando vejo que um evento tem real importância, sigo-o até onde ele possa me levar — sou conduzido, não controlo. Essa é uma atitude humilde, que também protege o terapeuta do orgulho.

EVITAR O ORGULHO E A SUPERINTERPRETAÇÃO

Pergunta: Há cerca de um ano, meu irmão recebeu um diagnóstico de epilepsia e, há vários anos, minha irmã contraiu câncer. Gostaria de colocar minha família de origem porque pretendo descobrir o que está errado ali e restabelecer a ordem.

Hellinger: Essa linha de pensamento é bastante sedutora. Parece-me que sua tentativa de explicar sistemicamente esses fatos está indo longe demais e que sua convicção implícita de poder "restabelecer a ordem" não passa de orgulho.

Sempre que as pessoas perguntam: "Que fiz de errado para contrair câncer?" ou "Qual é a dinâmica psicológica por trás da insanidade de minha família?", para então "restabelecer a ordem", estão sendo excessivamente presunçosas. Quando acalentam a crença de que, se compreenderem o bastante, serão capazes de "restabelecer a ordem", agem como se pudessem controlar suas doenças ou o destino da família corrigindo seu comportamento. Evitam confrontar o fato de que algumas coisas que nos acontecem estão fora de nosso controle. Quando nos vemos às voltas com coisas desse tipo, temos de nos curvar ao destino. Tentar tomar as rédeas do destino gera efeitos negativos na alma por causa de sua extremada presunção.

Uma terapeuta sistêmica procurou-me recentemente. Contraíra grave infecção num dos dedos do pé e o mal estava alcançando seu joelho. Desejava fazer terapia para curar-se. Aconselhei-a a procurar um médico. *Existe* uma coisa chamada doença. Não se pode associar tudo à dinâmica familiar. Quem o faz, enlouquece. Temos de ver a pessoa concreta: ela estará evitando seu destino e sua doença ou encarando-os e tentando viver com eles da melhor maneira possível?

Certa vez, um participante pediu para colocar uma constelação a fim de descobrir qual sistema falso de crenças sua irmã, gravemente enferma, nutria. Eu lhe disse: "A morte não se impressiona com sistemas de crenças." As pessoas são muito tentadas a negar a realidade de sua condição mortal.

Pergunta: Minha irmã contou-me que meu pai, antes de desposar minha mãe, tivera uma noiva. Ele ficou num campo de prisioneiros russo durante anos, após a guerra, e ninguém sabia se iria voltar ou, mesmo, se estava vivo. Sua noiva aguardou algum tempo e depois casou-se com outro. Meu pai morreu há um ano e meio, de ataque cardíaco, embora fosse saudável, não fumasse nem bebesse, e praticasse esportes regularmente. Deve haver alguma ligação entre a rejeição da noiva e sua morte súbita.

Hellinger: Aí está um bom exemplo do que vimos discutindo. É comum a tendência a procurar conexões psicológicas entre as coisas, para criar o sentido de ordem e controle, como estamos fazendo agora. No entanto, quanto mais conexões descobrimos, mais malucos ficamos. Se você descobrir todas as conexões, estará completamente louco. A melhor psicoterapia limita as conexões que o cliente descobre e as reduz ao mínimo.

Pergunta: Continuo a me perguntar o que tudo isso tem que ver comigo.

Hellinger: O que descreveu não tem ligação alguma com você. Seu pai morreu de ataque cardíaco. Isso acontece todos os dias. Tudo o mais é sem sentido. Que houve, afinal? A noiva pensou que ele estava morto e encontrou outro homem. Isso faz sentido e é fácil de entender. Aqueles eram tempos muito difíceis, mas a vida tem de continuar. É assim que deve ser. Você poderá encontrar uma solução corriqueira, também. As pessoas costumam buscar desculpas para sua falta de ação e infelicidade, mas é igualmente possível ir em frente e fazer o que parece melhor.

Pergunta: Certo, mas ainda acho que minha dificuldade em acreditar nas mulheres tem algo que ver com o fato de meu pai ter sido abandonado pela noiva. Gostaria muito de compreender isso.

Hellinger: O caminho direto é o melhor. Trate diretamente com a mulher. Se houver amor, você encontrará um modo de confiar nela. Quando você pensa em todas as coisas que poderiam estar interferindo e teriam algo que ver com o seu pai, está olhando para seus problemas e deixando de ver a mulher. Eis o seu problema: se não vir a mulher, ela irá abandoná-lo. E com toda a razão.

Pergunta: Agora está tudo claro.

EVITAR A SUPERDRAMATIZAÇÃO

Pergunta: Não me agrada que o senhor interrompa freqüentemente as pessoas antes que terminem de contar o que lhes aconteceu. É como se o senhor não respeitasse o passado delas.

Hellinger: As lembranças são mutáveis e, por isso, suspeitas. Quando uma pessoa evoca alguma coisa, não quer dizer que a memória esteja acompanhando a realidade. A pergunta é: "Que lembrança a pessoa escolheu e para quê?" Muitas vezes as lembranças são selecionadas para preservar a condição de vítima ou eternizar um problema, tendência que a psicoterapia costuma reforçar.

Pense em tudo o que a média dos pais faz por seus filhos durante uns vinte anos. Compare isso com as lembranças que os clientes trazem para a terapia. A maioria das vezes, eles escolhem cinco ou seis experiências realmente negativas e esquecem o resto. Quando há um trauma, o fato mais importante é geralmente esquecido: a sobrevivência da pessoa. Quase nunca se leva isso em consideração.

Um cliente lembrou que sua mãe queria pular de uma sacada com ele nos braços. Lembrou-se de que ela soluçava e tentava saltar, mas esqueceu-se de que voltara atrás e não o fizera. Alguém pode dizer: "Minha mãe quis abortar-me!" O fato mais importante de que ela decidiu não abortar é esquecido, mas o de que fora tentada a fazê-lo é lembrado. As lembranças são, freqüentemente, uma armadura moral que ajuda a preservar determinada condição e prevenir mudanças. Aqui, porém, estamos muito mais interessados no desarmamento.

A FALSA CURIOSIDADE PERTURBA O *VER*

Pergunta *(logo após uma comovente constelação familiar, em tom de dúvida e desafio)*: A constelação mudou realmente alguma coisa? Minorou por acaso o sofrimento do cliente?

Hellinger *(para o interrogante)*: Essa pergunta é uma intromissão. Você não lhe deu tempo sequer de digerir sua experiência. *(Para o grupo)*: A pergunta não passa de uma crítica disfarçada. Se o cliente lhe prestasse atenção, ela o desviaria da experiência que acaba de ter.

A pergunta revela falsa curiosidade e ameaça a eficácia do trabalho. A curiosidade é destrutiva quando queremos saber mais do que o necessário para uma ação eficaz. O que ele experimentou já é suficiente para ele. Se tivesse de responder à pergunta, precisaria isolar-se de sua experiência e apelar para a mente racional a fim de formular uma réplica, de modo que o efeito do trabalho seria interrompido. Não se pode nem mesmo inquirir sobre resultados a longo prazo sem diminuir o efeito do trabalho. E tentar saber se uma intervenção em psicoterapia foi ou não bem-sucedida desgasta sua potência, como em "Que será que aconteceu depois de nossos últimos trabalhos?"

Sem dúvida, é necessário investigar cientificamente a eficácia de certas abordagens, mas isso é diferente da curiosidade durante a terapia. Estou falando da atitude interior do terapeuta. Muitas vezes, os terapeutas são tentados a fazer perguntas desse tipo quando, na verdade, o que querem é a confirmação de um bom trabalho. Essa atitude distorce as percepções e a auto-importância do terapeuta — havendo mudança positiva, o terapeuta imagina que a provocou, quando apenas desempenhou nela um papel secundário.

Se vocês conseguirem visualizar a situação terapêutica como parte de um movimento maior, no qual encontram alguém, dão-lhe alguma coisa e vão embora, então todos estarão realmente livres. Importante é o encontro, não o "resultado terapêutico". Isso ajuda muito no trabalho.

Pergunta: Com relação ao seu trabalho, hesito entre a curiosidade e o ceticismo.

Hellinger: Nem a curiosidade nem o ceticismo ajudam. Há dinâmicas que funcionam e dinâmicas que não funcionam. Trabalhamos com as que funcionam. Vou lhe contar uma história sobre a curiosidade.

O Homem Que Queria Saber Tudo

Viveu outrora um homem muito pobre, cuja mulher falecera repentinamente, deixando-o sozinho com muitos filhos e muitas preocupações. Ele não tinha emprego e não sabia como alimentar a família. Certo dia, estando a remoer seus problemas, um amigo falou-lhe de um ermitão que conhecia o segredo de transformar pedras em ouro. Quem sabe poderia ajudá-lo?

O homem resolveu visitar o ermitão e, munindo-se do necessário, pôs-se a caminho.

Ao encontrá-lo, perguntou-lhe: "É verdade que conheces o segredo de transformar pedras em ouro?"

"Sim, é verdade", respondeu o outro. "E poderás ensinar-me esse segredo?"

"Claro. Não é difícil. Na próxima lua cheia, vai até o primeiro vale ao norte daqui, recolhe três seixos do regato e, exatamente uma hora antes da meia-noite, dipõe-nos em círculo sobre uma camada de ramos de pinheiro. Em seguida, esparrama estas cinco ervas — infelizmente, esqueci-lhes os nomes — e acende a fogueira. À meia-noite em ponto, as pedras se transmutarão em ouro."

O homem pobre ficou radiante e correu para fazer o que lhe fora ensinado. Quando descia para o vale, pensou: "Não pode ser. Ele decerto se esqueceu de dizer-me alguma coisa muito importante." Observou a posição do sol e viu que ainda havia tempo: voltou, pois, apressado para junto do ermitão.

"Não me disseste tudo", queixou-se. "Deixaste de mencionar alguma coisa importante."

"Sim, há mais uma coisa", concordou o ermitão, "uma coisa de fato muito importante, mas que não desejas saber."

"Oh, não, desejo saber tudo!"

"Muito bem", prosseguiu o ermitão. "Quando fizeres o que te ensinei, deves ter certeza de que não estás pensando em ursos polares."

PERDA DE CONTROLE

Pergunta: Impressiona-me a leveza com que trabalhamos aqui. Percebo agora que costumo trabalhar num clima pesado e trágico.

Hellinger: O trágico nos envaidece. O estar à vontade e a leveza são atributos da verdade e nos levam longe. Quando alguma coisa é difícil e exige muito esforço consciente, para nada vale. Lembra um burro carregando um fardo pesado por uma estrada comprida e poeirenta. Sente-se cansado, faminto, sedento. À esquerda e à direita, correm prados verdejantes e riachos de água fresca, mas ele avança, dizendo para si mesmo: "Estou no meu caminho." Isso é esforço.

Lars: Busco alguma coisa em mim mesmo, mas não sei o que é. Talvez estabilidade e confiança. Tenho a sensação de que, comigo, tudo é fugidio.

Hellinger *(após longa pausa)*: O que queremos segurar torna-se um peso.

Lars: Também acho.

Hellinger: Aí está! Os terapeutas têm de aceitar o fato trágico de que, muitas vezes, vêm depois que a cura já ocorreu. Pensam estar dizendo algo muito especial, mas logo descobrem que o cliente já o sabia. Não raro, tomam a idéia do próprio cliente, sem o perceber. O Espírito se move como o vento. Algo mais, Lars?

Lars (*emocionado*): Sim. Tento preservar um sentimento de gratidão que já conheço, mas que sempre me escapa. Gostaria de segurá-lo por mais tempo.

Hellinger: A gratidão é passageira e convém que assim seja. Que aconteceria se alimentássemos o tempo todo um sentimento de gratidão?

Lars: Venho refletindo muito sobre a minha necessidade de manter as coisas sob controle ou deixar que elas apenas aconteçam. Vou e venho.

Hellinger: Eis uma história sobre controle.

Não Me Esperem

> Uma mulher queixou-se para mim de um horrível ritual em sua casa. Todo domingo, seu marido pulava cedo da cama, vestia as crianças e preparava o café da manhã, enquanto ela permanecia deitada. Pronto o café, marido e filhos chamavam-na: "O café está na mesa!" Ela estava na cama ou às vezes no banho, e respondia: "Não me esperem. Comecem sem mim." Mas eles a esperavam e, todo domingo, o café estava frio quando ela finalmente chegava, já com raiva. Todo santo domingo era a mesma coisa: "Comecem sem mim", dizia a mulher, eles a esperavam e ela ficava com raiva.

Isso aconteceu há muitos anos e eu ainda era um pouco ingênuo — pensava que as pessoas queriam soluções para seus problemas, de modo que lhe sugeri um expediente simples. Pedi que dissesse aos filhos e ao marido: "Obrigada por me esperarem. Isso me fez bem." Ela ficou com tanta raiva de mim que, pelos próximos três dias, não me dirigiu a palavra.

No último dia do seminário perguntei-lhe qual seria, na sua opinião, a melhor solução. Ela me respondeu que, quando lhes gritasse "Não me esperem. Comecem sem mim", eles começassem. Tentei sondar o caminho nas duas situações. Se ela dissesse: "Obrigada por me esperarem", algo mudaria para melhor nela, nos filhos e no marido, mas ela perderia o controle. Se, porém, gritasse: "Comecem sem mim" e eles obedecessem, nada mudaria — mas ela continuaria no controle. Mas... controle de quê? O controle perfeito sempre se transforma em controle de nada.

Sandra: Esta tarde, tive um sentimento maravilhoso, mas ele se foi.

Hellinger: Os sentimentos permanecem enquanto os deixamos em paz. Se quisermos segurá-los, desaparecem. A vida é assim: avança sempre, sempre. E quando nos movemos, ela se move também. Quando paramos, ela pára. Eis uma imagem para o que você experimentou. Talvez seja útil.

Sandra: Quando o senhor pediu que eu me imaginasse tomando as mãos de meus pais e conduzindo-os para dentro de meu coração, resisti a fazer isso com sinceridade. Queria, mas não conseguia.

Hellinger: Muitas pessoas têm medo da felicidade, medo de dar o passo decisivo para onde possam sentir a profundidade de seu amor. O amor profundo traz ao mesmo tempo alegria e dor. Estas caminham juntas, intensa e inseparavelmente. Fugimos do abismo do amor porque receamos a dor que o acompanha. A alegria que sentimos nesse tipo de amor não é exuberante, mas plena, calma e profunda. Contudo, embora profunda, muitas vezes assume leveza, a *Leveza do Ser*. Freqüentemente tento ajudar um pouco, dar um empurrãozinho para que as pessoas cruzem o umbral da felicidade.

Pergunta: Então é muito humano, após uma situação tensa, relaxar, contar piadas ou coisas assim.

Hellinger: Tudo se passa como numa tragédia: depois que o rei morre, os bufões aparecem. Reis e bufões estão sempre juntos; isso é parte da arte dramática.

A VALIDADE DAS SUGESTÕES TERAPÊUTICAS

Pergunta: Aprecio bastante sua maneira eficiente de trabalhar. O senhor vai fundo nas questões existenciais e isso tem um forte efeito. Funciona. Na terapia que pratico, fala-se muita coisa inútil e estranha ao assunto. Refleti sobre isso e descobri que evito fazer sugestões, como o senhor, porque tenho receio de dar a impressão de ser dono absoluto da verdade.

Hellinger: Vou lhe contar um caso sobre a força das sugestões terapêuticas. Havia uma jovem em um de meus seminários realmente muito bonita. Sentia-se, porém, compelida a ajudar os homens e, pensava eu, isso lhe era prejudicial. Ligara-se a um homem que já fora casado três ou quatro vezes, tinha dois filhos e já estava com quase 40 anos, ao passo que ela, com 23 ou 24. Disse que desejava ajudá-lo, mas o que me preocupava era justamente essa necessidade de ajudar, de sorte que a aconselhei a abandoná-lo.

Dois meses depois, ela escreveu-me. Dizia que eu estava certo, que aquele não era o homem ideal para ela! O relacionamento se deteriorara e ela o deixou, conforme eu sugerira. Depois, compreendeu que o amava e voltou atrás. Hoje, estão casados e felizes. Basta quanto à verdade absoluta das sugestões terapêuticas. Podem soar definitivas, mas o que as pessoas fazem com elas é outra história.

Ouço às vezes: "Como pode dizer uma coisa dessas?" Por exemplo, quando declarei a Edie que ela arruinara suas chances de ter um bom relacionamento por causa dos muitos abortos que fizera, essa frase foi absolutamente ultrajante. Mas digo coisas assim porque não tenho intenção alguma de controlar ou mudar as pessoas.

Se eu tivesse dito uma frase polida, ela voltaria a seus negócios como sempre. Não encontraria seu próprio rumo. Da forma como aconteceu, teve de refletir sobre onde estava, sobre o que era certo para ela. Não quero saber mais nada a respeito do que Edie faz ou deixa de fazer, pois não é da minha conta. Nem sequer é importante. A disposição de ser plenamente "outro" para alguém é uma forma de confiança e respeito profundos.

Acho que o que digo é certo quando o digo, mas *não acredito no que digo*. Há uma grande diferença. Trata-se, para mim, de uma percepção momentânea, a melhor de que sou capaz, mas decerto não arriscaria minha vida por ela. Digo o que vejo e, porque levo isso a sério, deve ter algum efeito. Deixar de dizer o que se vê e chamar isso de "respeito ao próximo" é apenas uma forma de covardia.

O bom terapeuta é como o bom líder. O bom líder observa o que o povo quer e depois ordena-lhe que o faça. O bom terapeuta percebe para onde aponta a energia do cliente e, em seguida, recomenda-lhe tomar o rumo que de qualquer modo ele já tomou.

Pergunta: O senhor se mostra muito autoritário quando pede que as pessoas repitam certas frases. É como se lhes determinasse o que fazer.

Hellinger: Sim, na aparência sou muito autoritário. Entretanto, o processo real é bem mais complicado. Estou constantemente observando, tentando descobrir aonde as pessoas querem chegar e em que ponto se imobilizaram. Em caso de dificuldades sistêmicas, os clientes não conseguem, por si mesmos, encontrar as frases que libertam: isso requer um conhecimento da dinâmica dos sistemas que eles em geral não possuem. Se atino com uma frase que talvez lhes seja útil, solto-a como um balão de ensaio e analiso cuidadosamente o que acontece. Descubro sem demora se a frase sugerida acertou ou não o alvo. Se não acertou, deixo que o próprio cliente me conduza a outra. Trata-se de um método de tentativa e erro. Todos percebem imediatamente se encontramos as frases capazes de ajudar. O cliente me conduz e eu faço tudo para segui-lo fielmente.

Pergunta: Sabe que muita gente pensa que o senhor está tentando ser um guru?

Hellinger: Sim, já me contaram isso, mas não me preocupa porque finalmente descobri o que é um guru. Durante um seminário, o grupo subiu uma montanha para festejar num restaurante lá em cima. Quando se dispunham a voltar para casa já estava escuro e não conseguiam encontrar o caminho. Um deles, que também não enxergava coisa alguma, tomou a mão de outro e formaram uma corrente. Depois que chegaram em segurança ao seu destino, pensaram que aquele homem era um guru.

ACEITAR RESPONSABILIDADE *VERSUS* ASSUMIR RESPONSABILIDADE

Pergunta: Tenho pensado muito no processo de submissão ao destino, de deixar que as coisas aconteçam. Isso é especialmente importante para mim, pois está ligado ao senso de responsabilidade para com os clientes que me procuram em busca de ajuda. Sinto um enorme vazio quando penso em afrouxar as rédeas e abandoná-los a seus próprios processos. Quase entro em pânico, receando não haver nada que me possa ajudar.

Hellinger: Quando você aceita a responsabilidade que vem do sistema do cliente, é ajudado pela dinâmica sistêmica. Mas responsabilidades assumidas em virtude de uma exagerada auto-importância têm efeito negativo tanto para o terapeuta quanto para o cliente.

Pergunta: Mas a responsabilidade já não está implícita no fato de eu ter uma profissão cujo objetivo é ajudar? Não tenho de prestar auxílio aos que disso necessitam? A distinção que você faz me escapa.

Hellinger: Ceda apenas à sensação que diferencia o ato de assumir responsabilidade para ser importante e aceitar a responsabilidade oferecida pelo sistema do cliente.

Sempre que rejeito uma responsabilidade oferecida, sinto uma espécie de entrave na alma. Faço parte de um todo sistêmico maior e não posso agir como se não pertencesse a ele. Só tenho uma liberdade: a de dizer "sim". Quando aceito a responsabilidade, minha alma se expande ainda mais.

Por outro lado, se estou inflado de orgulho e saio à cata de uma responsabilidade que não me procurou, aparto-me das forças que regulam o sistema.

Pergunta: Tenho refletido muito sobre humildade e arrogância.

Hellinger: Quero contar-lhe um segredo: você pode ser humildemente arrogante. Isso resume a humildade. Não se deve esquecer a coragem na humildade. Toda grande decisão tem de ser tomada *com temor e tremor*, e com humildade. Não obstante, toda grande decisão parece arrogante — mas deixar de tomá-la seria covardia. A verdadeira humildade exige também que arrisquemos a grandeza.

A LINGUAGEM ADEQUADA

Pergunta: O senhor sempre interrompe as pessoas quando elas dizem a palavra errada. Às vezes, parece muito intransigente nesse ponto.

Hellinger: A relação entre definição e coisa definida é como a relação entre tangente e círculo. A tangente pode tocar o círculo, mas não contê-lo. Uma palavra como "terra" tem seu peso. Mas termos como "parentificação" e "identificação" exigem que se traga na mente o fenômeno clínico. Se esbarramos com a tangente, não apreendemos o círculo. O círculo é um movimento. Quando aceitamos o que acontece, não precisamos de definições e compreendemos melhor o incidente.

A linguagem é adequada se ouvimos a palavra e, em seguida, testamo-la contra a realidade: ela se encaixa? Agindo assim, expomo-nos continuamente à realidade até encontrar a palavra exata. Temos de nos esforçar para esquecer intenções e explicações prévias, tornando-nos assim espelhos da realidade. Então, refletimos a luz que nos conduzirá à palavra desejada.

Transcrito

VÍNCULOS NA FAMÍLIA DE ORIGEM II

Segue-se a transcrição de um seminário em Heidelberg, Alemanha, em 1994. Bert Hellinger trabalhou com um círculo interno de pacientes gravemente enfermos, acompanhados de seus médicos ou psicoterapeutas, enquanto um grupo maior de profissionais de saúde mental observava. Aqui, Hellinger trabalha com os pais de uma criança com séria moléstia renal.

Hellinger *(para os pais)*: Convido-os a vir sentar-se ao meu lado e contar-me o que os trouxe aqui.

Pai: Viemos porque, há cerca de nove meses, descobrimos que nosso filho de 8 anos de idade tinha uma doença nos rins. Os médicos alegaram que nada podiam fazer, mas que havia a possibilidade de cura espontânea. Nós dois achamos que uma constelação familiar poderá ajudar-nos — nem que seja um pouquinho.

Hellinger *(para a mãe)*: Concorda com isso?

Mãe: Sim, concordo com o que o meu marido disse e espero que encontremos alguma coisa capaz de ajudar o nosso filho.

Hellinger: Trabalharemos com a sua família atual. Quantos filhos têm?

Pai: O mais velho, que contraiu a doença, está com 8 anos. O segundo é uma menina, com quase 5, e o caçula um menino, que ainda não fez 3.

Hellinger: Algum de vocês já foi casado antes ou manteve um relacionamento significativo de longo prazo?

Mãe: Nenhum de nós foi casado antes e nenhum manteve outro relacionamento. Mas agora me lembro de que tivemos um filho natimorto há cerca de quinze anos.

Hellinger: Um filho natimorto? Qual era a sua posição na família?

Mãe: Foi o primeiro. Morreu no dia em que deveria nascer, ainda no ventre, e veio ao mundo já sem vida.

Hellinger: Isso é muito importante. Incluiremos o natimorto na constelação. Muito bem, vamos montar a família atual. Deixaremos o pai montar a primeira constelação e, em seguida, a mãe poderá corrigi-la.

Escolha pessoas do círculo interno para representar os membros de sua família, a saber, você, a esposa e os três filhos vivos. Mais tarde acrescentaremos o outro. *(Para o grupo)*: Quando trabalho com casais, faço com que marido e mulher montem a constelação, para poder comparar as duas atitudes.

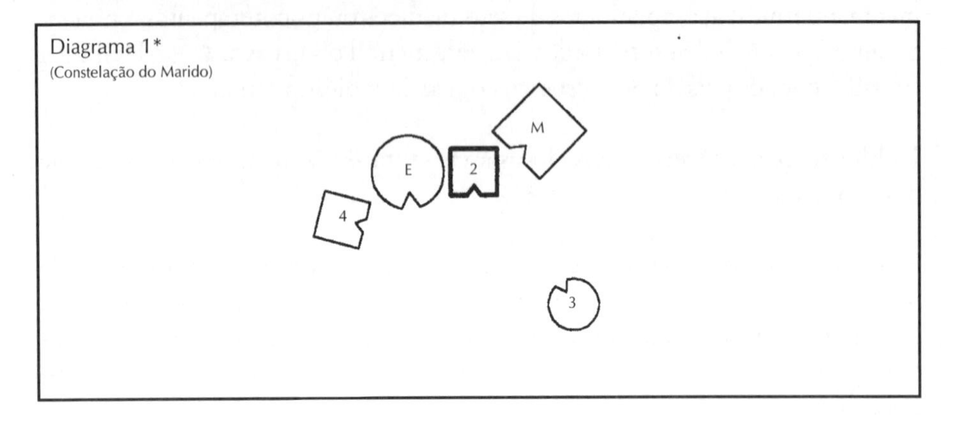

Hellinger *(para os representantes)*: Quando eu perguntar, digam o que sentiram na primeira constelação e depois na segunda.

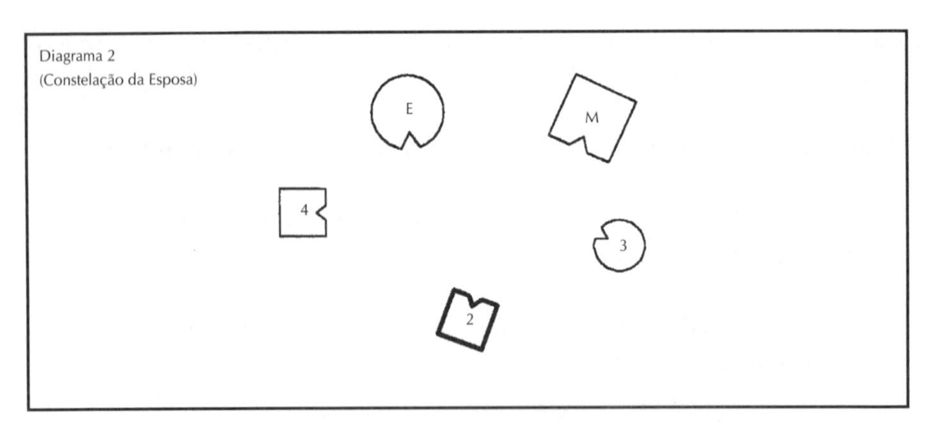

(Para o representante do pai): Como foi para você?

* Legenda: M — representante do marido; E — representante da esposa; 2 — segundo filho, menino de 8 anos com doença renal; 3 — terceiro filho, menina de 5 anos; 4 — quarto filho, menino de 3 anos.

Pai: No princípio, senti uma pressão no peito. Uma pressão realmente forte, que aumentou quando o filho mais velho foi acrescentado. Senti a necessidade de esconder-me ou ir embora. Mal podia respirar. Agora, com a segunda constelação, a pressão no peito continua, mas já me sinto um pouco melhor.

Hellinger: Que diz o filho doente?

Representante do Filho Doente: Senti-me um tanto esquisito na primeira constelação, com vontade de desaparecer. Eu percebia com muita intensidade a proximidade de meu pai e isso me deu dor de cabeça.

Hellinger: E a filha, o que diz?

Terceiro Filho: Eu estava bastante solitária na primeira constelação. Queria muito agarrar meu irmão mais velho e levá-lo embora. Os outros se achavam relativamente distantes. Agora, na segunda constelação, sinto-me atraída para minha mãe.

Hellinger: Que diz o filho mais novo?

Quarto Filho: A princípio, senti-me inteiramente confuso, num perfeito caos. Agora, estou ótimo.

Hellinger *(para a mãe)*: Acrescente o filho morto à constelação.

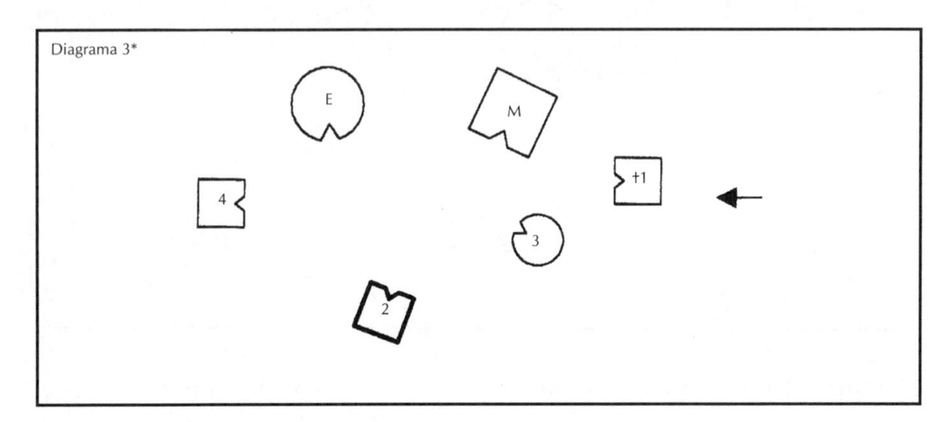

Hellinger: Isso muda alguma coisa para o filho doente?

Representante do Filho Doente: Senti na hora um puxão no pescoço, que me fez recuar. Havia também uma pressão na cabeça.

* Acréscimo à legenda: †1 — primeiro filho, menino morto no ventre materno.

Hellinger: E para os outros, mudou alguma coisa?

Pai: Há algo aqui que me atemoriza, que me ameaça.

Hellinger: E quanto à mãe?

Mãe: Acho que vou chorar. É como se meu peito estivesse em brasa.

Hellinger: Que diz você, Filha?

Terceiro Filho: Alguma coisa me puxa para a direita. Eu gostaria de aproximar-me de meu irmão doente.

Hellinger: E o filho mais novo?

Quarto Filho: Estou curioso quanto ao que vai acontecer.

Hellinger: Que acontece com o filho natimorto?

Filho Natimorto: Há uma pressão para a frente, mas também para baixo.

Hellinger: Vou colocá-lo perto de sua mãe.

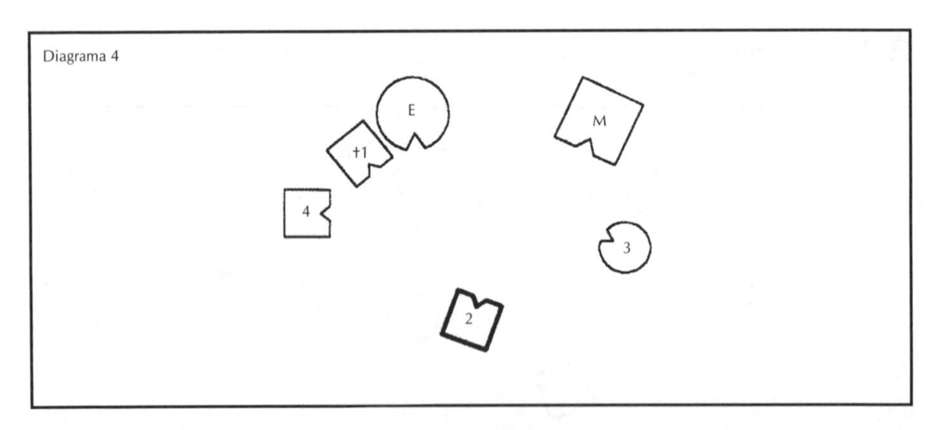

Hellinger *(para o representante do natimorto)*: E agora, como se sente?

Filho Natimorto: Melhor. Quero virar-me para minha mãe.

Mãe: Será melhor para mim também. Sinto-me muito triste, mas melhor.

Pai: Isso é bonito de ver.

Hellinger: Está bem, vou providenciar algumas mudanças.

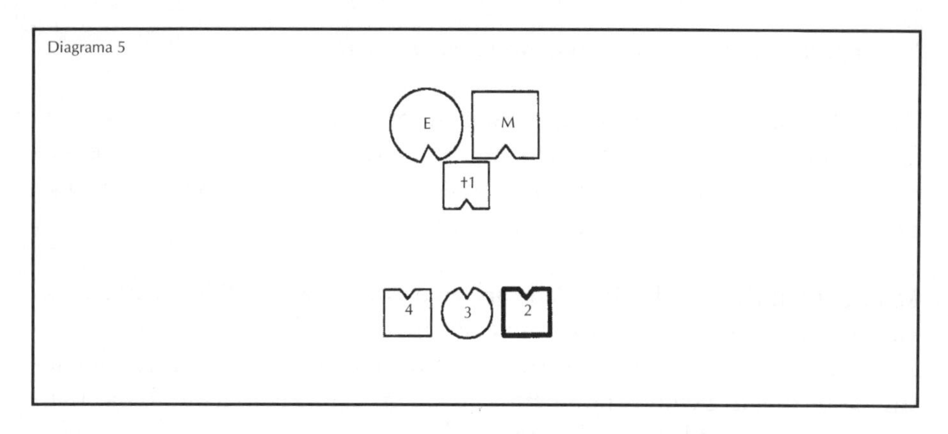

(Hellinger instala o pai ao lado da mãe e pede que o filho natimorto sente-se a seus pés, apoiando neles as costas. Os outros filhos ficam na frente dos pais. O representante do pai coloca espontaneamente a mão na cabeça do filho natimorto.)

Hellinger *(ao representante do pai)*: Ah, como está se sentindo esse camarada agora? *(O representante do pai ri e olha afetuosamente para a esposa.)*

Mãe: Eu me sinto melhor. Muito melhor!

Filho Natimorto: Meus olhos estão cheios de lágrimas. Acho que vou chorar.

Hellinger *(para o filho doente)*: E agora, como você se sente?

Representante do Filho Doente: Muito feliz e também a ponto de chorar. Já não preciso ficar ansioso. É como se um nó houvesse sido desfeito.

Terceiro Filho: Sinto-me protegida, bem cuidada.

Quarto Filho: Está tudo em ordem.

Hellinger: É espantoso como as coisas mudam quando uma criança excluída e esquecida volta à cena. Quanta força! *(Para os pais)*: Agora podem tomar os seus lugares na constelação e ver como se sentem. *(Os pais trocam de lugar com os representantes. Pousam a mão ternamente na cabeça do filho natimorto e se entreolham.)*

Hellinger *(para os pais)*: Algum de vocês acusa o outro pela morte da criança?

Pai: Não.

Mãe: Não.

Hellinger: Como lidaram com a morte da criança?

Pai: Sofri muito e fiquei preocupado com minha esposa; mas, para dizer a verdade, senti-me um pouco aliviado. Achava que ainda era cedo para termos filhos. Nem sequer construímos um túmulo para a criança — evitamos (*começa a soluçar de repente*)... dar-lhe... um lugar ... até agora.

Mãe: Por mim, fiquei desconsolada após o parto. Depois decidi encarar a gravidez como um período bonito, simples e feliz, embora haja terminado sem um filho. Em seguida, reservei-me bastante tempo, tive inúmeras experiências novas, tentei diversos empreendimentos. Realmente, não pensei muito na criança até nosso outro filho cair doente e eu ler seu livro.

Hellinger: As coisas ficam muito difíceis para ambos os pais quando um filho morre assim. Mas, se conseguirem aceitar essa morte como parte de seu destino comum, ela terá significação e irá lhes dar forças.

Olhem um para o outro agora com a intenção de carregar juntos esse fardo — e dêem ao filho um lugar em seus corações. O primogênito morto une vocês e continuará a uni-los no futuro. Com ele no coração, olhem agora para o filho doente — com o mesmo sentimento. Ele deve saber a respeito do irmão mais velho e vocês precisam fazer com que a criança morta encontre um bom lugar na família. Isso parece acertado?

Pai: Sim.

Mãe: Sim.

Hellinger: Então, como os outros filhos estão se sentindo neste momento?

Representante do Filho Doente: Continuo a lutar com as lágrimas, mas elas estão aos poucos estancando.

Terceiro Filho: Estou triste.

Quarto Filho: Estou contente.

Hellinger (*para os representantes*): Ótimo, é tudo por ora. Podem sentar-se. E obrigado.

Perguntas

Pergunta: Gostaria de saber o que, realmente, faz essa terapia funcionar. O que provoca mudanças na dinâmica sistêmica e nas pessoas? Vejo que isso acontece, mas como funciona?

Hellinger: Quando "des-cobrimos" uma ordem, a ordem correta — digo-o para provocar —, então ela de algum modo cura ou resolve o sistema.

Às vezes, a ordem está oculta. Uma árvore, por exemplo, cresce de acordo com uma ordem e não pode desviar-se dela. Se o fizesse, não mais seria uma árvore. Os homens e os sistemas de relacionamento humanos também se desenvolvem segundo determinadas ordens. As verdadeiras ordens da vida e dos relacionamentos humanos estão ocultas, inseridas nos fenômenos vitais. Nem sempre podemos encontrá-las imediatamente, mas pior seria inventá-las para se coadunarem com os nossos desejos.

Para mim, o processo de encontrar uma ordem é um movimento para dentro sem que se perca nada de vista — sem intenções e sem medo de conseqüências. Quando estou concentrado dessa maneira, entro em contato com o que chamo de Alma Superior. Trata-se de algo secreto, mas cuja força se projeta. Em contato com essa força, consigo reconhecer as estruturas que ajudam ou prejudicam as pessoas.

Você poderá aprender sobre essas ordens num nível superficial e, depois, aplicá-las em seu trabalho; ou, então, aprender sobre elas num nível mais profundo. Se alguém descobre uma ordem e lhe fala a respeito, você trabalhará com ela intelectualmente. Não agirá a partir de um reconhecimento imediato e pessoal da ordem, mas utilizará seu conhecimento indireto de maneira mecânica.

Se eu quiser realizar alguma coisa em nível mais profundo, terei de concentrar-me em torno de um ponto médio de vacuidade. Uma vez concentrado nesse vazio, entro em contato com uma força curativa que não posso explicar, mas cujos efeitos são visíveis. Percebo imediatamente, pela reação das pessoas, se estive ou não em contato — se o que disse provocou nelas um movimento ou apenas lhes estimulou a curiosidade, as objeções, as perguntas. Só assim podemos dizer que estivemos em contato com uma ordem.

Pergunta: O senhor disse que, quando perdemos o amor, o sistema se desorganiza; e, quando o reencontramos, o sistema volta à ordem. Terei compreendido bem?

Hellinger: Consideramos valioso e significativo tudo o que assegura a unidade e a continuidade de crescimento dos sistemas nos quais vivemos. Por isso, as ordens sempre precedem os valores culturalmente relativos e têm prioridade sobre eles. Não posso modificar as ordens naturais por causa de preferências pessoais, dizendo: "Acho que este é o valor supremo e que as ordens naturais devem acomodar-se a ele." Ao contrário: os valores pessoais é que devem ajustar-se às ordens naturais. Também o amor segue as ordens naturais. A expressão do amor acontece quando reconheço que o outro tem, tanto quanto eu, o direito de pertencer ao grande todo e o trato de conformidade com essa noção. Um senso profundo de comunidade se desenvolve a partir dessa afirmação recíproca. Esse é o amor que reconcilia.

Mas existem outras formas de amor. Por exemplo, o amor oriundo dos vínculos, que a criança manifesta quando, sem entender ainda as conexões superiores do mundo, apega-se a todo custo à mãe ou ao pai — mesmo se estiverem mortos. Essa é a origem da dinâmica "Vou segui-lo na morte" ou "Quero ficar com você, mesmo na morte." No entanto, é uma dinâmica que prejudica o sistema familiar. Obriga os outros a quererem seguir um morto em vez de ficar com os vivos.

Todavia, se a criança reconhece que o pai que deseja acompanhar na morte continua presente, vive e tem um lugar em seu coração, esse pai vê confirmado o direito de ser amado, ainda que esteja morto. Então o filho pode exigir também o pleno direito de fazer parte da família e ser amado. Dirá ao pai: "Seja bonzinho comigo por mais algum tempo."

Eis a diferença entre o amor menor e o amor maior.

Capítulo 7

Algumas Intervenções Úteis

As constelações familiares desenvolvem-se em três fases e criam duas imagens diferentes do sistema familiar: uma imagem da dinâmica destrutiva e outra da solução. A primeira fase da constelação apresenta as lembranças e imagens interiores do cliente, sendo um quadro altamente subjetivo e pessoal das dinâmicas ocultas que operam na família. Ela fornece uma representação visual dos modos pelos quais o sistema familiar continua a influir nos sentimentos e atividades do cliente.

A primeira fase gera uma *hipótese* de trabalho a respeito da dinâmica sistêmica em ação no seio da família. As reações dos representantes dão informações suplementares às do cliente. A combinação de suas reações com as imagens visuais da constelação e as informações do cliente constitui uma base melhor para a busca de soluções do que apenas as suas lembranças e imagens interiores.

Uma vez esclarecida a dinâmica oculta, é possível procurar uma solução. Na segunda fase da constelação, iniciamos a busca lenta, em forma de tentativa e erro, de uma imagem de equilíbrio sistêmico e solução com amor. Essa nova constelação permite ao cliente ver e sentir uma possível opção de cura.

A fase final do trabalho é uma constelação que gera a imagem da realidade possível, a Simetria Oculta do Amor em que todos os membros da família ampliada têm um lugar e uma função. Ela é benéfica quando os clientes conseguem permitir que essa nova imagem trabalhe neles, modificando gradualmente sua antiga realidade pessoal. Às vezes, as constelações de solução chegam a afetar outros membros da família e os demais participantes do grupo. Os observadores ficam impressionados pelo modo rápido com que os grupos, mesmo grandes, desenvolvem uma atmosfera de respeito, leveza e alegria. Por sua vez, a atmosfera do grupo aumenta a capacidade dos representantes de mergulhar nas venturas e desventuras das pessoas, de modo que cada constelação de solução é única. As constelações de solução são freqüentemente tão fortes que continuam a promover mudanças por anos a fio.

A MONTAGEM DE UMA CONSTELAÇÃO

O primeiro passo na montagem de uma constelação é a visão geral da família. A tarefa consiste em identificar todas as pessoas que pertencem ao sistema, ou seja, todas as pessoas que afetam sistemicamente o cliente. O terapeuta começa por perguntar a respeito de acontecimentos incomuns na família ampliada, como mortes, suicídios, separações, divórcios, acidentes, incapacitações, doenças graves e desaparecimentos. Descrições de caráter e avaliações de pessoas são interrompidas porque essas informações influenciam os representantes e interferem em suas reações espontâneas à constelação.

As Condições para a Montagem de uma Constelação

Quando os clientes montam uma constelação, sua intenção deve ser séria e seu propósito, legítimo. Interesses frívolos e curiosidade leviana não geram a sensibilidade e a atenção necessárias para distinguir projeções pessoais de efeito sistêmico.

O efeito de uma constelação pode ser muito profundo. Por isso, é importante uma atmosfera grupal de cooperação atenta. Os participantes não devem dizer nada enquanto são posicionados, e o mesmo se aplica à pessoa encarregada de posicioná-los.

Hellinger *(para representantes que estão integrando pela primeira vez uma constelação)*: Concentrem-se. Esqueçam seus problemas pessoais, suas intenções, seus objetivos. Apenas tomem consciência dos sentimentos e sensações que vão surgindo à medida que tomam seus lugares. Procurem notar também as mudanças operadas em vocês quando outros são trazidos para a constelação.

É essencial não tentar imaginar o que deveriam sentir neste ou naquele lugar, com base no que vêem ou acreditam. Confiem em suas reações físicas. Quando se sentirem diferentes do esperado, relatem o fato com imparcialidade, sem julgamentos. Talvez vocês experimentem sentimentos que são tabu e isso lhes causará ansiedade ou constrangimento. Poderão, por exemplo, sentir alívio quando alguém morrer ou atração por um relacionamento ilícito ou incestuoso. Se não relatarem isso, uma importante informação se perderá. Tudo funciona melhor quando se narra uma experiência sem censurá-la, sem deixar nada de lado e sem elaborá-la de uma maneira ou de outra. O que quer que experimentem ao representar uma pessoa tem algo que ver com essa pessoa, não com suas vidas pessoais.

Ao montar uma constelação, façam isso pelo tato. Toquem os representantes, peguem-nos pelos ombros e conduzam-nos a seus lugares para que possam sentir o que é correto. Esqueçam o que pensaram antes, pois isso geralmente não ajuda. Não se preocupem com gestos e frases, nem com a direção para a qual as pessoas estão olhando. Apenas encontrem o lugar em que cada um se sinta bem.

A Escolha dos Representantes

Pergunta: É necessário que os representantes sejam do mesmo sexo que as pessoas representadas?

Hellinger: Em regra geral, sim. No entanto, isso às vezes é impossível. Tudo funciona muito bem quando alguém representa uma pessoa do sexo oposto num papel secundário. Mas, mesmo assim, há perturbação. Infelizmente, sendo poucos os participantes, temos de fazer o melhor possível. Às vezes, eu próprio represento alguém num papel coadjuvante.

Pergunta: Tenho a impressão de que se escolhem representantes adequados ao papel e de que eles se parecem com as pessoas reais.

Hellinger: Quando as pessoas fazem uma escolha, não calam seu inconsciente. Sem dúvida, há semelhanças. Entretanto, se você se permitir sentir o efeito da posição, qualquer um pode representar qualquer um. Isso não é muito importante. Sucede às vezes que a mesma pessoa seja repetidamente escolhida para representar certas pessoas — por exemplo, suicidas. O terapeuta deve trabalhar com a hipótese de que existe algo, no sistema daquela pessoa, que pode colocá-la em perigo; deve, pois, evitar que seja escolhida muitas vezes para semelhante papel.

As Interpretações e o Material Pessoal dos Representantes Devem Ser Ignorados

Pergunta: Quando sentimos alguma coisa durante uma constelação, nossa história pessoal não entra em cena?

Hellinger: Essa é uma pergunta muito importante. Você não poderá montar uma constelação familiar se achar que o que vai sentir é pessoal. Haverá confusão. Se tentar distinguir o que é pessoal do que é parte do sistema, não perceberá como a posição o afeta. Mais simples será presumir que o que sente é função do sistema e não sua história pessoal.

Penetramos num sistema alheio quando somos representantes e, ali, temos sensações e sentimentos alheios. Obviamente, nossas lembranças e experiências podem ser afloradas, mas terão efeito destrutivo se nos permitirmos refletir sobre elas enquanto desempenhamos o papel. Nesse caso, misturamos circunstâncias pessoais com circunstâncias externas.

Por esse motivo, convém estar alerta: embora assumamos plenamente o papel, os sentimentos que brotam não são nossos e não se aplicam a nós. Finda a representação, poderemos tratar de nossos sentimentos, se quisermos. Isso se parece um pouco com o ator que desempenha um papel especialmente dramático. Os sentimentos de Otelo podem tocar os sentimentos pessoais do ator, mas ele ficará louco se tentar resolver seus problemas pessoais *enquanto* estiver identificado com Otelo. O melhor é lidar com nossos problemas no contexto de nosso sistema.

Depois de observar certo número de constelações, percebemos que o mesmo participante apresenta sentimentos disparatados em cada sistema diferente e, também, que os sentimentos mudam constantemente no interior de uma mesma constelação. De fora, podemos sempre prever como alguém reagirá numa determinada posição.

Esculturas Familiares e Constelações Familiares

Hellinger: Faço também outra distinção: o que montamos são constelações familiares, não esculturas familiares. Por esculturas familiares, entendo representar a família com gestos e posturas, voltando-lhes a cabeça em determinada direção, etc. Quando os representantes são esculpidos assim, suas experiências dependem inteiramente de suas posições e eles não conseguem observar as mudanças que ocorrem no curso do trabalho. Se os representantes são simplesmente instalados em seus lugares, podem acompanhar as mudanças em suas sensações íntimas à medida que a constelação se desenvolve. Se determino que voltem a cabeça e olhem numa direção qualquer, a posição não irá afetá-los porque eu próprio defini sua experiência.

Gestos e poses também tornam difícil perceber o efeito da dinâmica familiar. Por outro lado, as constelações, muito simples e quase naturais, permitem-nos ter um quadro bem melhor da dinâmica do sistema familiar, da influência desse sistema em seus membros. Quando apenas conduzimos os representantes para determinada posição em relação aos outros e permitimos que isso os afete, eles começam a apresentar sintomas como joelhos bambos, cólera, idéias absurdas e coisas assim. Nesse caso, recebemos informação de um nível diferente e não só dos conceitos conscientes do protagonista.

Pergunta: Quando participei da constelação, minhas mãos estavam simplesmente geladas. Pensei que fosse por causa da ansiedade de representar o papel, mas talvez fizesse parte do sistema.

Hellinger: Sim, a informação é importante. Você precisa agir como se, no momento de penetrar no sistema, não mais fosse você mesmo e sim outra pessoa cujos sentimentos está assumindo. Não aplique a você o que sentiu no papel. Nem sequer pense: "Talvez isso seja um indício de que há algo semelhante em mim." Você precisa, para isso, de uma certa disciplina.

Paul *(referindo-se a uma constelação específica)*: Quando vejo pais e filhos em confronto...

Hellinger *(interrompendo)*: Isso é uma interpretação. Você acha que houve confronto porque eles estavam de frente uns para os outros na constelação. É um grave engano.

Paul: Mas é assim que sinto.

Hellinger: Não, não é: é assim que você interpreta. Em nosso trabalho, temos de ser absolutamente precisos. Você só poderia ter tido esse sentimento se houvesse participado da constelação. Os representantes não se sentiram em confronto. Eis um dos princípios mais fundamentais do trabalho com constelações: precisamos resistir à tentação de tirar conclusões sobre o sistema como um todo com base no que supostamente iríamos sentir.

Paul: Isso significa que devo colocar-me na posição do cliente a fim de compreendê-lo?

Hellinger: Não, não. Você jamais conseguirá estabelecer uma conexão de empatia com seus clientes se se identificar completamente com eles. Vai precisar de atenção e distanciamento para conseguir a verdadeira empatia. Se entrar em contato com uma pessoa com esse tipo de atenção, quase sempre perceberá o que ela está sentindo. Sobretudo, perceberá o que é necessário para a solução. Buscar uma solução exige um tipo de atenção muito diferente da que emprestamos à pergunta: "Qual é o problema?" Não há empatia quando se buscam problemas.

Trabalhar com o Mínimo

Pergunta: Quando as pessoas começam a falar-lhe sobre suas famílias, noto que o senhor freqüentemente as interrompe. Por que faz isso?

Hellinger: Ao montar seus sistemas, muitas vezes as pessoas se sentem tentadas a dar mais informações que o necessário. Se fazem isso, interferem na capacidade dos representantes de experimentar diretamente como o sistema os afeta. Excesso de informação confunde mais do que esclarece. Representantes experimentados só dizem o que é importante. Quando a informação provém deles, baseada em sua experiência do papel, tem mais peso e influência.

Também é tentador convocar mais membros da família do que o necessário para se obter uma solução. Toda pessoa desnecessária na constelação de solução diminui a força da imagem. Com isso, o terapeuta deve zelar para que só se incluam as pessoas realmente úteis à solução. Diz-se às vezes: "Minha avó morava conosco" ou "Minha babá foi muito importante para mim durante a infância." A mera proximidade física não é, em si, indício de participação no sistema, nem importante para a solução.

Eis o princípio fundamental: *trabalhar sempre com o mínimo necessário para se obter uma solução*. Se necessário, outros membros serão acrescentados mais tarde ao sistema, mas os representantes que em nada influírem nos outros têm de ser removidos da constelação. Há confusão quando muitos membros se reúnem, e os representantes ficam perturbados se, a todo momento, colocarmos e tirarmos pessoas.

Terapia Familiar e Constelações Familiares

Pergunta: É possível montar uma constelação com os membros da própria família?

Hellinger: Não precisamos da família para montar um sistema familiar. As constelações produzem um efeito mais nítido quando representantes do grupo são usados em lugar dos membros da família. Se membros da família representarem outros, externarão seus relacionamentos conscientes, o que sentem e pensam a respeito dos representados. Esse é um nível de informação de que não carecemos para encontrar soluções. Trabalhar dessa maneira pode esclarecer um relacionamento, mas não funciona com a dinâmica do sistema familiar.

Sou cauteloso quando se trata de fazer terapia com a família inteira. Se ela comparece em peso, os filhos tendem a perder o respeito pelos pais. É um preço muito alto a pagar, especialmente para as crianças pequenas; por isso, prefiro trabalhar com os pais. Faço terapia familiar com os pais e, em seguida, eles trabalham com seus filhos. Estes nem sequer precisam ficar sabendo o que discutimos.

Às vezes é bom que a família observe enquanto outro membro monta a constelação com representantes do grupo. Eu, porém, recorro a esse expediente com parcimônia, sobretudo quando uma criança apresenta algum comprometimento físico que possa ter componentes sistêmicos. Nesse caso, um dos pais monta a família enquanto a criança observa.

Depois que a pessoa monta a constelação de sua família num grupo, ela leva consigo as imagens do que aconteceu ali e essas imagens podem afetar o sistema todo. É uma solução elegante, pois ninguém precisa saber que um terapeuta esteve envolvido. A dignidade e a privacidade dos membros da família não são violadas, a responsabilidade continua no círculo familiar e o terapeuta permanece à parte, escondido ao fundo.

Uma vez esclarecida a dinâmica do problema, poderemos praticar a terapia familiar do modo mais apropriado à situação da família. As constelações familiares revelam-se úteis quando os sintomas são conhecidos e a dinâmica sistêmica subjacente permanece invisível.

O Significado das Constelações

Hellinger: Quero dizer mais uma coisa sobre as constelações, apenas para prevenir equívocos. As constelações são imagens, fotografias do que foi e poderia ser. E, como as fotografias, não mostram a verdade total da situação, apenas alguns aspectos dela. São como trechos de panoramas ao longo de uma rodovia. Quando as pessoas tentam tomar decisões capitais com base em constelações, saem-se mal. O melhor que se tem a fazer depois de uma constelação é não fazer nada, mas apenas permitir que a nova imagem produza efeitos por si mesma. Deixemo-nos surpreender pelo que acontece.

Os sentimentos dos representantes revelam uma verdade parcial e não nos dizem necessariamente o que de fato sucedeu no passado. Ajudam-nos a identificar as forças inconscientes que atuam no sistema e a encontrar uma solução. É o máximo que se pode esperar das constelações.

Certa feita, um homem montou uma constelação. Não estava se dando bem com a esposa. Na constelação de solução, ficou separado da mulher, ladeado pelos filhos. Ao chegar em casa, comunicou-lhe: "Bert Hellinger disse que devemos nos divorciar e que nossos filhos devem ficar comigo." Isso é, pura e simplesmente, um abuso, um terrível mau emprego do exercício. Foi ruim para a esposa e ruim para o exercício.

Quando o sol se ergue, você pode utilizar sua luz, permitir que ela o ajude a ver com clareza. Depois de algum tempo, vê o que esperava ver, coisas diferentes ou novas possibilidades. Faz então o que tem de ser feito, mas não precisa discorrer a respeito do sol.

A Constelação de Solução Padrão

Hellinger: Uma vez pronto para uma constelação de solução, o que você procura é uma constelação na qual todos, especialmente o cliente, se sintam bem. Você observou as reações dos representantes quando, de repente, exclamaram: "Está tudo em ordem!" Só pelo método de tentativa e erro é possível perceber isso, mas há uma seqüência padrão que deve ser seguida. Sempre haverá exceções, porém o princípio norteador interno de um sistema de relacionamento familiar é, basicamente, este:

1. Quem chegou primeiro tem prioridade.
2. Numa constelação, o sentido da prioridade é o dos ponteiros do relógio.
3. Se um homem e uma mulher entraram no sistema ao mesmo tempo, o homem geralmente vem em primeiro lugar e a mulher em segundo. (Ver Capítulo 2.)
4. Nas constelações de solução, os filhos em geral vêm em seguida, o mais velho mais perto da mãe, à esquerda. Não raro, a constelação se sente mais à vontade quando os filhos se postam diante dos pais. (Notei também que as refeições são menos formais quando a família se posiciona nesta ordem à mesa.)
5. Os natimortos ficam em geral com seus irmãos, segundo a ordem de nascimento. Crianças abortadas, quando importantes para o sistema, costumam sentir-se melhor sentadas à frente dos pais e encostadas a eles. Estando elas nessa posição, os outros membros da constelação também se sentem mais descontraídos. Os filhos abortados não são contados com os outros: afetam os pais, mas não afetam os irmãos.

Pergunta: O senhor disse que a ordem natural da família segue o sentido horário. Mas o que acontece quando há mais de um casamento?

Hellinger: A ordem continua horária: primeira família, segunda família, terceira família. Se, por exemplo, o cliente foi casado três vezes, começa com a primeira esposa, ficando os filhos agrupados à esquerda; depois, a segunda esposa e os filhos; depois, ele; e finalmente, a terceira esposa e os filhos, também à esquerda. Às vezes, a ordem é diferente. Não vá pensar que tudo tenha de ser sempre igual, pois acontece com freqüência que a constelação de solução se transforme numa variante desse padrão básico. Na verdade, jamais conseguimos montar uma constelação em toda a sua complexidade, mas é possível aproximar-se suficientemente disso para obter uma boa solução.

Pergunta: Uma família complexa não começa com o cliente?

Hellinger: Não. O cliente fica no ponto médio.

Pergunta: Então esse ponto não é o início do círculo?

Hellinger: Não. Em regra, os filhos de um divórcio postam-se entre os pais. A ordem natural, na família, é esta: os membros mais velhos entraram no sistema antes e têm precedência, mas, entre dois sistemas, o novo prevalece sobre os anteriores. A não ser assim, haverá confusão. A família atual prevalece sobre as mais antigas. Por isso os parceiros têm de deixar suas famílias de origem para constituir a sua própria. Também aí há exceções, como por exemplo no caso de uma viúva e seu filho único. Muitas vezes, esse filho tem de integrar a mãe na nova família, quando se casa. Se a pessoa tem mais de uma família, todas as famílias passam a formar um único sistema complexo de relacionamento.

Pessoas divorciadas separam-se de seus parceiros como parceiros, mas como pais continuam ligadas. Assim, as soluções só são possíveis se esse fato for reconhecido e o sistema inteiro readquirir equilíbrio.

Pergunta: Continuo um pouco confuso: quando o homem vem primeiro e quando a mulher assume a posição de liderança?

Hellinger: O único critério são as reações dos representantes. Se você não estiver seguro, tente as duas formas. Os representantes geralmente concordam quanto à melhor forma. Vou repetir minhas observações porque é um ponto complicado para muita gente.

Dado que o pai e a mãe entram no sistema ao mesmo tempo, seu lugar é determinado por sua função e peso psicológico. A pessoa responsável pela segurança externa da família usualmente assume o primeiro posto — quase sempre o homem. Mas há situações em que a mulher ganha prioridade, mesmo não sendo responsável pela segurança familiar — por exemplo, quando sua família de origem tem grande peso por causa de sua história. Nesse caso, a fortuna ou infortúnio dessa família sufocam a função protetora do homem. Faça experiências com a constelação a fim de saber qual ordem é melhor para os participantes.

Quando o lugar do marido é do lado esquerdo da esposa, sem razão legítima para isso, a liberdade de que ele goza é ilusória e ele tende a afastar-se da família, evitando responsabilidades; então a esposa muitas vezes se sente solitária e desamparada. Logo que ele passa para o outro lado, sente-se responsável e a esposa, protegida.

Pergunta: Mas essa não é a ordem patriarcal?

Hellinger: Não sei. A alma reage à sua maneira independentemente da ideologia que adotamos. Não é questão de escolha consciente. As constelações mostram, com a máxima clareza, que quem se responsabiliza pela segurança e o espaço vital da família tem prioridade — e é também o que se posta na vanguarda da linha de fogo. Não se trata de valor humano, como se o homem valesse mais que a mulher ou vice-versa.

Considerações Adicionais

Diversos casais com que trabalhamos descobriram que é bem mais difícil do que esperavam modificar seus papéis e funções. Alguns atribuem isso à socialização dos papéis masculinos e femininos, outros à existência de padrões biológicos ou arquetípicos que resistem a todas as mudanças.

Nós não especulamos a respeito disso. Observamos que geralmente tudo vai melhor quando os pais fazem o possível para proteger e assistir suas famílias, e quando as mães os apóiam nessa missão, aceitando-lhes a liderança. Entretanto, para muitas famílias, os papéis tradicionalmente confiados às mulheres e aos homens já não são adequados. Às vezes, esses papéis e funções podem ser invertidos com êxito; porém, se o homem afirma sua força de um modo que contraria ou ignora as necessidades e interesses da esposa e filhos — ou se a esposa e filhos reclamam os privilégios da liderança sem aceitar-lhes igualmente os perigos e a responsabilidade —, então o resultado é invariavelmente prejudicial ao amor. Quando parcerias ou famílias enfrentam dificuldades, talvez a dinâmica familiar real seja diferente do que os parceiros gostariam de acreditar que fosse.

O amor exige que, na sua inteireza, o poder, o privilégio, a responsabilidade e a liberdade na família permaneçam em equilíbrio, e que os papéis e funções dos membros continuem sistemicamente adequados. [H. B.]

A Constelação de Solução Emerge do Processo

Pergunta: Como você faz para encontrar a solução?

Hellinger: A solução emerge durante o processo da constelação. É absolutamente essencial que escutemos atentamente os relatos dos representantes, permitindo que eles nos conduzam à solução. Existem situações em que o terapeuta deve confiar mais nas suas próprias percepções do que nas palavras dos participantes, sobretudo quando seu comportamento não-verbal destoa do que dizem. Mas, em regra, convém acreditar neles. Às vezes falta uma informação, o que torna difícil ou mesmo impossível o movimento rumo à solução. Nesse caso, é preciso parar e aguardar até que a informação se torne disponível.

Tenham sempre em mente que vocês estão procurando uma solução sobretudo para o cliente e só de modo secundário para os outros membros do sistema. Creio que as soluções finais são praticamente as mesmas para todos os membros. Ainda assim, os passos dados e as pessoas trazidas para o sistema podem diferir bastante, dependendo de quem seja o protagonista e do fato de ele ter vivenciado a infância como menino ou menina.

Buscar uma solução para os outros é serviço que só pode ser executado com humildade. Não nos cabe inventar uma solução quando ela não aparece por si mesma. Se tentarmos, criaremos a maior confusão. A humildade de que falo consiste em aceitar o fracasso quando a constelação não oferece soluções e em acreditar que o processo tem movimento próprio. Esse tipo de terapia não é algo que o terapeuta faz por seu cliente: a confiança dele no processo é que constitui um modelo para o cliente.

Como a Constelação de Solução Promove Mudanças

Pergunta: De que forma as constelações finais operam realmente?

Hellinger: Uma constelação de solução tem seu máximo poder de mudança quando os clientes a vêem, tocam-na e renunciam a quaisquer tentativas de agir. É como se a constelação de solução fosse uma imagem inconsciente que trabalha se lhe for permitido. Melhor deixar o tempo correr: a convalescença de uma moléstia grave demora, mas depois estamos saudáveis de novo. Podem passar-se anos antes que se complete o processo de cura acionado pela constelação de solução. Não há nada que possamos medir objetivamente, mas, em definitivo, os resultados são notórios.

Há outra questão importante. Nenhum outro membro do sistema precisa mudar para que o cliente mude. Ninguém terá de assumir função diferente. A mudança, no sistema familiar, ocorre toda por causa de uma transformação da imagem interior. Ocasionalmente, convém falar a outros membros da família sobre a constelação, mas só no momento oportuno será possível fazer isso sem interpretações. A pessoa apenas conta o que aconteceu e como se sentiu.

Quando os pais organizam sua imagem da família, isso beneficia os filhos. Não é necessário colocá-los a par do que aconteceu. A própria ordem do sistema produz o efeito, como também o fato de os pais a respeitarem do fundo da alma. Há boa solução quando todos os membros do sistema encontram seu lugar. Se a constelação de solução revelar que o cliente ainda deve alguma coisa a alguém, é preciso tomar cuidado com isso. Certas pessoas acham útil desenhar ou pintar sua constelação e, mesmo, analisá-la depois em videoteipe.

Freqüentemente, os detalhes da solução são esquecidos por completo, permanecendo apenas o efeito. Lembro-me de uma conversa que ilustra como as imagens operam sem que nada se faça ativamente.

Vou Pagar a Motocicleta

Uma colega me convidou para almoçar. Sua sobrinha estava morando com ela porque tinha sido expulsa de casa. A sobrinha, de cerca de 20 anos, passara a viver na rua, tentara o suicídio várias vezes e, finalmente, fora para junto da tia. Era asseada, aprendera uma profissão e passara a ser uma jovem mais ou menos normal. Minha colega contou que a sobrinha estivera há pouco na Guatemala, onde alugara uma motocicleta e quebrara-a. Abandonando o veículo no local, continuara tranqüilamente seu caminho.

Refleti um pouco sobre a história e falei: "Ela devia ter pago a motocicleta, do contrário corre o perigo de voltar à vida antiga." Minha amiga viajaria a negócios logo após o almoço e não teria tempo para conversar com a sobrinha antes de partir. Naquela mesma noite, a sobrinha telefonou para o hotel da tia e disse-lhe: "Estive pensando. Acho que vou pagar a motocicleta."

É assim que a imagem interior funciona. Eu poderia contar-lhes muitas outras anedotas semelhantes. Trata-se do efeito do "não-fazer". A boa imagem faz, ela mesma, com que as coisas aconteçam. Quando estou lúcido, só preciso concentrar as forças enquanto um novo padrão emerge. Depois que a nova imagem está claramente formada, posso fazer o que é necessário com um mínimo de esforço. Quero contar-lhes outra história.

A Serenidade da Avó

Num grupo, um simpático casal, no final dos 20, tinha três filhas e um bebê a caminho. A segunda filha era diabética. Quando montamos a constelação, a representante da menina estava muito nervosa e não conseguia encontrar um lugar onde se sentisse bem.

Então, trouxemos a avó e a bisavó maternas da menina para a constelação. Tinham ambas péssima reputação, sendo rejeitadas e desprezadas pelo cliente. Logo que tomaram seus postos, a representante da menina acalmou-se. Quando colocamos a avó atrás dela, irradiava serenidade. Nessa noite, os pais telefonaram para casa do local da sessão e conversaram com as filhas. Mais tarde, relataram que a menina falara com eles como nunca antes. Estavam completamente surpresos.

Dois meses depois, o irmão do cliente participou de um grupo. Ele contou-me que a taxa de açúcar no sangue da menina caíra tão drasticamente após a constelação que a insulina pôde ser suspensa por três dias. Em seguida, subira de novo e as injeções tiveram de ser retomadas.

Isso parece indicar que o efeito benéfico da constelação de solução foi interrompido; mas a história mostra também que tipo de mudança é possível quando o sistema se reorganiza. Os pais não haviam contado nada à criança. Mudanças acontecem quando as imagens sistêmicas estão em ordem.

Aqui vai um exemplo final.

Um Telefonema Amável

Num grupo, um homem que estava enfrentando sérias dificuldades no casamento contou que, há pouco, soubera pelos jornais que seu filho ilegítimo morrera num acidente. Jamais vira o filho e nunca se preocupara com ele. Desposara a atual mulher pouco depois do nascimento da criança e o casal tinha três filhos.

Montamos a constelação e, após uma seqüência de movimentos, o homem deu consigo ao lado do filho morto. Em seguida, o filho sentou-se diante do pai, que lhe pousou a mão na cabeça. O homem não resistiu aos soluços, à dor e à vergonha. Depois, tudo acabou.

Embora estivesse mal com a esposa, ela lhe telefonou para o local da sessão naquela mesma noite e conversou amavelmente com ele.

De algum modo a imagem afetara a esposa, apesar da distância. Essas coisas acontecem freqüentemente, mas nem sequer especulo a respeito.

Interrupção: Intervenção Difícil, porém Necessária

Hellinger: Nem sempre é possível encontrar uma boa solução. Depois que observamos por algum tempo sem nada encontrar, o grupo começa a perder o interesse. Quando isso acontece, é hora de desistir. Quase sempre está faltando uma informação necessária para a descoberta da solução. O processo de acompanhar a montagem da constelação já forneceu inúmeras pistas úteis ao cliente e meu princípio é: melhor desistir quando se está na frente. Mais vale fazer pouco do que arriscar-se a fazer demais.

Interrupção de uma Constelação

A questão principal é examinar o modo pelo qual as pessoas montam suas constelações e se estas confundem ou esclarecem os representantes. Algumas constelações são bastante claras e produzem efeito imediato. Outras são difusas, de maneira que os representantes não têm um senso real do que se passa, esquecem quem estão representando, etc. Depois que se ganha alguma experiência, pode-se perceber até que ponto a pessoa está concentrada e integrada ao papel.

Quando os clientes realmente se concentram, movimentam-se com lentidão, tateando o caminho a cada passo. Eles costumam tomar os representantes pelo braço, afetuosamente, como se o contato físico os ajudasse a sentir o que é "certo". Levam a pessoa a seu lugar, fazem pequenos ajustes e ficam com ela até que tudo esteja em ordem. Só depois vão procurar a próxima pessoa. Quando querem se certificar de que fizeram a coisa certa, caminham à volta do círculo, observando de fora sua disposição. Não falo muito a respeito dessas coisas aos participantes porque quero ver como se comportam naturalmente.

Se o cliente não monta a constelação com autêntico respeito, o terapeuta vê-se às voltas com um teste difícil e sutil. Todos, inconscientemente, querem saber se ele continua no comando e notam a diferença. Se o terapeuta não a notar, melhor será que vá para casa, pois uma confiança verdadeira não vai se desenvolver. Há algo, na alma, que percebe quando o terapeuta respeita de fato a vida. Caso ele tolere uma manipulação descuidada e irreverente das questões de vida e morte, as pessoas serão loucas se exibirem suas reais preocupações.

Vou lhes contar uma história verdadeira, que ilustra esse ponto.

Perdi o Respeito pela Serra

Há dois anos, recebi a visita de um amigo. Ele contou-me que seu filho mais velho, aprendiz de carpinteiro, fez um grave corte na perna com a serra elétrica e teve de submeter-se a cirurgia. Finda a operação, e estando claro que não haveria danos permanentes, o rapaz olhou para o pai e disse: "Perdi o respeito pela serra."

Quando noto que alguém está montando a constelação segundo um plano preconcebido, geralmente interrompo o trabalho e digo à pessoa que não posso ir adiante com aquela constelação. Constelações assim são construtos mentais, não imagens do que realmente acontece na família. A eficácia é maior quando não existem imagens mentais da constelação antes de sua montagem. Em psicoterapia sistêmica, a interrupção é a intervenção mais difícil, porém uma das mais eficazes.

Interrompo também quando as pessoas perguntam se eu quero que montem suas famílias como eram ou como são agora. Se começam a montar constelações segundo o meu desejo, não estão respeitando a verdade de sua própria alma. E se tentam criar imagens de acordo com um plano consciente, impedem que as imagens realmente úteis emerjam por si mesmas. Sim, o melhor é não ter imagem mental alguma da constelação antes de montá-la.

Padrões Repetidos nas Constelações

Hellinger: Os terapeutas que trabalham com constelações, ou planejam fazer isso, geralmente querem saber se existem nelas padrões com significado especial, ou soluções específicas para dinâmicas específicas. Pela minha experiência, é realmente esse o caso. Todavia, por enquanto, tudo ainda não passa de hipóteses de trabalho. Uma lista de meus palpites poderia gerar equívocos, transformando hipóteses em conclusões. E eu, ao contrário, desejo evitar qualquer coisa que impeça as pessoas de aprender a *ver* por si mesmas o que acontece. Estou convencido de que o melhor aprendizado baseia-se na experiência pessoal.

Norma prática geral: os terapeutas devem trabalhar no pressuposto de que cada constelação é única e exige uma única solução, a qual só se pode descobrir por meio de um diálogo sensível com os participantes.

Constelações de Outros Relacionamentos

Hellinger: Podemos, às vezes, empregar as constelações para tentar compreender a dinâmica oculta em outros sistemas de relacionamento. Os participantes dos grupos serão encarregados de representar os membros de uma instituição, empresa, profissão e outras áreas importantes da vida humana. Em um de nossos seminários, um participante, que parecia estar sempre carregando um peso, montou uma constelação em que incluiu ele mesmo, a psicanálise, a leveza, a medicina e a espiritualidade. Em seguida, pôs tudo em ordem e consignou a cada um o lugar apropriado em sua vida.

Essa técnica também pode ser útil quando a pessoa tem duas profissões e os pais são oriundos de diferentes países ou culturas. Montar situações desse tipo permite o reconhecimento da importância de ambos os elementos e, ainda, a descoberta do equilíbrio correto entre os dois. As constelações são um método excelente para uma visão geral de totalidades sistêmicas maiores.

Constelações com Casais

Hellinger: Quando, num seminário, um casal deseja examinar seu relacionamento, faço com que um dos parceiros, e depois o outro, monte esse relacionamento utilizando os mesmos representantes. Estes permanecem em seus lugares após a constelação inicial e o segundo parceiro reposiciona-os. Às vezes, notamos que um dos parceiros evita montar a constelação de um modo que exiba claramente os problemas. Nesses casos, comparar o que os representantes sentiram nas duas constelações é muito importante.

Quando os parceiros se unem, cada qual traz consigo um sistema interiorizado. Por exemplo, se a mulher interiorizou um sistema familiar distorcido ou disfuncional, também as percepções do marido a respeito dela serão distorcidas, como também as percepções dela a respeito do marido. Quando o casal monta seu relacionamento incluindo os membros importantes de suas famílias de origem, depara com um quadro mais completo do parceiro e com uma realidade mais objetiva. Uma vez reorganizados os sistemas interiorizados, suas impressões recíprocas passam a ser mais pertinentes. Isso tem um forte efeito no relacionamento.

Resumo dos Dados a Considerar

Segue-se o resumo dos pontos básicos a considerar na montagem de constelações e na busca de soluções.

Orientações para o Protagonista

- Monte uma constelação apenas quando houver uma questão candente e uma necessidade real. Só a curiosidade não basta.

- Ao escolher os participantes, convém dispô-los na ordem natural: primeiro os pais, em seguida a seqüência de irmãos. Antes do início da constelação em si, é bom que cada qual repita seu papel, para evitar confusões.

- Evite caracterizações e informações sobre atos e pensamentos das pessoas. Neste trabalho, somente são úteis as informações sobre fatos: doenças, incapacitações, separações e ações que trazem conseqüências para a vida da pessoa. As caracterizações de membros da própria família interferem com a capacidade de sentir o efeito da dinâmica familiar.

- Concentre-se e oriente-se rumo à "sensibilidade" da família. Suas idéias e planos sobre como montar a família impedem que você apreenda a informação útil. A constelação só emerge no processo de montagem. Deixe-se surpreender pelo que acontece.

- A fim de encontrar o lugar certo para cada representante, tome-o pela mão ou pelo braço e conduza-o até lá para "sentir" se realmente ele pertence àquele lugar. Deslocá-lo uns poucos centímetros pode fazer grande diferença.

- Procure o lugar adequado, mas não esculpa gestos ou movimentos, nem diga às pessoas para onde olhar.

- Depois de instalar os representantes, caminhe à volta da constelação, faça os ajustes necessários e repita os nomes das pessoas que eles estão representando.

Orientações para o Representante

- Concentre-se e atente para suas reações no lugar onde foi colocado. Sua tarefa consiste em permitir que a posição o afete e relatar isso da maneira mais clara e concisa que puder.

- Evite conclusões sobre o que pensa que deveria sentir baseado no que vê. Se não sentir nada, diga.

- Informe todos os efeitos do lugar sobre você, independentemente do que possa ser — sobretudo quando o sentimento contrariar seus valores pessoais e seu senso do certo e errado.

- Não se preocupe em descobrir se as sensações são sua reação pessoal ou uma resposta à situação. O terapeuta decidirá isso.

- Relate o que sente, mas não interprete seus sentimentos. Aceite-os tal como emergem.

- Não tenha outras intenções a não ser relatar, exatamente, como a posição o afeta. Isso inclui certas idéias ou imagens que possam lhe ocorrer. Com a experiência, você terá um senso claro do que precisa ser dito e do que deve ser deixado de lado.

Orientações para o Terapeuta

- Oriente-se para o encontro da solução. Você deve buscá-la, não inventá-la. Não lhe cabe inventar nada, mas achar a solução que por si mesma se apresente a partir do que realmente esteja vendo na constelação.

- Procure aqueles que foram excluídos ou esquecidos, mas continuam a influenciar o sistema.

- Observe atentamente todas as pessoas que, no sistema, foram vilipendiadas, odiadas, desprezadas, caladas. Em casos de abuso, são geralmente os agressores. A solução exige que o sistema seja representado por inteiro.

- Procure aqueles que querem partir, que precisam partir ou que devem receber permissão para partir.

- Confie nos relatos dos representantes.

- Confie em suas próprias percepções, mesmo quando destoem das dos participantes.

- Interrompa a constelação quando notar que:
  o protagonista não é suficientemente sério;
  o protagonista não está concentrado e em contato estreito com todos os representantes;
  o protagonista não está buscando a "sensibilidade" da constelação;
  faltam informações importantes;
  você não está vislumbrando uma solução.

- Faça tudo com simplicidade; utilize o menor número possível de pessoas necessárias para obter uma solução.

- Preste atenção no estado de espírito do grupo. Se ele não se mostrar concentrado e sério, algo está errado.

Sugestões para Buscar uma Solução

- Quem entrou no sistema antes prevalece sobre os que vieram depois. Observe a ordem de precedência. Ela se desenvolve no sentido horário, com as últimas pessoas à esquerda da primeira. Os pais têm a mesma posição hierárquica, mas a ocupação do primeiro posto varia de família para família, de acordo com sua função no sistema.

- Entre dois sistemas, o último precede o primeiro. Desse modo, a família atual tem precedência sobre a família de origem, o segundo casamento tem precedência sobre o primeiro, e assim por diante. Quando um parceiro tem filho com outra pessoa na vigência do casamento, esse segundo relacionamento sobrepõe-se ao primeiro.

- Quando um homem e uma mulher são colocados frente a frente, isso é sinal de que sua intimidade sexual foi rompida.

- Quando a mãe escolhe uma mulher para representar seu filho, suspeite de uma pressão sistêmica em favor da homossexualidade.

- Quando um dos participantes tem ímpetos de abandonar a sala ou a constelação, suspeite de tendências suicidas.

- Se qualquer dos pais manteve um sólido relacionamento anterior, o novo parceiro sente muitas vezes a necessidade de posicionar-se entre ele e o parceiro antigo. De outra forma, não há nenhum rompimento com o relacionamento anterior. Isso poderá complicar-se quando se estabeleceram vínculos com diversas pessoas, pois todas formam um sistema maior. Há inúmeras exceções, especialmente se existem filhos em um ou mais relacionamentos.

- Se todos os representantes olharem na mesma direção, tente descobrir ali a pessoa que está faltando.

Considerações Adicionais

Participantes de nossos grupos que vieram de culturas tribais em várias partes do mundo comentaram que, ao usar essas constelações, estamos reinventando a roda. Curadores nativos de muitas culturas utilizam métodos parecidos para trazer à luz as dinâmicas sistêmicas que operam secretamente nos relacionamentos. Essa troca é gratificante. Sem dúvida, as cosmologias e cosmovisões das culturas nativas são mais holísticas e sistêmicas do que o pensamento linear de causa e efeito que domina a filosofia ocidental há séculos. Se o emprego terapêutico das constelações tiver o inesperado efeito colateral de vingar abismos e aumentar a compreensão entre as culturas do mundo, ficaremos muitíssimo satisfeitos. [H. B.]

HISTÓRIAS QUE CURAM

Pergunta: As histórias e anedotas que o senhor conta são muito divertidas. Às vezes não as entendo, mas, mesmo assim, elas têm um forte efeito hipnótico em mim.

Hellinger: Quando digo às pessoas que façam isto e não façam aquilo, elas, por uma questão de honra e autonomia, devem recusar-se. Porém, se eu puder lhes indicar metodicamente onde será possível mudar sem perder a autonomia, escutarão minha oferta e, por si mesmas, decidirão o que lhes convém. Isso é o que fazem as histórias. As pessoas podem ouvir histórias sem se comprometer a mudar, retirando delas o que lhes é necessário e jogando o resto fora. Não precisam entrar em conflito comigo; podem, até, esquecer-me completamente. Quando vemos um filme, não nos lembramos de quem opera o projetor: apenas vemos o filme e vamos embora.

Histórias Para Não Molhar a Cama

Um pai perguntou-me o que poderia fazer para ajudar a filha a parar de molhar a cama. Sugeri-lhe que dissesse a ela quão satisfeito estava por ter se casado com sua mãe — mas em tom casual, uma simples frase lançada em meio a outra conversa. Depois, contar-lhe-ia uma história conhecida, porém com algumas variações — Chapeuzinho Vermelho, por exemplo.

Chapeuzinho Vermelho foi visitar a vovozinha e, ao entrar, notou que o teto tinha um buraco e a soleira estava molhada. Ela dirigiu-se então ao bosque e apanhou alguns morangos para tapar o buraco e não deixar que a soleira continuasse úmida. Entrou, pois, em casa com o seu cestinho. A vovó ficou muito contente ao vê-la e ambas passaram bons momentos juntas.

Ou Branca de Neve: Um dos anões dirigiu-se a Branca de Neve e disse-lhe: "Há uma goteira no meu quarto." Branca de Neve tranqüilizou-o; iria cuidar daquilo. Olhou para o teto e avistou uma telha deslocada, totalmente fora do alcance do minúsculo anão. Alçou-se na ponta dos pés, esticou-se ao máximo e repôs a telha no lugar. O anão nem mesmo a agradeceu depois que tudo ficou bem e esqueceu completamente o assunto.

Ou uma história sobre uma torneira que pingava e que Branca de Neve fechou. Ou então: uma menininha estava sentada no vaso sanitário quando, de repente, um homem desconhecido escancarou a porta e olhou para dentro. Ao vê-la ali, fechou logo a porta e foi embora; a menininha, que contivera o fôlego, respirou então aliviada.

Vocês compreenderam o fundo hipnoterapêutico da intervenção da última história? Quando a menina imagina a aparição do homem desconhecido, automaticamente contrai o esfíncter e a bexiga. Trata-se de uma famosa intervenção de Milton Erickson.

Seis meses depois o pai relatou, num grupo de supervisão, o que acontecera. A intervenção tinha sido bem-sucedida, mas o mais interessante para ele fora a reação da filha às modificações das histórias. Normalmente, como muitas crianças pequenas, ela deveria exigir que fossem contadas exatamente, e, no entanto, não reclamou das modificações.

A experiência desse pai ensina-nos algo muito importante sobre as intervenções psicoterapêuticas: *uma vez que ele encontrou um meio discreto e respeitoso de conversar com a filha sobre seu problema, contando-lhe histórias*, a menina sentiu esse respeito e não precisou defender-se da intervenção. Não houve capitulação ou perda de dignidade. O pai agiu de um modo compatível com seu amor e, nesse espaço de confiança não-intrusiva, algo pôde mudar sem que fosse necessário falar abertamente sobre o assunto.

IMAGENS QUE PRENDEM E IMAGENS QUE LIBERTAM

Hellinger: Em terapia, freqüentemente observamos que as pessoas estão vivenciando imagens ou padrões interiores. A Análise Transacional dá a essas imagens o nome de *scripts*. Elas têm duas origens diferentes: algumas nascem de experiências pessoais e traumas, outras de dificuldades sistêmicas.

Quando a criança tem uma experiência traumática, ela é freqüentemente interiorizada e passa a organizar suas experiências posteriores. Muitos contos de fadas e mitos descrevem esse tipo de padrão, como por exemplo: *Hansel e Gretel, Chapeuzinho Vermelho, A Pequena Vendedora de Fósforos, A Bela Adormecida* e *Rumpelstiltskin*.

A Bela Adormecida, por exemplo, descreve um padrão em que uma menina permanece "adormecida" com a ilusão de que, quando despertar, após um século, ainda terá 15 anos. Na verdade, a história encoraja-a a continuar dormindo até que o príncipe apareça. Quando percebe que realmente está envelhecendo, desperta imediatamente. Mulheres cujo conto de fadas preferido é *A Bela Adormecida* costumam identificar-se com a antiga parceira do pai.

Depois de trabalhar com contos de fadas por algum tempo, notei algo estranho: vários deles contêm imagens que nos limitam, e as soluções que propõem são ilusões destrutivas destinadas a manter o *status quo*. Por muitos anos, pedi que as pessoas me dissessem qual era o seu conto preferido, aquele com o qual se identificavam, e depois comparassem sua própria situação com a história. Fiz observações interessantes.

Quando a pessoa escolhe um conto sobre algo que uma criança pode experimentar antes dos 7 anos, os problemas do cliente representam, com larga probabilidade, experiências reais. Se, por exemplo, apontam *Rumpelstiltskin*, seus problemas em geral nada têm que ver com dificuldades sistêmicas e sim com experiências traumáticas.

A mãe falta em muitos contos de fadas, mas eles são espertos e nos desviam da mensagem essencial. Em *Rumpelstiltskin*, esse desvio consiste na frase: "Que sorte ninguém saber que eu me chamo Rumpelstiltskin!" Para as pessoas que o escolheram, *Rumpelstiltskin* era a imagem da experiência de rejeição e abandono; a experiência, digamos, de uma menina repelida pelo pai após a morte ou a fuga da mãe e que, por sua vez, repele o próprio filho. Algumas pessoas tinham irmãos enjeitados. Quando suspeito que esse possa ser o caso, conto uma variação da história para lhes dar a oportunidade de reconhecer a dinâmica oculta.

Rumpelstiltskin

A rainha enviou mensageiros a todos os quadrantes do reino para descobrirem o nome do homenzinho. Após investigar dia e noite, durante meses, um deles regressou a tempo e informou a rainha de que cumprira sua ordem. Ela quis saber o nome imediatamente, mas ele se escusou, alegando que só poderia dizê-lo quando o homenzinho voltasse para buscar a criança.

No dia marcado, o homenzinho apresentou-se para pegar a criança. Perguntou à rainha: "Sabes meu nome?"

A rainha voltou-se para o mensageiro, que estava a seu lado: "Qual o nome dele?" E o mensageiro respondeu: "Rumpelstiltskin."

"Rumpelstiltskin", disse a rainha. "Mas... esse é o nome de meu irmão que tinha uma deformidade física e foi enjeitado!"

O segundo tipo de padrão, refletido nos contos de fadas, emerge de dificuldades sistêmicas e não de experiência pessoal direta. Quando os clientes se identificam com histórias que só adultos podem vivenciar, como *Otelo e Odisséia*, por exemplo, minha experiência informa que muito provavelmente se identificam com um membro de seu sistema familiar. Existem inúmeros contos e histórias desse tipo, que fascinam crianças e adultos, embora eles não saibam por quê. Penso que as histórias têm algo que ver com outra pessoa que desempenhou papel importante na vida da família, alguém que foi vítima da tragédia ou do infortúnio, que se viu expulso do círculo familiar ou que partiu para deixar espaço a alguém mais.

Essas histórias são imagens literárias de acontecimentos da vida real que influenciaram a vida do sistema familiar. O relato permite que a pessoa desaparecida retorne, embora apenas sob forma representacional.

Em terapia, é possível identificar as imagens interiores que prendem e as que libertam, não importando se se referem a experiências pessoais ou a dinâmicas sistêmicas. Um método que desenvolvi para ajudar os clientes a identificar o *script* ou a imagem importante para eles é contar-lhes a seguinte história:

O Mundo É um Palco

Era uma vez um homem que decidiu aposentar-se. Trabalhara muito e já era tempo de fazer alguma coisa para si mesmo. Saiu de casa e vagou até encontrar um edifício em cuja fachada se lia: "Teatro do Mundo."

Ele pensou: "Eis o lugar que me convém" e comprou um ingresso. Era caro, mas ele não se importou. Entrou no teatro, sentou-se numa poltrona confortável, reclinou-se e esperou. As luzes se apagaram, a cortina subiu e o espetáculo começou. Enquanto observava, refletiu: "Já li essa peça. Não é absolutamente nova para mim." Mas, com o desenrolar da peça, percebeu que já desempenhara nela o papel principal.

Pergunte a você mesmo: "Qual o nome da peça?" Ela pode ser encontrada na literatura: um livro, um filme, uma biografia. Depois de descobrir o nome da peça, ficará um tanto surpreso e ligeiramente embaraçado.

RITUAIS DE CURA

Os rituais que curam são fruto do amor e se realizam a bem do amor. Aqueles que procuram modificar a realidade de outra pessoa não funcionam. Eles envolvem movimento e só são eficazes no cenário terapêutico quando a sinceridade de todos os participantes apóia a conclusão do movimento do ritual. Os rituais terapêuticos de cura são, para o cliente, oferendas que podem alterar a dinâmica sistêmica de sua vida, desde que corretamente apresentadas. Ou seja, os rituais executados na situação terapêutica podem mudar as imagens interiores que organizam a experiência de mundo do cliente, podendo também afetar sua situação em casa. Os clientes relatam freqüentemente que, depois da realização de um ritual de cura num grupo de terapia, o comportamento dos outros membros da família muda. Entrega total, revivescência do nascimento e reverência são rituais de cura altamente eficientes.

"Entrega" Total ao Objetivo Adequado

Pergunta: O senhor fala freqüentemente em "entregar-se ao objetivo". Pode explicar o que quer dizer com isso?

Hellinger: Existem duas situações básicas que provocam dificuldades nos relacionamentos. Uma delas é a identificação inconsciente com outro membro do sistema. A segunda dinâmica é a interrupção do movimento natural de "entregar-se a". Esse movimento não pode completar-se adequadamente quando o anseio natural de entrega da criança a alguém que ela ama é interrompido por causa de morte, doença, circunstâncias e outras experiências do gênero. A essas interrupções seguem-se fortes sentimentos de mágoa, rejeição, desespero, ódio, resignação e angústia. Tais sentimentos sobrepõem-se ao amor primário, mas são justamente o reverso do amor. Quando as crianças não conseguem entregar-se à pessoa que amam, tendem a sentir-se inteiramente rejeitadas, como se houvesse algo de errado nelas, e cessam o movimento.

Sempre que, mais tarde na vida, elas quiserem entregar-se a outra pessoa, as lembranças da mágoa virão à tona inconscientemente e interromperão o movimento, de sorte que a reação será a mesma de antes. Não é a mágoa primitiva que estimula a entrega apropriada a alguém capaz de dar o necessário; os sentimentos secundários é que impedem o movimento de desenvolver-se e alcançar o objetivo.

Às vezes, um movimento interrompido de entrega manifesta-se sob a forma de tensão muscular, cefaléia ou comportamentos autodestrutivos; por exemplo, "Jamais vou mostrar fraqueza" ou "Nada pode me ajudar". Em vez de conduzir o movimento a seu termo, essa pessoa recua ou entra num padrão circular de "avanço/fuga". Eis a raiz do comportamento neurótico. Se a pessoa fica encolerizada no ponto em que o movimento de entrega é interrompido e o terapeuta encoraja a expressão da cólera em vez de remontar à confiança e ao amor primários, a interrupção do movimento é reforçada.

A expressão de emoções que encobrem e protegem as mais antigas e penosas não traz solução. Esta sobrevém apenas quando o movimento alcança seu objetivo e se completa. No campo terapêutico, isso se torna possível se recuarmos com o cliente ao ponto em que a interrupção ocorreu, ajudando-o em seguida a prosseguir. O terapeuta, ou outro membro do grupo, pode representar o pai. O cliente, então, executa e completa o movimento. Depois de obter a experiência nova de completar o movimento, os outros movimentos de entrega se tornam mais fáceis. Muitas vezes, o processo todo dura de quinze a vinte minutos apenas.

Outras técnicas utilizadas para completar esses movimentos são: Hipnoterapia, Terapia Ocupacional e algumas formas de trabalhos com corpo e movimento. O que faço é uma combinação do que aprendi em Terapia Primal, Programação Neurolingüística (PNL) e Hipnoterapia. A Terapia Primal trabalha com a dor primária dos pais que, por algum motivo, não estão presentes. Essa dor se desenvolve quando o movimento de entrega é interrompido. A dor confirma que o movimento foi interrompido, mas nada resolve. Em vez de facilitar a expressão da dor, prefiro conduzir o movimento de entrega a seu termo, pois a partir daí o amor floresce espontaneamente.

Pergunta: Estou interessado em sua distinção entre situação acabada e inacabada do passado pela expressão de sentimentos de cólera que as acompanham, bem como na solução da situação pela retomada do movimento interrompido de entrega. Poderia, por favor, dizer mais alguma coisa a respeito?

Hellinger: Conforme já discutimos, faço uma distinção entre sentimentos que foram originalmente reações a alguma situação e os que desviam ou sustentam uma situação inacabada. Quando alguém é ofendido ou agredido, dizer que isso machuca é uma reação apropriada que pode ajudar a solucionar o caso. Contudo, muitas agressões que vêm à tona no cenário terapêutico na verdade mantêm a interrupção do movimento de entrega. Se observarmos bem, perceberemos se a expressão de uma emoção facilita ou não a solução. O efeito a longo prazo da expressão da cólera secundária é destrutivo. Nos relacionamentos com os pais, a solução só ocorre quando estes são aceitos como são — o que significa dominar o movimento de entrega.

Revivescência do Nascimento

Pergunta: O senhor, ocasionalmente, permite que alguém reviva seu nascimento. Quando faz isso?

Hellinger: Faço isso quando o problema diz respeito a uma experiência pessoal ou traumática. Se, por exemplo, houve um trauma no parto, o movimento de entrega à mãe se interrompe imediatamente. Convém, pois, que os clientes revivam seu nascimento a fim de restabelecer um vínculo com a mãe e o pai e rezem uma "Ação de Graças na Aurora da Vida".

Entregar-se à mãe e ser aceito por ela é a experiência de relacionamento mais intensa e fundamental que podemos ter. Mesmo se o vínculo primário com a mãe não se estabelecer na infância, as pessoas poderão restabelecê-lo por meio de um ritual de cura de revivescência do nascimento.

Pergunta: Como, exatamente, o senhor faz isso?

Hellinger: Utilizo uma combinação de PNL e Terapia Primal para associar uma experiência positiva a uma experiência negativa, equilibrando-as. Na verdade, é muito simples, mas deve ser usada no momento certo. Se você conseguir perceber a ocasião oportuna para o cliente, não precisará fazer muita coisa. Eu digo apenas: "Recue lentamente no tempo e, quando parar, fique ali." Após um ou dois minutos, o cliente começa a soluçar ou a chorar e eu pergunto: "Que idade tem agora? Que está acontecendo?" Se for conveniente, ele irá levar-me à experiência do nascimento. Procuro ajudá-lo da melhor maneira possível a reviver essa experiência e protejo-o (ou peço que outro membro do grupo o faça) para que se sinta seguro, independentemente dos sentimentos que emerjam. Às vezes, findo esse trabalho, convido as pessoas a olhar para os representantes de sua mãe ou pai e recitar a "Ação de Graças na Aurora da Vida".

Ação de Graças na Aurora da Vida

Querida Mamãe/Mãe,
Aceito tudo o que vem de ti,
Tudo, com todas as conseqüências.
Pelo preço que te custa
E que me custa.
Disso farei algo positivo em tua memória,
Com gratidão e respeito.
O que fizeste não pode ter sido em vão.
Está comigo, em meu coração,
E, se me for permitido, passá-lo-ei adiante,
Como fizeste.

Aceito-te como mãe,
E tu me terás por filho/filha.
És minha única mãe e eu sou teu/tua filho/filha.
És grande, eu sou pequeno(a).
Tu dás e eu recebo, querida Mamãe.
Estou feliz por teres escolhido Papai por marido.
Sois, ambos, os pais que me convêm.

Querido Papai/Pai,
Aceito tudo o que vem de ti,
Tudo, com todas as conseqüências,
Pelo preço que te custa
E que me custa.
Disso farei algo positivo em tua memória,
Com gratidão e respeito.
O que fizeste não pode ter sido em vão.
Está comigo, em meu coração,
E, se me for permitido, passá-lo-ei adiante,
Como fizeste.

Aceito-te como pai,
E tu me terás por filho/filha.
És meu único pai e eu sou teu/tua filho/filha.
És grande, eu sou pequeno(a).
Tu dás e eu recebo, querido Papai.
Estou feliz por teres escolhido Mamãe por esposa.
Sois, ambos, os pais que me convêm.

Não há sentimento melhor que o de ser aceito após o nascimento, por isso ajudo o cliente a encontrar a melhor experiência possível, a experiência de ser aceito depois do nascimento, e utilizo isso como uma âncora para que consigam lidar com os traumas que tiverem.

Depois de estabelecermos a experiência de ser aceito no nascimento, deixo que o cliente regresse ao presente por meio de suas lembranças e traumas. Dessa maneira, as experiências negativas são refreadas e transformadas pela experiência mais positiva. Todos os traumas posteriores da infância podem ser trabalhados ao mesmo tempo graças a essas compensações. Acompanho os clientes em seus traumas e faço com que analisem cada experiência até o fim. Em seguida, passo à próxima situação. Às vezes, muitas horas de análise podem ser resumidas numa única sessão, mas isso é terapia individual e não sistêmica. Trata-se do segundo aspecto de meu trabalho, que complementa o trabalho sistêmico.

Fazer uma Reverência e Erguer-se

O ritual de reverência à pessoa apropriada, sendo uma homenagem, restaura o equilíbrio e a ordem. Em nossa cultura, esse movimento ficou difícil para muita gente; a reverência, como gesto de respeito, passou a ser facilmente confundida com um gesto de submissão doentia. Quando reverenciamos alguém que mereça e lhe prestamos obediência, a alma e o corpo respondem com alívio e uma sensação de leveza. Isso nos faz sentir bem e tem excelente efeito.

Quando recusamos obediência a uma pessoa que tem direito legítimo a ela, o corpo e a alma respondem contraindo-se, com uma sensação de esforço e peso. Os motivos da recusa são irrelevantes.

Quando as famílias não seguem as ordens do amor, os filhos têm de aprender a ignorar suas próprias almas e, mais tarde, não conseguirão reconhecer o que é certo e adequado para eles, que não se curvarão diante de pessoas que merecem esse gesto e, com freqüência, sustentarão que semelhante atitude não lhes convém.

Como a entrega, a reverência é um movimento do corpo e da alma. Pode ser feito com mais facilidade nas constelações em que se representa o sistema familiar como um todo. A completude do sistema familiar legitima o movimento.

De Joelhos

Num grupo, uma mulher falou de seu relacionamento difícil com o pai. Ela contou fatos horríveis sobre o que ele fazia a ela e à mãe. Quando se preparava para montar a constelação, o terapeuta perguntou-lhe se alguém da família morrera cedo. A mulher respondeu: "Sim. Meu pai tinha sete irmãos e uma irmã, todos mortos na guerra. Seus pais também foram assassinados. Só ele sobreviveu."

Depois que os representantes dos mortos foram colocados em semicírculo atrás do representante do pai, e o peso de seu destino ficou visível para todos, a mulher começou a soluçar descontroladamente. Ela cobriu o rosto com as mãos e pendeu a cabeça. Cessados os soluços, o terapeuta dirigiu-lhe a atenção para seu movimento espontâneo de cabeça e sugeriu que o completasse.

Ela concentrou-se na direção do movimento. Caiu de joelhos e pousou a testa no chão, enquanto erguia os braços. Ficou nessa posição por muito tempo, chorando.

No grupo seguinte, quatro meses mais tarde, informou que, embora já na casa dos 40, ficara inesperadamente grávida.

O movimento de reverência não se completa até que a pessoa se levante e saia. A reverência apropriada facilita o fluxo do amor.

RODADAS

Pergunta: O senhor prefere terapia em grupo, mas seus grupos são muito diferentes de tudo o que já vi. Pode dizer algo a respeito?

Hellinger: Meus grupos diferem do costumeiro grupo psicodinâmico pelo fato de os membros não serem encorajados a interpretar e entrar em confronto. A fim de substituir essa relação entre os membros, faço rodadas. Numa rodada, cada participante tem a oportunidade de relatar o que está sentindo ou examinando. Raramente trabalho com uma pessoa, numa rodada, por mais de dez minutos, mas essas curtas interações têm continuidade, encaixando-se umas nas outras no curso do seminário. O resultado é que algumas intervenções com pessoas duram quatro ou cinco dias. Trabalho em pequenas doses, com muito tempo de permeio para a reflexão pessoal, de sorte que ninguém é pressionado a fazer mais que o possível no momento.

Na psicoterapia dinâmica de grupo, todo participante pode interpretar outro. Todos ficam expostos e vulneráveis. Quando não têm personalidade forte, ou carecem de experiência no trabalho de grupo, são apanhados nas dinâmicas grupais, que atuam como defesa coletiva, e muitos temas importantes são sistematicamente calados.

Os grupos mostram forte tendência a adotar certos princípios e transformá-los em normas grupais; por exemplo, "Nada se pode fazer no grupo sem o consentimento de todos os seus membros". O consenso é importante na vida de um grupo, mas, quando se torna uma regra absoluta, passa a ser destrutivo. Então, as objeções daqueles que não desejam explorar seriamente alguma coisa em si mesmos interrompem o processo do grupo inteiro, impedindo que outros façam o trabalho para o qual vieram. Se o princípio segundo o qual "os distúrbios têm prioridade" transforma-se em regra absoluta, qualquer um pode abalar o grupo, por mais trivial que seja o "distúrbio".

O uso da rodada de grupo tem a vantagem de desencorajar as relações entre membros. Ninguém pode interferir no trabalho alheio. Ninguém é atacado; ninguém pode ser censurado ou elogiado. (O elogio se revela tão prejudicial ao processo do grupo quanto a censura. Isso desvia a atenção dos participantes de suas experiências reais para os efeitos dessas experiências nos outros membros.) O método da rodada permite que cada qual tenha confiança no processo interno do grupo, seja capaz de apresentar seus temas e possa trabalhar com eles num contexto seguro.

O respeito pelas pessoas, bem como a postura afetuosa e encorajadora, estabelecem uma solidariedade inconsciente no seio do grupo, qualidade mais espiritual do que a que se observa na psicoterapia dinâmica de grupo. Há também, sem dúvida, uma certa dinâmica de grupo, mas a resistência não é tão forte.

Transcrição de uma Rodada

Segue-se a transcrição parcial de uma rodada de grupo no terceiro dia de um seminário de seis dias. No início da rodada, montou-se uma constelação da família de origem de um dos participantes e muitos comentários referentes à constelação foram omitidos. A transcrição começa mais para o fim da rodada.

Sarah: Tive uma experiência enquanto caminhava, ontem. Seguia ao lado de um rio e, de repente, veio-me a sensação de que fizera alguma coisa errada. Uma sensação muito forte. Senti-me culpada. Subi a montanha e saí do bosque. Tudo parecia mais claro, eu estava cada vez mais leve e a névoa da tarde começou a subir dos prados. *(Pára, pensativa.)*

Hellinger: Vou dizer uma coisa sobre o que você experimentou. Se reconhecer e aceitar a culpa pessoal, não mais a perceberá como culpa. Esta vai se transformar numa forte motivação para a ação. Você ainda saberá que é culpa, mas ela não mais irá oprimi-la sob a forma de sentimentos de culpa. Esses sentimentos surgem no momento em que nos recusamos a agir com responsabilidade com respeito à culpa. Então, perdemos a força de ação que a culpa nos dá. Quando nos abrimos inteiramente à culpa pessoal, ganhamos uma fonte de amparo para fazer o bem.

Sua imagem retrata isso maravilhosamente. Você se permitiu sentir a culpa, abriu-se para ela e ficou mais leve. Só restou o apoio para fazer o bem. Agora poderá empreender coisas de que não seria capaz se continuasse a bloquear a culpa.

Sempre que me julgo culpado e procuro expiar alguma coisa que perpetrei, vem-me uma sensação de estreiteza e limitação. Quando permito que a culpa me fortaleça, o efeito é totalmente diverso. Por exemplo, se consigo reconciliar vítimas e agressores, ou faço alguma coisa útil para alguém, algo surge do sacrifício da vítima.

Caso este não fosse um grupo de treinamento e você não fosse terapeuta, Sarah, eu não diria absolutamente nada, pois o mais importante já aconteceu.

Há uma história famosa sobre os segredos e a sabedoria do mundo. Ela diz que todos os segredos foram inscritos nos livros sibilinos, escondidos numa caverna da Itália. Se alguém encontrasse o caminho para a caverna e ali penetrasse para aprender a sabedoria do mundo, todos os livros se reduziriam a pó. As coisas essenciais fogem de nossa curiosidade e os grandes mistérios do Ser a si próprios se protegem.

Ângela: Ainda penso no processo de concentração. Li certa vez a respeito da prece, das cinco qualidades da prece: confiança, concentração, gratidão, responsabilidade e não sei que mais... fé. Gostei realmente do artigo e das palavras, mas sempre faço a mesma pergunta: como reconhecer a concentração? Fico ansiosa quando...

Hellinger *(interrompendo)*: Quero dizer-lhe uma coisa sobre concentração. Algumas pessoas cerram os olhos para esvaziar-se e chamam a isso concentração. Acho isso estranho. A concentração acontece quando abro os olhos e os ouvidos, absorvendo a riqueza do mundo que me cerca e permitindo que ela própria se organize dentro de mim. Isso é concentração. Algo mais, Ângela?

Ângela: Não, é o bastante.

Joseph: Tenho inúmeros pensamentos e sensações que passam.

Ruth: Eu também.

Steven: Ainda estou pensando no que o senhor disse a Sarah. *(Parece deprimido.)*

Hellinger: Não acredito muito em você, Steven.

Steven: Bem, de qualquer forma não estou num bom lugar mesmo. *(Dá de ombros.)*

Hellinger: Correto! Você está nos arrastando para uma caçada de patos selvagens. *(Steven continua absorto, silencioso, pensativo. Longa pausa.)* Que farão seus filhos se você cometer suicídio? *(Pausa.)* Você odeia a opção da vida, Steven. *(Silêncio.)* Vou lhe contar uma história.

Amor

Era uma vez um homem que sonhou ouvir a voz de Deus ordenando-lhe: "Levante-se, pegue seu filho, seu único e amado filho, e suba com ele ao topo da montanha. Lá, sacrifique-o a mim."

Na manhã seguinte o homem despertou e olhou para o filho, seu único e amado filho; olhou também para a esposa, mãe da criança; por fim, olhou para Deus. Pegou o filho, subiu a montanha que Deus lhe designara e construiu um altar no local. Então ouviu outra voz e, em lugar do filho, sacrificou uma ovelha.

De que modo o filho olhou para o pai?
De que modo o pai olhou para o filho?
De que modo a esposa olhou para o marido?
De que modo o marido olhou para a esposa?
De que modo olharam para Deus?
E de que modo Deus — se há um Deus — olhou para eles?

Outro homem sonhou, naquela mesma noite, que ouvia a voz de Deus ordenando-lhe: "Levante-se, pegue seu filho, seu único e amado filho, e suba com ele ao topo da montanha. Lá, sacrifique-o a mim."

Na manhã seguinte o homem despertou e olhou para seu filho, seu único e amado filho; depois olhou para a esposa, mãe da criança; por fim, olhou para Deus. Olhou-o bem no rosto e declarou: "Não farei isso."

De que modo o filho olhou para o pai?
De que modo o pai olhou para o filho?
De que modo a esposa olhou para o marido?
De que modo o marido olhou para a esposa?
De que modo olharam para Deus?
E de que modo Deus — se há um Deus — olhou para eles?

Esse é o final da história, mas vou acrescentar-lhe mais um pedacinho para você, Steven.

Um terceiro homem sonhou, naquela mesma noite, que ouvia a voz de Deus, etc., etc. O homem despertou, olhou para o filho, subiu com ele a montanha, construiu um altar no local, sacou de uma faca e matou a criança. De volta a casa, matou-se também.

Eis o meu comentário: coitado do garoto!

O suicídio é um mau substituto para a culpa e a responsabilidade. Esse tipo de expiação é tão tolo quanto o feito em si e bem mais fácil do que agir de modo adequado. Portanto, Steven, acabo de admoestá-lo duramente. Algo mais? *(Steven sacode a cabeça.)* Ótimo. Irene, que se passa com você?

Irene: Durante a meditação, antes da hora do almoço, lembrei-me de que haviam me dado o nome de uma filha de minha avó que morreu muito moça. Sinto como se estivesse carregando alguma coisa comigo.

Hellinger: Oh, pergunto-me de onde você tirou esse sentimento, mas, se achar importante *(pausa)*, há uma fórmula mágica para situações como essa. Ao longo dos anos, descobri muitas fórmulas mágicas para diferentes situações. Não as compreendo, o que não impede que funcionem. Considero grande presente uma frase aplicada a mim. A fórmula que você poderá usar é: "Querida tia, você está morta..."

Irene *(interrompendo jovialmente)*: ... e eu estou viva!

Hellinger: Não. Terá de ser sincera se quiser saber, do contrário irei embora. *(Longa pausa. Irene continua sarcasticamente jovial e calada. Hellinger dirige-se ao grupo)*: Está bem, ela deixou a ocasião passar. Não posso lhe contar agora. Prossigamos.

Lars: A última constelação impressionou-me muito e ainda estou pensando nela. Afora isso, estou com dor de cabeça.

Hellinger: Recebeu o que merece.

Lars: Que quer dizer?

Hellinger: Afirmou Goethe com muita justeza: "Cada qual é o ferreiro que forja sua própria desventura." *(Risos.)*

Eric: Estou com vontade de montar minha família. Sempre a tratei como se ela não fosse importante, mas agora vejo que é de fato muitíssimo importante. A troca com Steven motivou-me.

Hellinger: Está bem, faremos isso mais tarde.

Fred: Tenho uma pergunta a respeito do trabalho com os clientes. A mãe de uma de minhas clientes tentou matar os filhos. Não conseguiu, mas feriu-os seriamente. A pergunta é: Poderá essa filha reconciliar-se com a mãe? No momento, não quer nada com ela. Sente, de modo muito forte, que foi agredida pela própria mãe. Seria um grande alívio para ela se ficasse em paz com a mãe, mas eu sou muito cauteloso quando acontecem coisas desse tipo.

Hellinger: Existe uma maneira. Trata-se também de uma fórmula mágica. Quando ela estiver pronta para fazer as pazes com a mãe, poderá dizer-lhe: "Querida mamãe, concordo com isso." *(Silêncio.)*

Fred *(pausa)*: Acho que compreendi. Mas ela compreenderá?

Hellinger: Não, a frase ainda não está correta, embora vá na mesma direção. Talvez fosse melhor dizer: "Querida mamãe, se esse for o meu destino, concordo com ele." Ou algo mais ou menos assim.

Fred: Significa que...

Hellinger: Não, não significa nada! Logo que comentamos uma dessas fórmulas, ela perde sua força. Qual era a frase?

Fred: "Querida mamãe, se esse for o meu destino, concordo com ele."

Hellinger: Um filho não tem de perdoar os pais. Isso é uma coisa completamente diferente. Uma criança, vítima de abuso, poderá dizer: "Foi muito ruim" e "Não me é permitido perdoá-los por isso", mas não precisará mostrar-se prejudicada e amarga pelo que aconteceu. Ela dirá, antes: "Vocês terão de arcar com o peso do que fizeram."

Crianças vítimas de abusos assumem a culpa e as conseqüências do abuso. É bem mais difícil deixar a culpa e as conseqüências a cargo dos pais, como também a responsabilidade. Entretanto, os filhos causam a si próprios um dano adicional quando se acham no direito de ameaçar os pais, no sentido de "Está bem, agora vão pagar pelo que fizeram". Isso traz terríveis conseqüências. Quando as crianças apresentam queixa ao tribunal contra seus pais, pagam caro por esse ato, independentemente do que os pais possam ter feito.

Algo mais, Fred?

Fred: Sim. Tenho outra cliente cujo pai foi oficial de alta patente nas SS. Não chegou a conhecê-lo. A mãe voltou para a Áustria. Então, começou a alimentar a idéia de suicidar-se.

Hellinger: Quem? A cliente ou a mãe?

Fred: A cliente. Supus que...

Hellinger: Que aconteceu ao pai?

Fred: Sua história é muito estranha. Foi dado como desaparecido em ação e pensou-se que morrera, mas depois se descobriu que vivia no norte da Alemanha e era paraplégico. Nunca fez contato com a família até morrer.

Hellinger *(pensativo)*: A frase que poderá ajudá-la é mais ou menos esta: "Querido pai, permito que descanse em paz." Você deverá ajudá-la a encontrar o lugar onde possa dizer isso com sinceridade. Também é importante para ela não querer saber mais. Não precisa mergulhar no passado dele para descobrir exatamente o que fez durante a guerra. Terá apenas de dizer: "Aceito o seu destino e a sua decisão; deixo-o em paz com esse destino, essa decisão e todas as conseqüências que elas trouxeram para você."

Max: Nada por enquanto.

Vera: Meus sentimentos são desencontrados. Esta manhã estava sofrendo, agora estou bem. É o que tenho a dizer no momento.

Fred: Acho tudo isso fascinante. Brilhante. Sinto-me mais ligado às pessoas do que nunca. Essa riqueza é simplesmente fantástica.

Hellinger: Aí está um homem capaz de impressionar-se. É bom ver isso.

Fred: Sim, realmente. Jamais imaginei que pudesse ser tão excitante.

Hellinger: Helen, você disse que estava sentindo algo mais. Que queria dizer?

Helen: Tive a sensação engraçada de que meu marido, Carl, pagou a você a taxa do seminário por nós dois. Gostaria de ter pago eu mesma.

Hellinger: Percebe o que é isso? Damos-lhe o nome de tática de diversão. *(Pausa.)* Quem era a mulher? *(Risos. Bert Hellinger refere-se ao fato de as expressões faciais de Helen mimetizarem o rosto de outras pessoas.)*

Helen *(em voz baixa e hesitante)*: Minha mãe?

Hellinger: Fazer adivinhações não adianta nada.

Helen: Não sei.

Hellinger: Está bem, monte então sua família de origem. *(Helen monta sua família. Descobre-se que ela se identifica com a primeira esposa do pai. Era uma judia, que se separara do pai de Helen em 1938 e emigrara para os Estados Unidos, onde voltara a casar-se. Numa seqüência comovente, a solução é encontrada. Bert Hellinger prossegue, depois que todos os participantes voltaram a sentar-se.)*

Na Alemanha, ser judeu é sempre importante. Tem forte efeito no sistema familiar. E então, Helen, como está se sentindo?

Helen *(rindo)*: Bem. Realmente bem.

Hellinger: Portanto, era uma identificação com a primeira esposa do pai. E agora?

Helen: Isso deixa muitas coisas claras para mim.

Hellinger: Sim, você deverá dizer para seu pai: "Nada tenho que ver com sua primeira esposa. Pertenço à minha mãe. Só ela me convém." Lá está você acenando de novo com a cabeça. Sabe o que significa acenar prematuramente?

Helen: Não.

Hellinger: Há um famoso dito no *Götz von Berlichingen*, de Goethe: "Diga ao seu patrão: 'Beije meu rabo'." É a forma mais sutil de defesa. Sabe o que continua defendendo? Olhe francamente para seu pai e diga: "Esta é minha mãe e fico com ela." Isso torna você menos importante, mas é o preço da felicidade. Você conhece o ditado "O pequeno é bonito". *(Helen sorri.)* Eis aí outra expressão, você a percebe? *(Helen acena afirmativamente.)* Mais alguma coisa? *(Helen acena que "não".)*

Alexis: Tive uma sensação realmente tranqüila, confortadora depois das duas últimas constelações. Foi bonito.

Hellinger: Sim, de repente tudo ficou claro e em paz.

Fred: Quando examinamos o que surgiu da constelação de Helen, significará acaso que o pai perdeu o direito à mãe de Helen?

Hellinger: Não, absolutamente. Significa que a mãe não pode reivindicá-lo por inteiro, ao menos pelo preço que a primeira esposa teve de pagar. A mãe de Helen deve recuar um pouco e reconhecer, no íntimo, seu débito para com a primeira esposa. É uma forma de respeito pelo sacrifício desta, não importa o que signifique na prática atual. *(Para Helen.)* Isso, porém, não lhe diz respeito, Helen. Você já voltou à antiga expressão. Leva tempo para que um velho rosto como esse se dissipe completamente. *(Bert Hellinger faz algumas piadas para distrair a atenção do grupo.)* Muito bem, vamos fazer uma pausa.

Irene *(antes da pausa)*: Lembrei-me da frase! Não exatamente, mas já não estou mais brava com você por termos tido um confronto.

Hellinger: Sim, foi um confronto efetivo. Qual é a frase?

Irene: Querida tia, você está morta. Lamento muito. Vou ficar por aqui mais algum tempo.

Hellinger: Agora vou dizer-lhe a frase certa: "Querida tia, você está morta. Viverei até chegar minha hora e morrerei também."

Essa sentença você poderá usar em diversas situações, mas digo isso com cuidado, pois, se for usada como uma vendedora automática, perderá sua eficácia. Por exemplo, uma segunda esposa poderá dizer à primeira: "Você perdeu seu marido e eu o conservarei até perdê-lo também." Isso elimina a superioridade e a arrogância. Promove a união num nível profundamente humano, um nível em que o desaparecimento de tudo tem direito a existir. Agora vamos fazer mesmo uma pausa.

Transcrito

RETOMADA DA ENTREGA INTERROMPIDA

Brigid participa de um seminário de seis dias. Exibe sentimentos e reações típicos de uma pessoa cuja entrega foi interrompida. Algumas relações menores foram omitidas nesta transcrição.

Segundo Dia, Manhã

Brigid: Ontem, parecia que eu estava usando uma armadura, mas hoje sinto-me mais aberta. Há algo de muito frágil ocorrendo comigo.

Hellinger: Serei bastante cuidadoso com sua fragilidade, Brigid. *(Ela começa a chorar mansamente.)* Respirar fundo ajuda. Inspire e expire. Abra a boca para que o ar circule com mais facilidade... respire... respire... tudo é muito rápido com você, não?

Brigid: Nem sempre.

Hellinger: Está acostumada a ter alguém que faça as coisas por você? *(Brigid começa a soluçar. Pausa.)* Pegue sua cadeira e venha sentar-se à minha frente. *(Brigid se aproxima. Hellinger entrega-lhe um lenço.)* Estou preparado para qualquer emergência. Aproxime-se mais... mais um pouquinho... *(Delicadamente, tira-lhe os óculos e toma-lhe as mãos.)* Feche os olhos, abra a boca e respire profundamente, naturalmente. *(Toca de leve, com as pontas dos dedos, a parte superior do peito de Brigid.)* Recue até onde vão seus sentimentos, até encontrar o lugar e a situação a que eles pertencem. Boca aberta... respire... *(Brigid continua a respirar sem dificuldade por cerca de um minuto.)* Aceite tudo como é, seja o que for... *(Após uns dois minutos.)* Que está acontecendo? Até onde recuou?

Brigid: Tenho cerca de 6 anos.

Hellinger: Que há?

Brigid: Estou viajando de carro com minha mãe. Quero deitar-me em seu colo, mas ela não deixa. Está muito zangada comigo.

Hellinger: Muito bem, observe o cenário. Como costumava chamar sua mãe, em criança?

Brigid: Mamãe.

Hellinger: Diga "Mamãe, por favor."

Brigid *(com muita suavidade)*: Mamãe, por favor.

Hellinger *(para o grupo, após longa pausa)*: Temos aqui, portanto, uma situação de entrega interrompida. Sabem de que modo a cena continua a influenciá-la?

(Para Brigid): Recue ainda mais. *(Após uma pausa.)* Parece que já foi tão longe quanto podia. *(Para o grupo.)* No início do trabalho ela decidiu não ir longe demais e está mantendo a decisão. *(Após uma pausa, inclina-se para ela e olha-a com grande ternura.)* Abra os olhos. Que faremos com você? *(Brigid dá de ombros, parecendo desapontada.)* Feche os olhos de novo. Acompanhe o seu movimento interior e vá para onde ele a conduzir. Intimamente, afaste-se de sua mãe, cada vez mais. *(Brigid faz um movimento súbito, virando a cabeça para a esquerda. Hellinger espera e, em seguida, delicadamente, volta-lhe a cabeça para a direita, como a encorajá-la a encarar alguma coisa que ela não quer ver.)* Continue a respirar energicamente, um pouco mais rápido, mas sem violência. *(Brigid começa a tossir.)* Em vez de tossir, diga algo a sua mãe, algo que precisa ser dito.

Brigid *(suavemente)*: Basta, basta!

Hellinger: Diga isso de novo, um pouco mais alto, "Basta, basta". *(Hellinger põe-lhe a mão direita nas costas e, com um leve toque de dedos, inclina-lhe o corpo para a frente. Ela pousa a cabeça no ombro dele, soluçando. Hellinger abraça-a.)*

"Basta, basta!" *(Hellinger sugere que Brigid o abrace e ela o faz.)* Respire profundamente, mantendo a boca aberta... um pouco mais rápido... mais rápido... profundamente. Não é necessário conter o choro. *(A respiração vai ficando cada vez mais lenta.) (Para o grupo.)* Brigid optou pela felicidade menor. *(Para Brigid.)* Como está agora?

Brigid: Melhor *(apontando para o peito)*... mais aberta.

Hellinger: Você se deteve no meio do caminho, mas foi mais longe que antes.

Brigid: No meio do caminho de volta?

Hellinger: No meio do caminho para ela. Como disse Goethe, "Cada qual cria sua própria infelicidade."

Brigid: Não creio que ele tenha dito isso.

Hellinger: Ah, não? *(ambos riem)*. Está bem. *(Brigid levanta-se e volta para seu lugar.)* Essa foi uma situação em que a entrega foi interrompida e todos pudemos ver o que aconteceu quando ela atingiu o ponto de interrupção. Observo que muitas neuroses começam no ponto de interrupção do movimento de entrega. Na verdade, considero a neurose um movimento circular que sempre retorna ao ponto de interrupção ao invés de ir adiante. Quando evocamos o movimento interrompido, sentimentos e lembranças vêm à tona, a decisão tomada na infância ressurge e, em vez de completar a entrega, voltamos ao ponto de partida e recomeçamos tudo. É um círculo vicioso.

Como terapeuta, que faço diante desse padrão? *(Pausa.)* Brigid estacou e não conseguiu completar o movimento interrompido. Temos de ser cuidadosos para não fingir que o trabalho trouxe mais resultados do que na verdade ocorreu. Mas, mesmo que ela não tenha conseguido completar a entrega, pelo menos teve um vislumbre do processo. Agora, passo o encargo ao seu coração afetuoso. Concorda, Brigid?

Brigid *(sorrindo)*: Sim.

Hellinger: Alguma pergunta sobre este trabalho?

Participante: Não entendi o que o senhor quis dizer com "passar o encargo ao seu coração afetuoso".

Hellinger: Você não entendeu, mas ela sim. Confiar no coração, no bom coração, é sempre um excelente método. É espantoso como, muitas vezes, o cliente encontra um caminho que nenhum terapeuta seria capaz de encontrar. Secretamente, sem dizê-lo aqui em voz alta, eu também a entreguei ao coração amoroso da mãe.

Participante: Primeiro o senhor sugeriu que ela se entregasse e depois que se afastasse.

Hellinger: Não importa em que direção as pessoas se movam, para a frente ou para trás. O importante é que estejam em movimento. Quando a entrega não funciona, convém tentar o oposto. Se a pessoa se põe em movimento, este se inverte espontaneamente. Ela se afastou e eu a acompanhei nesse movimento natural. Quando ela virou a cabeça para a esquerda, vi-a afastando-se da mãe. Depois que lhe voltei delicadamente a cabeça para a direita, os sentimentos se manifestaram. Eu seguia o movimento tal qual ele surgia.

Participante: Foi uma correção?

Hellinger: Não, eu não "corrijo" nada. Foi mais um estímulo ao movimento já em curso. Então, veio a frase "Basta, basta!" A mãe estava claramente presente para ela a essa altura do trabalho.

Participante: Pode dar aos que, aqui, não têm experiência com trabalho de corpo algumas sugestões sobre como reconhecer se uma pessoa está ou não interrompendo o movimento de entrega?

Hellinger: Infelizmente, não. Só conseguimos isso graças à observação cuidadosa, ao ato de *ver*. Talvez você tenha a oportunidade de presenciar outros exemplos durante o seminário. Quando nos apegamos a uma teoria, tornamos difícil para nós mesmos a visão dos fatos. Ver é mais importante que adotar teorias específicas. Creio ter dito o necessário sobre esse assunto; mais informações não ajudariam.

Mais Tarde, Mesma Manhã

Brigid: Meu estado de espírito varia constantemente. Num minuto sinto afeto e compaixão — até nos olhos *(fica chorosa)*, mas, de repente, tudo se vai. A mudança é contínua e, quando tento...

Hellinger: Isso é ótimo, Brigid, realmente ótimo. *(Para o grupo.)* Percebem como seu coração afetuoso está agindo? Deixe que seu bom coração trabalhe até encontrar a solução.

Tarde, Mesmo Dia

Brigid: Estou completamente presente. Durante a pausa do almoço, fui para a cama e me cobri. Tentei achar uma conexão com minha mãe. Foi muito agradável.

Manhã Seguinte

Brigid: Fiquei acordada boa parte da noite. Fiquei pensando em minha família e na família de minha mãe.

Hellinger: Que aconteceu na família de sua mãe?

Brigid: A irmã de minha mãe morreu de tifo e, seis semanas antes, seu pai falecera. Ela tinha 10 anos quando isso aconteceu.

Hellinger: A irmã era mais nova que sua mãe?

Brigid: Era mais velha, o segundo filho. O primeiro era homem. Fiquei pensando no clima da família, uma espécie de silêncio mortal. Havia muito silêncio e tensão. Pensei também em outra coisa: quando visito meus pais com minhas filhas, esse clima desaparece. Meus pais amam as netas, que enchem sua casa de alegria. Lembrei-me ainda de outra coisa, sobre sentar no colo de mamãe. Quando meus pais vêm visitar-nos, as duas meninas gritam: "Quero colo, vovô. Quero colo, vovó." E têm permissão de fazê-lo.

Hellinger: De que morreu o pai de sua mãe?

Brigid: Uma infecção de bexiga. Foi para o hospital e não voltou. Isso foi em 1938. Seis semanas depois, a irmã mais velha de mamãe faleceu.

Hellinger: Um grande choque para a família.

Brigid: Sim. E há mais. Fiz há algum tempo ùma constelação com outro terapeuta e coloquei minha mãe de lado, olhando para longe. Não imagino o que ela possa ter experimentado.

Hellinger: Talvez estivesse acompanhando a irmã e o pai, mas podemos montar a constelação e ver o que acontece. *(Brigid monta a família. Surge a informação adicional de que o pai de Brigid era o mais novo de quatro filhos; seu irmão morrera na infância e ele tinha duas irmãs vivas.)*

Hellinger: Como o pai se sente?

Pai: Não tenho contato com meus filhos e minha mulher está ausente. Estou muito solitário.

Mãe: Sinto-me muito só. Não é bom ver os filhos pelas costas. Mal noto a presença de meu marido.

Representante de Brigid: Gostaria de ir embora. Há alguma coisa atrás de mim, mas não sei o que é.

Diagrama 1*

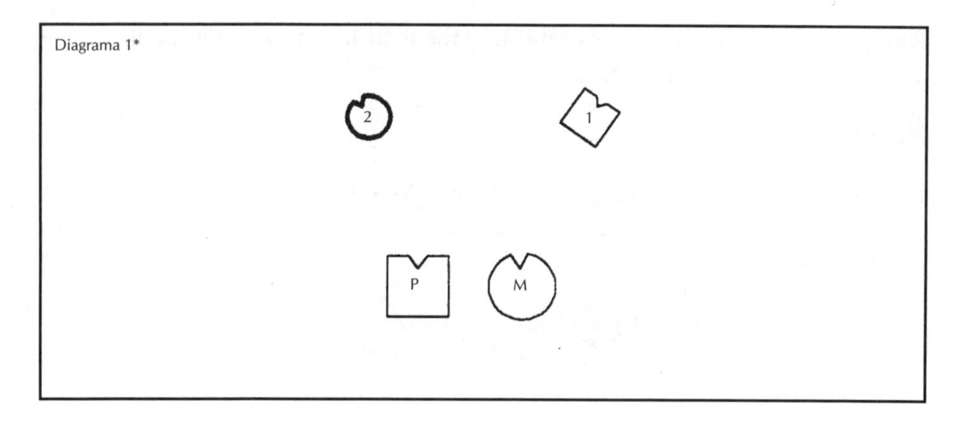

Hellinger: A criança que morreu na família de seu pai era menino ou menina?

Brigid: Não sei.

Hellinger: Qual é o seu palpite?

Brigid: Menina.

Irmão: Não tenho contato com ninguém. Minhas pernas estão geladas, completamente rijas.

Hellinger *(para os filhos)*: Virem-se e encarem seus pais. O que mudou?

Irmão: Sinto-me mais leve agora.

Diagrama 2

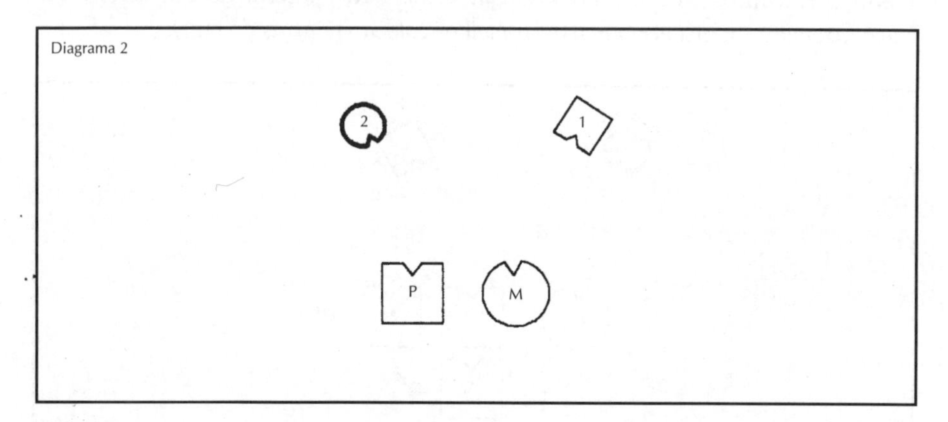

Representante de Brigid: Sinto-me confortável e lúcida.

---

* Legenda: P — pai; M — mãe; 1 — primeiro filho, homem; 2 — representante de Brigid.

Pai: Sim, sinto-me melhor em relação a meus filhos, mas ainda há algo errado em relação à minha esposa.

Mãe: Digo o mesmo.

Hellinger *(para os pais)*: Troquem de lugar e vejam se alguma coisa muda.

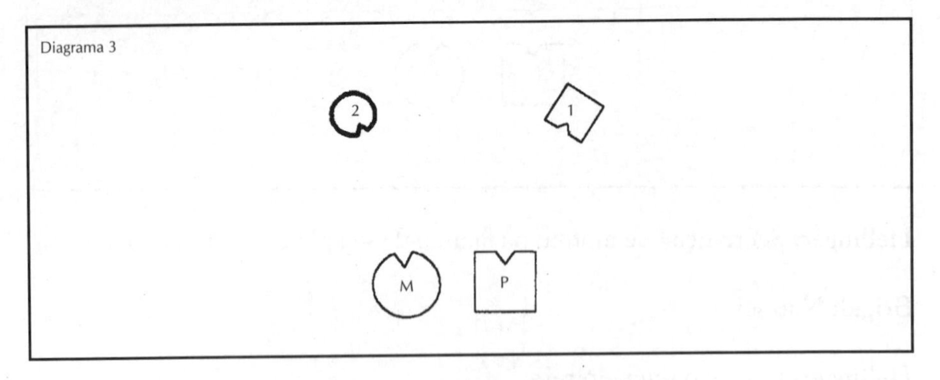

Pai: Sim, minha filha está mais perto de mim. Isso é bom.

Representante de Brigid: Sinto-me um pouco excitada.

Hellinger: Entre os pais, melhorou ou piorou?

Pai: Piorou.

Mãe: Sinto-me um pouco mais viva.

Hellinger: Vamos incluir o avô. *(Brigid instala o avô paterno ao lado do pai. Pai e avô fazem experiências e o avô acha melhor colocar-se atrás do pai.)*

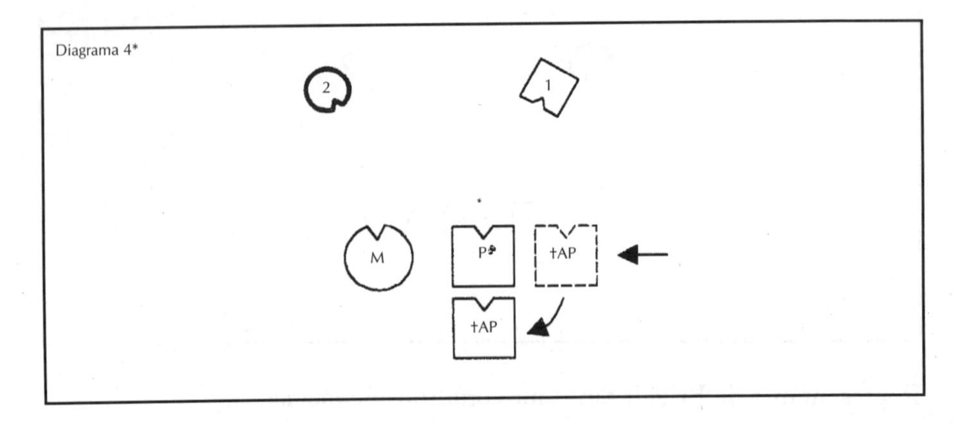

* Acréscimo à legenda: †AP — avô paterno, falecido quando o pai de Brigid tinha 8 anos de idade.

Brigid: Esqueci uma coisa. O pai de minha mãe também morreu jovem, quando ela estava com 10 anos. Ficou epiléptico em conseqüência de um ferimento de guerra. Morreu de um ataque, quando trabalhava no campo.

Hellinger: Coloque o pai de sua mãe atrás dela.

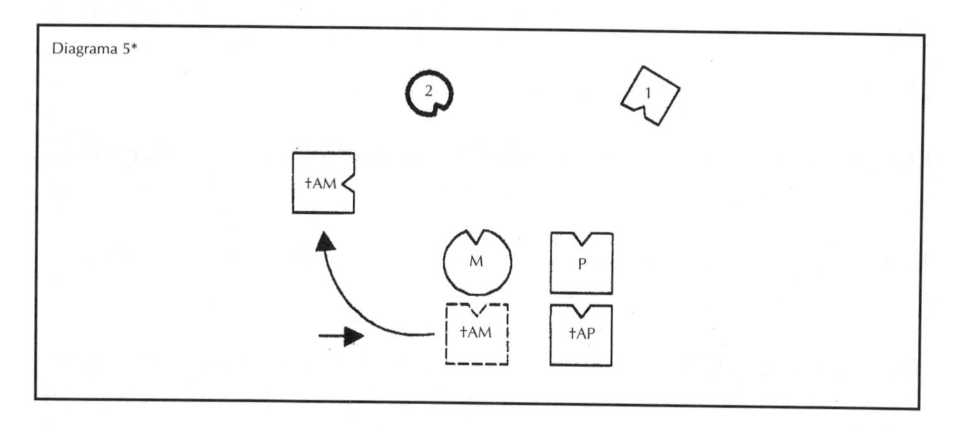

Mãe: Quando o pai de meu marido entrou, senti forte propensão a olhar. De repente, pude ver meu marido. Agora que meu pai está aqui, o movimento é mais para a esquerda. Ele poderá ir para lá, onde eu o consiga ver? *(Hellinger transfere o representante do pai da mãe para a esquerda.)* Assim é melhor.

Pai: Isso não muda nada em meu relacionamento com minha esposa.

Irmão: Acho o pai de minha mãe muito interessante. Desde que entrou, fico olhando-o o tempo todo.

Hellinger *(para Brigid)*: Eis aí, ao que parece, a identificação de seu irmão. Ele se identifica com o pai de sua mãe. *(Pede que os pais, com os avós, troquem de lado.)*

Representante de Brigid: Isso é um alívio. Posso respirar e relaxar. Com o pai de minha mãe ali, tive a sensação de estar diante de muitos homens, mas sem nenhum contato com minha mãe. Não havia outra mulher presente. Agora está um pouco melhor. Meu sentimento em relação a meu pai ficou mais solto. É bom ter o pai de minha mãe na posição atual. Quando se achava à minha direita, estava perto demais.

Hellinger: Ponha no sistema a irmã falecida de sua mãe. *(Brigid instala a tia falecida por trás da mãe, à direita.)* O que mudou?

** Acréscimo à legenda: †AM — avô materno, falecido quando a mãe tinha 10 anos.

Mãe: Não me sinto à vontade.

Representante de Brigid: Estou olhando mais para ela e já não posso ver meu pai tão bem.

Irmã da Mãe: Sinto também um impulso estranho em direção à minha irmã.

Hellinger *(colocando a tia ao lado da mãe)*: Que tal assim?

Mãe: Estou sentindo calor deste lado *(lado do marido)*. Vai tudo muito bem. *(Aproxima-se dele, acompanhada pela irmã.)*

Pai: A posição é igualmente boa para mim. Sinto-me mais perto de minha filha e de minha esposa.

Representante de Brigid: Sim, posso até mesmo ver minha mãe. Também vejo meu pai melhor. É um quadro completo, excelente. Antes, estava concentrada em minha tia.

Hellinger *(para o representante de Brigid)*: Fique perto de seu irmão. Que tal?

Irmão: Gostaria de trocar de lugar com minha irmã. *(Irmão e irmã trocam de lugar.)* Assim é melhor.

(O pai faz menção de afastar-se um pouco. Hellinger coloca seu irmão falecido perto dele. Todos os representantes fazem pequenos ajustes até se sentir equilibrados no sistema. Hellinger pede então que Brigid assuma seu lugar na constelação.)

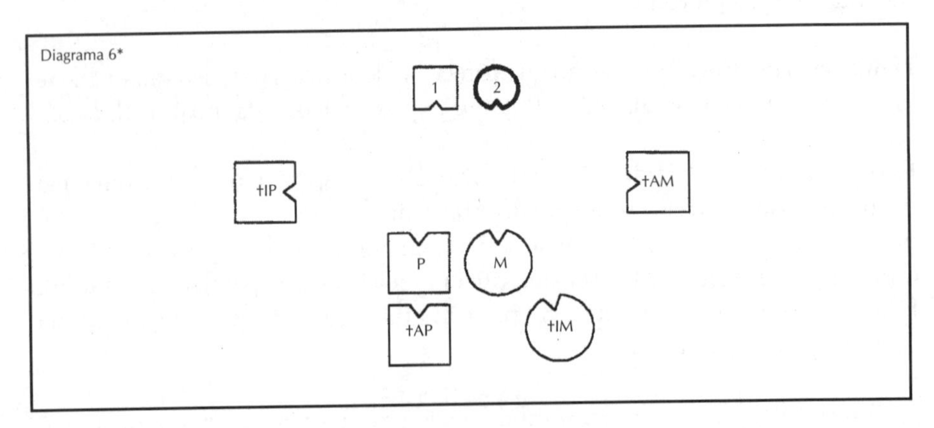

* Acréscimo à legenda: †1P — irmão do pai, falecido na infância; †1M — irmã da mãe, falecida quando a mãe tinha 10 anos.

Brigid (*observando atentamente o sistema, especialmente a mãe*): Algo me atrai para lá (*para junto da mãe*).

Hellinger. Pode ir. (*Brigid aproxima-se lentamente da mãe e abraça-a.*) Brigid, se quiser abraçá-la, abrace-a direito, com força. (*Brigid estreita a representante da mãe nos braços, balançando-se para a frente e para trás.*) Calma, calma. Fique calma. Vá devagar. Respire profundamente, de boca aberta. (*Hellinger traz a irmã da mãe e ela toma as duas nos braços. Brigid começa a chorar.*) Respire profundamente, de boca aberta... inspire... expire. Sem fazer barulho, Brigid, apenas inspire e expire até achar que é suficiente. (*Brigid se apressa.*) Não, não, Brigid, leve o tempo que for necessário. Inspire... expire. A respiração silenciosa tem mais força. (*Brigid o faz com naturalidade. Seu corpo se descontrai visivelmente. Instantes depois, corre os olhos pela sala, radiante.*) Ótimo, agora podem voltar a seus lugares. Isso é tudo, obrigado. (*Todos se sentam.*)

Brigid: Sinto-me muito bem, livre, de cabeça arejada e pronta para aprender.

Hellinger: Foi um belo movimento.

Brigid (*apontando para o coração*): Algo está se movendo aqui, como se quisesse sair.

Hellinger: Maravilhoso!

Brigid: Sinto-me cada vez mais livre. Na hora do almoço, tive esperanças de que o trabalho feito aqui iria ajudar-me a sentir melhor minha idade.

Hellinger: Sem dúvida!

Brigid: Não quero dizer mais nada sobre o que aconteceu.

Hellinger: Nem é necessário.

Capítulo 8

Temas Específicos em Psicoterapia Sistêmica

O TRABALHO COM OS SONHOS

Pergunta: De que modo o senhor trabalha com os sonhos?

Hellinger: Não trabalho muito com os sonhos, mas, quando o faço, adoto uma visão de processo, fenomenológica. Evito mitologizar os sonhos. Alguns terapeutas os tratam como se fossem mensagens divinas. Eu, porém, sou muito sensível à distorção da realidade que pode ocorrer no trabalho com os sonhos e na hipnose, especialmente o problema da falsa lembrança.

Lembro-me de um paciente que "descobriu" certas coisas no trabalho hipnoterapêutico com sonhos, junto a um famoso hipnoterapeuta. Quando reexaminamos o material, ficou claro para nós dois que as coisas "descobertas" tinham sido na verdade "inventadas", o que não impediu seu efeito prejudicial na vida do paciente. Retrabalhando o material de uma perspectiva sistêmica, atinamos com algo que ele poderia fazer e que teve conseqüências positivas em sua qualidade de vida. A hipnose e o trabalho mitológico com sonhos não levam a esse tipo de ação prática, a menos que haja compreensão da dinâmica sistêmica. Se alguém não quer fazer o que tem de ser feito, discorrer sobre sonhos não ajuda em nada.

Os sonhos são muito adaptáveis ao fluxo de energia na vida da pessoa. Se nossa energia flui no sentido de evitar decisões e ação efetiva, ou de manter o *status quo*, nossos sonhos justificam essa postura. Se utilizamos diferentes técnicas para não fazer o que tem de ser feito e justificar a omissão, nossos sonhos fazem a mesma coisa. Pode-se reconhecer esse tipo de sonho pelo modo como as pessoas o narram. Quando elas passam imediatamente à narração do sonho sem senti-lo ou respeitá-lo, sem uma mostra conveniente de recato e pudor, trata-se com toda a certeza de um desses sonhos.

Chamo tais sonhos de *sonhos secundários*, ligados a sentimentos secundários e, com estes, destinados a negar o que quer que esteja acontecendo. Uma vez que tudo é "apenas sonho", as pessoas acham que não precisam fazer nada. Se levarmos esses sonhos a sério, só reforçaremos o problema e uma parte do sonhador rirá de nós ao ver-nos apanhados na armadilha. Isso lembra a frase: "Ontem sonhei com você. Você estava..." Em geral, a pessoa quer apenas se divertir à nossa custa.

Eis um grande exemplo de sonho secundário: um homem sonhou que um falcão avistara um passarinho, deixara-o cantar por algum tempo, apanhara-o com todo o cuidado, voara sobre o ninho do passarinho e ali o depositara mansamente. O homem achava que era um sonho maravilhoso.

Sua situação concreta no lar era a seguinte: a esposa o deixara para viver com outro homem. Aparecia três vezes por semana a fim de ver os filhos e passava os quatro dias restantes com o amante. O homem aceitara aquela situação, embora estivesse profundamente magoado. Ora, o sonho descrevia muito bem sua condição. Em vez de fazer o que um falcão de verdade faria, o falcão onírico reconduzia gentilmente o pássaro ao seu ninho. Ele entregara a mulher a outro e ela fora aninhar-se em cama alheia. O homem achava que era um sonho maravilhoso, uma revelação. Não percebeu que apenas descrevia sua situação. Era um sonho secundário. Sonhos secundários lembram o ato de atiçar cães para ver se mordem. É fácil adivinhar coisas nas imagens oníricas, em vez de realizar as mudanças necessárias na vida.

Há outra categoria de sonhos que chamo de *sonhos primários*. Eles são lembranças codificadas e, como os sentimentos primários, nada têm de clamoroso ou dramático. Sonhos com água, por exemplo, muitas vezes veiculam a lembrança do nascimento. Uma mulher sonhou que esquiava com sua filha. Ao descer a encosta, segurou-a entre as pernas, mas, uma vez lá embaixo, a menina caiu num lago. Perguntei-lhe a respeito de seu próprio nascimento. Declarou que viera ao mundo de maneira muito súbita, quando a mãe se achava na banheira. Assim, o sonho parece ser exemplo de lembrança codificada.

Distingo também os *sonhos sombrios*. Eles mostram um lado nosso que não queremos ver. Usualmente não narramos esses sonhos porque não estamos à altura de encarar o que eles nos contam. Eles podem, de fato, revelar um lado oculto de nossa personalidade. Se vocês tencionarem trabalhar com tais sonhos, será necessário levá-los a sério e encontrar em seus próprios corações um lugar para os elementos assustadores que eles revelam. É o método da integração.

Há também os *sonhos sistêmicos*. Nada têm que ver com a experiência pessoal do sonhador, pintando antes uma situação não-resolvida na família ou na família ampliada. Trazem, à consciência, algo com o qual é importante lidar no sistema familiar. Se o sonhador assume a tarefa de equilibrar o sistema familiar inteiro, as conseqüências são quase sempre desastrosas.

Os sonhos sistêmicos freqüentemente apresentam características brutais: falam de suicídio, assassinato e morte. A própria sombra do sistema passa a ser muitas vezes visível. Quando tentamos interpretar esses sonhos como se fossem afirmações sobre a pessoa, abusamos do cliente, fazendo-o pessoalmente responsável por algo que na verdade é bem maior.

Pergunta: Poderia dar um exemplo de sonho sistêmico? Não percebo aonde o senhor quer chegar.

Hellinger: Um homem sonhou certa vez que encontrou, no porão, um corpo esquartejado. Chamara a polícia. Queria esmiuçar o sonho, falar de seus impulsos homicidas inconscientes e por aí além, mas eu o interrompi. Perguntei-lhe quem, na família, fora assassinado. Ele respondeu que não sabia e telefonou para o pai. Este declarou: "Não posso falar sobre isso por telefone." O que o pai finalmente lhe contou foi que, pouco depois de ele nascer, a mãe engravidara novamente e tivera complicações. O hospital não dispunha dos recursos necessários e o feto teve de ser morto e removido do ventre materno aos pedaços. Embora o homem não soubesse do irmão sacrificado antes de ter tido o sonho, já reservara a ele, inconscientemente, um lugar em sua vida. Sempre tivera tudo em dobro: dois apartamentos, dois escritórios, duas escrivaninhas, etc. Essa era a situação real.

Há outra coisa interessante a respeito dos sonhos: na maioria deles, tudo o que precisamos está no primeiro par de frases. A narração de um sonho geralmente atinge o ponto alto após a segunda ou terceira sentença. O que vem depois é redundante e diminui a força do sonho. A pessoa que narra um sonho costuma perder-se nos detalhes. Se conseguirmos fazê-la concentrar-se adequadamente e interrompê-la depois da segunda ou terceira frase, teremos mais probabilidades de apreender com clareza a mensagem com a qual deveremos trabalhar.

Há sonhos que realmente ajudam; mas ajudam sobretudo as pessoas que já estão cuidando de si mesmas. Essas pessoas são amparadas por sua própria profundidade. Chamo esses sonhos de *metassonhos*. O sonhador percebe imediatamente o significado do sonho e não exige mais explicações. São sonhos que trazem a solução à consciência. Às vezes, quando estou lidando com um problema, os metassonhos fornecem a solução ou indicam o próximo passo; isso, porém, só acontece se me vejo preparado para depositar confiança no sonho mediante ações subseqüentes.

Portanto, se desejarem trabalhar com sonhos, convém fazer distinção entre os vários tipos. Obviamente, o que eu disse não é uma teoria abrangente do trabalho com sonhos. Trata-se apenas de uma série de observações que poderão ajudá-los a evitar algumas das armadilhas mais comuns, sem o risco de tomar uma direção improdutiva. Não pretende, absolutamente, substituir outros métodos de compreensão e abordagem dos sonhos; eu, porém, acho altamente destrutivo tratar todos os sonhos como verdades. Reza um ditado chinês: "O sábio não sonha." Não precisa mais sonhar.

Breves Transcrições de Trabalho com Sonhos

Míriam: Estou pensando num sonho que tive três ou quatro vezes. Nele, preocupo-me sempre com meu filho mais novo.

Hellinger: Pois então conte-o como se estivesse sonhando de novo.

Míriam: Estamos ambos num grande espaço comercial, no edifício onde minha irmã trabalha. Eu e ela estamos ocupadas. De repente, ouço meu filho chamar. Ele está longe e não consigo encontrá-lo. Quando o encontro, ele está sufocando. Entrou num recinto proibido a adultos e escuto sua voz sumindo aos poucos.

Hellinger *(interrompendo)*: Curioso! Seu sonho não me impressiona de modo algum. Que idade tem seu filho?

Míriam: Dez anos.

Hellinger: Alguma criança morreu em seu sistema familiar?

Míriam: Meus avós vieram de famílias grandes, com muitos filhos. Minha avó teve onze. Não sei se houve algum natimorto ou coisa semelhante entre tanta gente. Creio que não *(longa pausa)*.

Hellinger: Isso parece estranhamente distante. Não impressiona, apesar das imagens dramáticas. Não consigo vê-la no sonho tal qual você se descreve. Não há movimento nem sensação de presença. O sonho me deixa indiferente.

Míriam: Ao despertar, logo imagino meu filho numa boa situação.

Hellinger: Em sonhos como esse, as pessoas se representam de um modo ultrapassado. Trata-se de uma interpretação à *romance popular*.

Míriam: De fato, ele só em parte corresponde à realidade. Jamais me preocupo com meu filho mais velho, mesmo quando ele não volta para casa à noite. Tenho sempre certeza de que está bem.

Hellinger: Isso é uma divagação. Que disse eu?

Míriam: Uma interpretação à *romance popular*.

Hellinger: Você se preocupa com seu filho mais novo em outras situações?

Míriam: Sim, freqüentemente. *(Suas maneiras se alteram, ela fica pensativa.)* Lembro-me apenas de que tive uma gravidez difícil com ele e precisava ficar muito tempo na cama. Depois que nasceu, teve uma grave disfunção do sistema digestivo. Só depois de um ano e meio esse sistema passou a funcionar normalmente.

Hellinger: Consideremos seu sonho uma lembrança. Mas está faltando alguma coisa na *gestalt* do sonho como um todo. Por isso, ele tenta chegar ao fim e não a deixa em paz. Olhemos primeiro para a situação geral. Quando se trabalha com um trauma em psicoterapia, o elemento mais importante costuma ser esquecido: a sobrevivência da pessoa. A menos que se reconheça isso, a *gestalt* não irá se fechar e não haverá solução. Assim, por um momento, elabore a imagem de seu filho na mente e deixe-o sentir como você é feliz por tudo ter dado certo. Entendeu, Míriam? *(Míriam acena afirmativamente e seu trabalho toma nova direção.)*

Thomas: Tive um sonho horrível a noite passada. Acordei banhado em suor e com taquicardia. Mas não sei o significado dele.

Hellinger: Conte-o como se estivesse ocorrendo agora mesmo.

Thomas: Estou sentado ao lado do motorista de um ônibus. Ele é meu amigo. O ônibus está lotado. Começamos a subir uma montanha íngreme.

Hellinger: Ótimo. Recomece.

Thomas: Estou sentado ou de pé num ônibus e o motorista é amigo meu.

Hellinger: Excelente! Isso basta. Aí está o ponto crucial do sonho. *(Pausa.)* Qual é a solução?

Thomas: Eu próprio poderia dirigir o ônibus.

Hellinger: Certo. Troque de lugar com o motorista. Algo mais, Thomas?

Thomas: Sim, uma coisa ainda me preocupa. Meus sonhos têm sempre o mesmo final. Podem começar de modo diferente, mas terminam da mesma maneira. Isso me intriga.

Hellinger: Diga então como terminam.

Thomas: Terminam com encostas e precipícios, com o medo de cair. Sempre o medo da queda e do abismo.

Hellinger: Muito bem. Quando tiver esses sonhos, procure firmar-se imaginando que está encostado a seu pai.

Thomas *(depois de uma pausa)*: Fiz isso agora. É um sentimento completamente diferente.

Hellinger: Pois aí está a solução. Quando uma criança corre perigo em sonhos, a pessoa capaz de ajudar é quase sempre o pai. Não importa que a criança seja menino ou menina. Há exceções, sem dúvida, mas, principalmente, quando o perigo é o suicídio ou a tendência a acidentes pseudo-suicidas e catástrofes, a pessoa vai se sentir em geral mais segura ao lado do pai. Às vezes, também é necessário o avô. Não importa o que o pai fez ou deixou de fazer ou se o filho o conhece ou não. Há força no princípio masculino.

Joseph: Tive um sonho impressionante. Meu filho mais novo corre para a água, cai de costas e temo que vá se afogar. Tento segurá-lo. Entro em desespero porque não disponho de muito tempo e, além disso, preciso agir vagarosamente para não perdê-lo de vista. Receio que suas roupas se rasguem. Mas então consigo resgatá-lo e sinto-me alegre. Ele está vivo e começa a respirar, mas ainda temo que haja recebido algum ferimento.

Hellinger: Esse é um sonho secundário. Em forma dramática, descreve o problema sem apresentar solução. E a solução é: *antes* que ele caia na água, você o abraça afetuosamente. Concorda, Joseph?

Ralph: Na pausa para o almoço, adormeci e sonhei que subia numa nogueira muito alta. Alcançava os galhos superiores de modo a poder sacudi-los para que as nozes caíssem. *(Seu relato é um tanto pretensioso.)*

Hellinger: Esse sonho não vai ajudá-lo.

Ralph: Em seguida...

Hellinger: Esse sonho não vai ajudá-lo. Você não está mostrando respeito por ele.

Ralph: Não vai me ajudar? Após o sonho, acordei com a sensação de que realmente queria partir as nozes.

Hellinger: Sim, depois de acordar queria partir as nozes. A imagem é violenta, força as coisas a acontecer. Não trabalho dessa maneira. Quase nunca utilizo um martelo.

Ralph: Eu queria agir de verdade.

Hellinger: Não há energia em seu relato. Com base nessa imagem onírica, você estava sacudindo, não colhendo. A solução terá de vir de fora. Talvez ache que eu possa fazer o trabalho por você? Essa é uma base muito fraca para um trabalho conjunto.

Ralph: Não, eu estava certo de querer partir as nozes com minhas próprias mãos. Tinha a sensação de que...

Hellinger *(interrompendo)*: Esqueça a imagem de partir nozes. Ela não ajuda. A maioria dos sonhos apenas aponta o problema, principalmente aqueles que as pessoas anseiam por contar logo. Eles servem para racionalizar o fracasso.

Ralph: Eu acreditava estar pronto para resolver o problema.

Hellinger: Exato. Quem arrasta por aí sua desgraça sempre se acha pronto para isso. As pessoas que decidem preservar sua infelicidade aproximam-se do vazio de cabeça erguida. Mas o verdadeiro bem deve ser aproximado com temor e tremor, com respeito profundo. Ontem, você estava mais perto disso.

Lars: Tive um sonho há dois dias. Só consigo me lembrar de um fragmento, mas creio que foi um sonho sistêmico.

Hellinger: Então conte-o como se estivesse ocorrendo agora.

Lars: Estou deitado na cama, a ponto de adormecer. A porta se abre e uma mulher entra. Tem expressão comovida e avança rapidamente em minha direção.

Hellinger: Isso já basta para começarmos a trabalhar. Parece mais um sonho primário contendo uma lembrança.

Lars: Sinto que, se for uma lembrança, é uma lembrança ruim. Minha cabeça está ficando quente.

Hellinger: Olhe a mulher nos olhos. Consegue vê-los? Feche os olhos e olhe a mulher nos olhos e na boca.

Lars: Reconheço a boca, mas não os olhos.

Hellinger: De quem é a boca? Não se apresse. Observe cuidadosamente o movimento da boca — e dos olhos. São pontos que a memória evoca com mais facilidade.

Lars: Creio que é a boca de minha mãe, mas não estou muito certo disso.

Hellinger: Bem, deixemos isso de lado por enquanto. Talvez o sonho seja mesmo uma lembrança, mas não queremos inventar nada. Aguardemos apenas que alguma coisa lhe ocorra nos próximos dias.

Dia Seguinte

Lars: Durante os últimos três ou quatro anos, venho examinando meu relacionamento com meu pai. Mas deixei de lado minha mãe e sua energia. Agora gostaria de dar um passo à frente.

Hellinger: Estou pensando em seu sonho de ontem. Enquanto você falava, revi a imagem desse sonho. Esteve no hospital quando criança?

Lars: Sim, vivia doente e acho que escapei por pouco. Quando tinha 6 meses de idade, minha mãe levou-me ao médico para drenar um abscesso. Deve ter sido muito doloroso.

Hellinger: Sim, ela entra no quarto e você sabe muito bem o que vai acontecer.

Lars: De fato, devo ter gritado. Em outra ocasião estive no hospital para...

Hellinger: Por enquanto não, Lars. Já temos com que trabalhar. O material é suficiente e vamos utilizá-lo. Não precisamos de nada mais por ora. Pois aí está uma boa interpretação para o seu sonho. Pode imaginar como uma mãe se sente quando o médico lanceta um abscesso e o filho começa a gritar? Uma criança não entende isso absolutamente.

Uma psicoterapeuta muito famosa, especialista em reparentificação, contou-me a história de seu filho de 16 anos. Ele participou de um grupo organizado pela psicoterapeuta em que os integrantes faziam regressão e externavam episódios de sua infância. O filho disse de repente: "Mamãe, você tentou me matar de fome." Ela se lembrou da situação. O bebê estava com uma grave diarréia e o médico prescrevera um jejum de 24 horas. O bebê se recuperara, mas guardara a lembrança como a de uma tentativa de matá-lo de fome. Eis o que às vezes acontece aos pais.

Em outra ocasião, um terapeuta contou-me que lançara um olhar duro à sua filha. A menina dirigira-se à mãe e dissera: "Papai me bateu." Isso é o que lhe ficara na memória.

Se você conseguir sentir o que sua mãe sentiu ao levá-lo ao médico, resolverá aquela imagem. Teria sido muito pior se ela o tivesse deixado no hospital.

RESISTÊNCIA

Bert Hellinger é um mestre na arte de trabalhar com os padrões de comportamento que chamamos de "resistência". Observando-o em ação, torna-se imediatamente claro o cuidado com que ele usa as interações curtas, durante a rodada, para romper esses padrões. Consegue reconhecer prontamente um padrão de evitar, que interrompe com uma explicação ao grupo, uma história ou uma anedota. E pode fazê-lo sem problemas porque o grupo logo descobre quanto afeto e respeito existem em suas intervenções e como, no fim, a boa solução sempre emerge. [G. W.]

Racionalização de Desejo e Objeções Hipotéticas

Lars *(referindo-se a uma constelação em que representou o amante de uma mãe)*: Não será possível que marido e amante se tornem amigos? Ou isso não passa de racionalização de desejo?

Hellinger: Isso não passa de racionalização de desejo.

Lars: Sim, mas não é coisa impossível na vida real. Conheço pessoas que agiram assim.

Hellinger: O amante que você representou e o marido poderiam fazer as pazes se quisessem ter um caso homoerótico entre si compartilhando a mesma mulher. Se observar cuidadosamente as pessoas reais envolvidas, perceberá o preço que, a longo prazo, elas e os filhos terão de pagar.

Lars: Concordo. Mas, mesmo assim, não quero excluir essa solução possível.

Hellinger: Vou mencionar um fenômeno básico: você pode levantar uma objeção hipotética a tudo, até ao que é certo. E o efeito de tais objeções é que o que antes funcionava deixa de repente de funcionar. Levantar objeções hipotéticas em terapia esgota as energias, compromete a possibilidade de cura e é um recurso barato porque é mais fácil erguer obstáculos do que encontrar soluções. Quem suscita objeções quase nunca se responsabiliza por suas conseqüências.

Tudo é diferente quando a pessoa mergulha na situação e, graças ao seu envolvimento pessoal, descobre uma variação nova. Então pode falar com base na experiência e ajudar a suprir ou corrigir o que se disse antes. A diferença é grande porque essa contribuição exige esforço mental e risco.

Criticar e questionar tudo com possibilidades hipotéticas é um jogo de universitários. Mas quando trabalhamos com pessoas reais, com sofrimentos reais, não devemos fazer isso. As conseqüências são demasiado graves. Posso questionar seja lá o que for, mas para quê? O que você consegue quando vem com essas objeções, Lars? Precisa observar o que está acontecendo aqui, quais são os efeitos concretos das intervenções. Poderá até falar-nos a respeito de sua experiência pessoal — contar-nos que você e o amante de sua esposa são bons amigos. Mas se apenas levanta objeções hipotéticas, o bom efeito do trabalho é bloqueado.

Lars: Tenho outra pergunta...

Hellinger: Não, agora não. *(Para o grupo.)* Notam como ele passa rapidamente a outras idéias? Nem sequer examinou o que estávamos discutindo. Há algo ameaçador quando deparamos com um processo que conduz à solução — ele raramente deixa muito espaço à escolha. Temos bastante espaço quando se trata de ninharias, mas, se estamos interessados numa boa solução, quase sempre só dispomos de um caminho a seguir, sobretudo quando lidamos com uma das questões capitais da vida. Temos de nos dar por felizes se conseguirmos fugir à necessidade de atender ao que a vida exige de nós, e objeções teóricas constituem excelente meio para escapar. Cultivamos a ilusão da liberdade, mas a que preço? É apenas uma ilusão.

O efeito das objeções hipotéticas sobre as soluções é o mesmo da foice sobre o trigo que ainda não amadureceu.

Busca de Causas e Explicações em Vez de Ação

Louis: Não consegui vencer na vida. Não terminei a faculdade, não tenho profissão. Tentei uma série de coisas e nunca persisti em nenhuma. Acha que isso seja uma identificação com meu pai? Ele não pôde se casar com a primeira namorada porque não tinha emprego.

Hellinger *(após longa reflexão)*: Ainda que isso fosse verdade, seu método de investigação está fadado ao fracasso. Está em busca de causas, explicações e desculpas quando já conhece a solução.

Louis: É só o que tenho a fazer? Nada mais importa?

Hellinger: Qual é a solução?

Louis: A solução é obedecer a meu pai.

Hellinger: E dizer à sua mãe, do fundo do coração: "Pertenço a meu pai. Ele é o certo para mim." Em seguida, poderá esquecer o resto.

Louis: Então esse resto não importa — minhas irmãs, etc?

Hellinger: Eis um caso de acordo como forma de defesa *(risos)*.

Lydia: Neste momento, sinto-me calma e forte. Tive um sonho a noite passada. Ele me fez acordar e gritar. As imagens eram muito claras: uma pessoa que caiu num barril e minha irmã, mas esta nada tinha que ver com o assunto.

Hellinger: São imagens do sonho ou posteriores?

Lydia: Imagens posteriores, muito comoventes.

Hellinger: Não creio que possam ajudar.

Lydia: Está bem! Mas têm algo que ver com uma conversa que tive ontem, na qual...

Hellinger (*interrompendo*): Lydia, já disse que isso não vai ajudar. Não quero ouvir mais nada por ora.

Lydia: Sim, sim, mas vou falar a respeito quer o senhor escute ou não. Ontem...

Hellinger: Não, Lydia. Pretendo analisar o que está acontecendo, qual é o seu processo. Primeiro você teve uma experiência, depois começou a procurar explicações. Independentemente da explicação que encontrar, sentirá alívio, mas isso em nada irá ajudá-la a mudar o que precisa ser mudado para que sua vida seja o que quer. Em geral, buscamos explicações para nossa própria recusa em agir, ou para nossa infelicidade. E tão logo encontramos a explicação, deixamos de procurar entender a nossa recusa ou a infelicidade, e o processo iniciado pela experiência é interrompido.

Você poderá notar algo parecido ao estudar os místicos budistas, muçulmanos, cristãos e judeus. Todos tiveram experiências muito semelhantes. Apenas explicam essas experiências de maneiras diferentes. Tentam comunicar o que vivenciaram com os instrumentos de que dispõem. Mas é impossível explicar a experiência, sendo necessária muita autodisciplina para resistir à tentação de fazer isso em lugar de explorar atentamente a experiência em si. Cumpre mergulhar no rio e nadar a favor da corrente até onde ela nos levar. Está claro, Lydia? Poderá aceitar minha interrupção se examinar as coisas desse modo?

Lydia: Obrigada, mas...

Hellinger: Falhei de novo. *(Para o grupo.)* Se, como terapeuta, eu fosse trabalhar com o que ela irá dizer ou com as explicações que deu de seu sofrimento, estaria cooperando com a interrupção do fluxo do processo, da experiência importante em si. *(Lydia começa a chorar baixinho.)* Agora sim, você está aceitando a experiência. Não se apresse, Lydia. Tem muito tempo, todo o tempo de que precisa. *(Para o grupo, enquanto espera por Lydia.)* Certa vez contemplei a verdade pura e descobri como lidar com ela. O sábio lida com a verdade como a vaca lida com a cerca de arame farpado: enquanto tem o que comer, permanece a distância. Quando não tem mais, procura uma brecha na cerca. *(Observa o grupo.)* Esse é o método geral para nos entendermos com certas autoridades. *(O trabalho com Lydia é retomado.)*

A Teimosia e o Prazer em Ser do Contra

Hilda: Ontem, percebi meu próprio padrão: minha primeira reação é a objeção. Para mim, é realmente difícil levar as coisas adiante. Sou muito teimosa.

Hellinger: Pessoas assim são as mais fáceis de manipular. Basta contar com a teimosia. Há três tipos de pessoas: as que dizem "sim" primeiro e pensam depois; as que dizem "não" primeiro e pensam depois; e as que pensam primeiro. *(Pausa; para o grupo.)* Será que Hilda entendeu o que eu disse? Acho que não, pois não ouviu. Estava muito ocupada dizendo "não". *(Risos.)*

Edie: Meu coração bate com força. Ainda me sinto magoada por sua rejeição, esta manhã. *(Fecha os olhos, amuada.)*

Hellinger: Sim. Pode remoer isso enquanto achar bom, mas é só o que fará se conservar os olhos fechados e não olhar para mim como sou.

Edie: Não quero remoer isso de modo algum, mas noto que estou sempre pronta a teimar e...

Hellinger: Preste atenção em sua experiência. Foi agradável. Você mostrou isso.

Edie: Que quer dizer?

Hellinger: Você mostrou isso, realmente. Perdeu, é claro; mas ainda assim mostrou.

Vou lhe dizer uma coisa sobre teimosia. A teimosia é a incapacidade de receber. O dilema consiste no fato de você ter de esperar que alguém mais a ajude nisso. Mas logo que alguém tenta ajudá-la, você precisa rejeitar essa pessoa para preservar a teimosia. É um círculo vicioso. Fiz pesquisas sobre esse processo durante anos e descobri a cura para a teimosia. Quer saber qual é? *(Edie acena que sim.)*

Então vou contar-lhe. Mas aguarde uns cinco minutos.

Você Deseja o Triunfo ou o Sucesso?

Gwen: Acordei esta manhã com a sensação de estar rodeada por pessoas que me diziam: "Você deve, você deve. Você precisa separar-se de seu amigo e pagar-lhe o que deve antes da separação; não pode odiá-lo."

Hellinger: Você *precisa* dizer a todas elas: "Eu farei isso, eu farei isso, eu farei isso." Isso vai calá-las por algum tempo e, então, poderá fazer o que quiser. *(Risos.)*

Gwen: Mas são tantas, essas pessoas! Uma delas diz...

Hellinger: Está bem, está bem. Se gosta tanto disso, não serei eu a roubar-lhe sua alegria *(risos)*. Eu descrevi uma estratégia interior — e demonstrei-a. Mas a estratégia requer disciplina, e a disciplina de que precisamos para aplicar com êxito qualquer estratégia interior é renunciar ao triunfo. Existem duas coisas mutuamente exclusivas: triunfo e sucesso. Você poderá obter o triunfo e sacrificar o sucesso ou obter o sucesso e sacrificar o triunfo. Eis a disciplina do sucesso, que requer um elemento de humildade. Refiro-me, é claro, ao sucesso duradouro. Algo mais, Gwen?

Gwen: Não estou preparada para renunciar ao triunfo.

Hellinger: Exatamente. Você ainda anseia por ele. Mas um peito empinado só está cheio de ar quente. Você apenas ouviu as palavras.

Irene: Minha irmã enviuvou e casou-se novamente. O novo marido, também viúvo, tem um filho adulto do casamento anterior. Ele é um rapaz muito difícil, e tanto minha irmã quanto o marido sofrem com seu comportamento. Infelizmente, ele mora na mesma cidade. Minha irmã compreende que o rapaz seja filho de seu marido, mas, ao mesmo tempo, percebe como este sofre em conseqüência do relacionamento com ele. Estando de fora, pode notar onde o marido comete erros e tenta adverti-lo de vez em quando, o que, porém, não ajuda. *(Irene parece exasperada com o cunhado.)*

Hellinger: É claro que não. E como poderia? Ela deveria dizer ao marido: "Você é o melhor pai para seu filho."

Irene: É uma possibilidade interessante. *(Seu ar de superioridade desaparece por instantes e depois retorna.)* Quando você mencionou...

Hellinger *(para o grupo)*: Essa foi uma esquiva habilidosa. *(Para Irene.)* Que disse eu? Lembra-se?

Irene: Que ela deveria dizer ao marido: "Você é o melhor pai para seu filho." E eu queria...

Hellinger: Certo, Irene. Você ouviu as palavras, mas não compreendeu a questão.

Irene: Compreendi, mas acho que o senhor não está levando em conta...

Hellinger: Não, a coisa ainda não está funcionando. Vamos deixá-la assim por enquanto.

Querer Saber Mais Que o Necessário para Agir

Allen: Não sei como me sinto.

Hellinger: Quando não sabemos o que sentimos, sentimo-nos bem. Nós o saberíamos se nos sentíssemos mal.

Allen: Isso não faz me sentir completamente bem. Julgo que há um movimento real em mim em certos momentos, mas ele logo foge para um canto qualquer, para longe de meu alcance. Tudo o que resta é uma névoa difusa que me isola da realidade.

Hellinger: Sempre há um cantinho aonde o movimento vai se esconder para escapar à mudança. Chamo a isso "síndrome do querer-saber-mais-que-o-necessário". Ocorre quando quero saber sempre mais em vez de permanecer com o movimento e agir de conformidade com ele. No instante em que começo a tentar compreender, já não preciso agir. A compreensão é o esconderijo para onde a energia da mudança desliza. Algo mais, Allen?

Allen: Por enquanto, é o bastante.

Hellinger: Você entendeu?

Allen: Receio que sim.

Hellinger: Ótimo. Eis a exceção que confirma a regra, a maneira correta de entender. *(Risos.)*

Robert: Penso muito e sinto-me esmagado. Tenho a sensação de que já é hora de agir e parar de tagarelar. Esta noite, após o seminário, vou telefonar para minha mãe.

Hellinger: Algumas pessoas gostam de contar as gotas de água quando estão no chuveiro. *(Pausa; para o grupo.)* Ele não entendeu. E vocês?

Vou dar outro exemplo desse processo. Nos Estados Unidos, há um método para ensinar idiomas estrangeiros. É muito caro, de modo que o utilizam principalmente para adestrar espiões, mas tão eficiente que a maioria das pessoas consegue aprender fluentemente uma língua em pouco tempo. O método é muito simples. Seis ou sete professores começam a falar ao mesmo tempo com o aluno na língua estrangeira até que ele não mais entenda coisa alguma. Então o estudante aprende, mas num outro nível. É justamente assim que as crianças aprendem a falar: seis ou sete pessoas dizem-lhes coisas que elas não compreendem.

Edie: Lembro-me de dois sonhos da infância e gostaria de saber a que tipo pertencem.

Hellinger: Não!

Edie: Por quê?

Hellinger: Suas chances serão melhores ou piores se me perguntar por quê?

Edie: Piores.

Hellinger: Exatamente. Sua pergunta é uma tentativa de colocar-me numa posição subordinada, de obediência ao seu programa. Se conseguir tornar-se superior a mim, como confiará em mim como seu terapeuta? Preciso, ao menos, ser seu igual. *(Para o grupo.)* O que Edie fez foi lançar a isca. O peixe jovem e inexperiente irá mordê-la.

Eric: Acordei com um fragmento de sonho. Só consigo relembrar o fim.

Hellinger *(interrompendo)*: Eric, quero o começo. Como o sonho começou? A menos que não queira contar...

Eric: Não sei, mas achei a última cena maravilhosa.

Hellinger *(estimulando-o amavelmente)*: Isso é ótimo, mas como teria começado?

Eric: O que me ocorre de maneira espontânea é o início de uma peregrinação.

Hellinger: Isso é uma interpretação do sonho. Sua própria interpretação do sonho não conta. O que diz o sonho em si?

Eric: Está bem. Preparo-me para viajar a uma cidade desconhecida.

Hellinger: É uma boa frase. Vamos trabalhar com ela. Agora você terá de examinar sozinho se a ação é conveniente, se uma boa energia o está conduzindo a algo melhor ou um diabinho o está induzindo a partir.

Eric *(em voz baixa)*: Creio que é uma boa energia.

Hellinger: Pois suspeito que seja um demônio. Os diabinhos são muito espertos.

Concordando na Contradição

Katherine: Estou pensando ainda no que o senhor disse sobre sentimentos. Em meus relacionamentos, sou automaticamente do contra. Por mais que me esforce para detê-lo, o hábito é sempre mais rápido. Num piscar de olhos, lá estou eu de novo! Por exemplo, numa conversa sobre justiça, logo assumo a posição contrária.

Hellinger: Uma mulher contou-me certa vez que sua mãe lhe dissera: "Você é uma puta." Ela queria saber como lidar com o problema. Sempre replicava à mãe: "Não, não sou." Sugeri-lhe que dissesse: "Bem, há uma certa verdade nisso." Portanto, da próxima vez que se sentir tentada a assumir a posição contrária, diga ao interlocutor: "Há uma certa verdade nisso."

Katherine: É bem simples.

Hellinger: E o melhor de tudo, quando se compreende como a coisa funciona, é que pode ser realmente muito divertida.

O Segredo do Caminho

Manuela: Espero que, no curso do seminário, eu possa colocar minha família. Acho que vai funcionar, mas não tenho certeza.

Hellinger: A julgar pelo modo como fala, o mais provável é que não funcione.

Manuela: Bem, se o senhor diz... Isso é ruim, mas talvez seja melhor assim. *(Começa a chorar, olhando para o chão.)*

Hellinger: Vou dizer uma coisa sobre o segredo do caminho. Avançamos quando deixamos tudo para trás, mesmo as idéias antigas. E há mais: alcançamos o objetivo no último passo. O que existia antes foi mera preparação. Escute esta história:

A Mula

Um ricaço comprou uma mula jovem e imediatamente começou a adestrá-la para uma nova vida. Punha-lhe no lombo fardos pesados, fazia-a trabalhar horas a fio, dava-lhe pouca comida e pouca água. Assim, a mulazinha logo se tornou uma verdadeira mula. Quando o dono aparecia, curvava os joelhos, baixava a cabeça e aceitava a carga, mesmo que ficasse quase desancada.

Os passantes olhavam e se compadeciam. Diziam: "Coitada da mulazinha!" e se dispunham a ajudá-la. Um deles quis dar-lhe um torrão de açúcar, outro um naco de pão, outro ainda levá-la a um pasto verde. Mas, ai, a mula só lhes mostrou que era de fato uma mula: mordeu a mão do primeiro, escoiceou o segundo no queixo e, com o terceiro, empacou como uma mula. Então eles disseram: "Que mula!" e foram embora.

No entanto, comia gostosamente pela mão do dono, mesmo que fosse palha, e o dono gabava-a por toda parte: "É a melhor mula que jamais tive." Deu-lhe até um nome especial, Mehtyoo. Estudiosos posteriores já não sabiam ao certo como pronunciar esse nome até que um deles, do Texas, decidiu que devia ser: "Me Too" (Eu Também).

Distinção entre Fraqueza e Necessidade

Anne *(com voz queixosa)*: Tenho um nó na garganta e muitas coisas estão me sufocando agora.

Hellinger: Combata a fraqueza. Olhe para mim. Pode ver meus olhos?

Anne: Sim.

Hellinger: De que cor são?

Anne: Escuros.

Hellinger *(espantado)*: Escuros?! *(Para o grupo.)* Percebem a diferença? Ela tem mais força neste momento do que aparenta. Quando as pessoas enfraquecem a si mesmas, podemos ajudá-las a ver claramente alguma coisa e elas com freqüência o conseguem. Sempre que as pessoas se tornam fracas, embotam de alguma maneira suas percepções e não mais conseguem ver, ouvir ou agir adequadamente. Tudo o que enfraquece as pessoas impede que façam o que desejam fazer. Se estamos interessados em mudança, é melhor esquecê-la. Se uma pessoa deseja realmente sentir-se fraca, podemos incentivá-la a ir em frente e gozar essa sensação de tempos em tempos, mas com plena consciência. Isso é diferente de fazer terapia.

Anne: Existe uma fraqueza forte?

Hellinger *(após meditar longamente)*: Sim, quando é estratégica.

Anne: Pergunto porque, a meu ver, a fraqueza faz parte da vida.

Hellinger: Não, o que faz parte da vida são as necessidades, e isso é coisa muito diferente. Devemos reconhecer e reverenciar nossas necessidades, bem como deixar claro, nos relacionamentos, que precisamos de nossos parceiros, mas sem abusar deles. Nos bons relacionamentos, ambos os parceiros são carentes, o que dá força a seus vínculos. Quando um deles já não precisa do outro, o relacionamento muda. Há pessoas que atingem a plenitude e deixam de ser carentes no sentido usual. Por serem plenas, os outros podem então receber delas; mas, como elas mesmas não recebem nada, isso não cria um relacionamento normal. São criaturas auto-suficientes. Em nossos relacionamentos íntimos comuns, é necessário outro tipo de dar e receber.

Sabem como lidar com a carência? É uma questão de pedir algo de concreto. Não "Por favor, ame-me mais", que não é suficientemente concreto, porém "Fique ao meu lado por meia hora e converse comigo". Isso sim, é concreto o bastante. O outro, então, poderá decidir se quer ou não agir assim e, quando o fizer, a pessoa saberá se o pedido foi atendido. Com a frase "Por favor, ame-me mais", o outro nunca poderá dar a satisfação exigida e ainda mostrará ressentimento.

PESAR E SEPARAÇÃO

Martha: Penso constantemente num colega que faleceu, no verão passado, em acidente de automóvel. Não o tiro da cabeça. Perdi dez quilos desde então e nem sei o que está acontecendo. Já chorei muito, mas tenho a sensação de que o que faço é exagerado e impróprio.

Hellinger: Recusou alguma coisa que ele queria lhe dar ou menosprezou-o de alguma maneira? Deve-lhe alguma coisa?

Martha: Tive um caso passageiro com seu irmão. Ele não aprovava.

Hellinger: Teve um relacionamento com ele?

Martha: Não, mas era casado com uma amiga minha.

Hellinger: Dei-lhe algumas indicações sobre para onde olhar. Deixemos isso por enquanto e vejamos se as indicações tiveram efeito. Ainda acho que você lhe deve alguma coisa ou precisa receber alguma coisa dele.

Uma vizinha minha ficou extremamente abalada quando o marido morreu de ataque cardíaco, há uns dez anos. Chorava sem parar, mas nada mudava. Sugeri-lhe, na qualidade de vizinho, que me procurasse, caso precisasse de ajuda. Um ano depois, ela bateu à porta e disse-me: "Sr. Hellinger, poderia ajudar-me, por favor?" Convidei-a a entrar, sentamo-nos e eu pedi: "Esboce na mente, com a maior exatidão, como foi que conheceu seu marido." Ela cerrou os olhos e, após breve pausa, começou a rir. Eu disse: "Agora já pode voltar para casa." Levantou-se e saiu. Desde então desabrochou literalmente, tornando-se uma mulher muito ativa.

Como vêem, boas lembranças estão sempre ligadas à separação definitiva.

Indo Além do Desejo de Ajudar no Sofrimento

Adelaide: Como ajudar pessoas a vivenciar as respostas a seus problemas?

Hellinger: Deixe-me fazer-lhe uma pergunta capital. Por que quer fazer isso?

Adelaide: Ajudar pessoas não é a finalidade de toda terapia?

Hellinger: O terapeuta é alguém que vem claudicando atrás e só com dificuldade consegue manter-se de pé. As pessoas têm direito a seus próprios destinos e nós devemos ser muito cautelosos ao interferir nesses assuntos.

Adelaide: Estou trabalhando com uma família que tem um filho excepcional. Aceitar o destino é a solução para os pais? Você diria isso a eles?

Hellinger: Não. Em casos assim, é necessário algo mais. Quando as pessoas se tornam pais, as conseqüências são enormes e os riscos podem durar a vida inteira. A procriação é o ato humano mais profundo. Precisa ser adequadamente respeitado e valorizado. Esse é o primeiro ponto.

Quando compreendem profundamente e valorizam a paternidade, os pais conseguem aceitar as conseqüências de seu ato. Trata-se de uma questão de dignidade humana. Então, passam a honrar e amar o filho, não importa o que este seja. Eis a atitude que permite uma solução, uma atitude humilde que exprime a dignidade humana. Se os pais conseguem aceitar um filho assim, algo de bom e afetuoso emana deles, o que de outra forma não aconteceria.

Na verdade, é desse modo que se sente a maioria dos pais de filhos excepcionais. Os estranhos é que se preocupam: os pais, em geral, aceitam-nos sem dificuldade — a menos que a interferência prejudicial de algum terapeuta ponha tudo a perder. Como terapeuta, talvez você se pergunte por que conservam o filho ou como conseguem amá-lo; mas isso é falta de compaixão. Para você, como terapeuta, é muito difícil afirmar a criança tal qual é.

Este seria o primeiro passo que os pais deveriam dar: aceitar o filho como ele é. Terapeutas e estranhos acham isso difícil, verdadeira e afetuosamente, sem o falso elogio: "Até que ele é bonitinho." Portanto, você e os demais não devem meter-se no assunto. Sim, é o que acho apropriado em semelhante situação: os pais amam os filhos e nós não metemos o nariz em sua vida.

Vou lhe dar outro exemplo. Anos atrás, uma mulher me telefonou em busca de conselho. Era membro de um grupo de mães e filhos. Uma dessas mães tinha uma filha de 5 anos com câncer terminal. A mulher ao telefone fora visitá-las para dar "aconselhamento tanatológico". Depois de permanecer lá por algum tempo, percebeu que algo estava errado. Perguntei-lhe o que acontecia no momento de sua chegada. Ela respondeu-me que a menina brincava alegremente. Eu disse: "Está tudo certo. Deixe a criança brincar enquanto pode, junto aos pais. Que foi fazer lá? Fique fora disso." E foi o que ela fez. Os pais, por sua vez, agiram da maneira que acharam correta para eles e para a filha.

Eis outro exemplo. Uma terapeuta telefonou-me depois que um de seus clientes cometera suicídio. Achava que podia ajudar de algum modo os parentes em sua dor e perguntou se deveria ir ao funeral. Aconselhei-a: "Não vá. Você já fez seu trabalho e agora eles devem fazer o deles. Não se meta nos assuntos da família."

Nenhum terapeuta tem o direito de sentir-se responsável por proteger uma família dos acasos da vida e de tudo o que diz respeito à vida. A ilusão de que a terapia pode mudar as realidades da existência (ou melhorá-la) é fonte de danos incontáveis, sobretudo nos relacionamentos. A vida é como é, com todas as suas dores e alegrias.

Adelaide: Vou pensar no que você disse.

Hellinger: Que quer dizer com isso?

Adelaide: Preciso de tempo para refletir.

Hellinger: Ao que parece, vai continuar apegada à sua opinião. Ora, essa reação não altera o que realmente é útil para as famílias enlutadas. Além disso, suas opiniões podem interferir em sua percepção das conseqüências do que faz.

A pergunta persiste: Estamos falando sobre a necessidade que eles têm de ajuda ou sobre a necessidade que você tem de ajudar?

Quando o Sofrimento Não Cessa

Barbara: Tenho uma vizinha que perdeu o filho de 20 anos num acidente de carro, há cerca de dez anos. Ela o chora ainda, como se o houvesse perdido a semana passada.

Hellinger: Talvez esteja com raiva dele. Quando alguém está com raiva de uma pessoa falecida, a dor não cessa. Caso estivesse interessada numa solução, diria a ele: "Respeito e reverencio sua vida e sua morte." *(Pausa.)* Digo isso para você, mas você não pode dizer isso a ela porque iria magoá-la ainda mais.

Quando tinha 31 anos, o poeta Rainer Maria Rilke escreveu a um amigo: "Esqueça as respostas. Você não saberia o que fazer com elas se as encontrasse." Eis um importante axioma terapêutico: Não dê a uma pessoa uma resposta que ela não poderia vivenciar.

Hellinger: Nosso encontro está chegando ao fim. Foi um prazer estar com vocês aqui e mostrar-lhes algumas coisas que pude ver em operação nas famílias e que podem ajudar o amor a florescer, a tornar-se pleno. Ficarei satisfeito se o que presenciamos aqui for útil em suas vidas e em seu trabalho; se contribuir para que seus relacionamentos íntimos tragam a satisfação e a felicidade desejadas; e, sobretudo, se ajudar famílias com filhos a sentir-se mais em paz consigo mesmas e mais afetuosas.

Mas, antes de partirmos, gostaria de contar-lhes uma última história — para distraí-los durante a viagem.

Felicidade Dual

Nos velhos tempos, quando os deuses pareciam mais próximos do gênero humano, dois cantores chamados Orfeu viviam na mesma ilha. Um deles era Orfeu, o Grande — aquele que conhecemos na mitologia. Foi o inventor da cítara, precursora do violão. Quando dedilhava as cordas e cantava, a própria natureza se comovia com sua música. As feras se deitavam pacificamente a seus pés e as árvores altas se curvavam para ele. Graças a esse talento, era amigo dos reis mais poderosos e atreveu-se a amar Eurídice, a mais formosa das mulheres. Aí começou sua ruína.

A bela Eurídice morreu no começo da festa de núpcias e a taça transbordante de Orfeu partiu-se, antes de tocar-lhe os lábios. Mas Orfeu, o Grande, recusou-se a aceitar a morte de Eurídice como definitiva. Invocando sua arte suprema, encontrou a entrada dos Infernos e penetrou no reino das sombras. Cruzou o Rio do Esquecimento, evitou o Cão do Inferno e, ainda vivo, aproximou-se do trono de Hades, onde cantou.

O Deus da Morte, acalentado pela beleza da música, concordou em libertar a bela Eurídice, mas com uma condição: Orfeu não deveria voltar-se e olhar para ela até que estivessem novamente no mundo superior. Orfeu estava tão contente que não notou a malícia oculta nessa dádiva.

A caminho de casa, ouvia às costas o passo de sua querida esposa. Passaram em segurança ao largo do Cão do Inferno, cruzaram o Rio do Esquecimento e encetaram a longa subida. Quando já avistava a luz no alto, Orfeu ouviu um grito: Eurídice tropeçara. Em pânico, virou-se para ajudá-la... e viu as sombras da morte, libertadas pelo seu amoroso medo, envolvendo-a. Estava só. Cheio de dor, entoou sua elegia:

"Ela morreu — toda felicidade se foi para sempre."

Orfeu conseguiu regressar ao mundo da luz, mas a estada entre os mortos abatera-o, tirando-lhe o amor à vida. Um grupo de mulheres ébrias, recordando a beleza de sua canção, tentou convencê-lo a acompanhá-las ao Festival da Vindima. Furiosas com sua recusa, despedaçaram-no.

Grande foi sua dor, fútil a sua arte — mas ele é conhecido no mundo inteiro.

O outro Orfeu era Orfeu, o Pequeno. Cantor de parco talento, divertia a gente simples e a si mesmo nas festas simples. Uma vez que não podia viver **do canto, aprendeu um ofício simples, casou-se com uma mulher simples** e cometeu pecadilhos de tempos em tempos. Viveu feliz e morreu velho, após esgotar a taça da vida.

Minguados eram seus dons, grande a sua satisfação — mas ninguém no mundo o conhece, exceto eu.

Apêndice

INFLUÊNCIAS NA EVOLUÇÃO DO TRABALHO DE HELLINGER

Para Bert Hellinger, os pais e o lar de infância foram a influência principal em seu trabalho posterior. A forma particular de fé que eles alimentavam deu à família inteira imunidade contra a crença nas distorções do nacional-socialismo. Por faltar repetidamente às reuniões obrigatórias da Juventude Hitlerista e participar de uma organização católica ilegal, acabou classificado pela Gestapo como "Inimigo Presumido do Povo". Curiosamente, conseguiu escapar da Gestapo ao ser convocado. Com 17 anos de idade, tornou-se soldado e viveu as realidades da guerra, da prisão, da derrota e do confinamento num campo de prisioneiros da Bélgica.

A segunda influência importante foi certamente sua vontade, na infância, de ser padre. Aos 20 anos, logo depois de ser libertado, entrou para uma ordem religiosa católica e iniciou um longo processo de purificação do corpo, da mente e do espírito, mergulhando no silêncio, no estudo, na contemplação e na meditação.

Os dezesseis anos que passou na África do Sul, como missionário junto aos zulus, também moldaram profundamente seu trabalho posterior. Lá, dirigiu uma grande escola, lecionou e atuou como pároco ao mesmo tempo. Ele revela com orgulho que 13% dos africanos negros que chegaram à universidade naquela época foram alunos de sua escola missionária. Aprendeu a língua zulu o bastante para ensinar e pregar, e conta anedotas divertidas sobre a dignidade cortês daquele povo quando, inadvertidamente, diz sem querer uma palavra rude. Com o tempo, sentiu-se tão à vontade ali quanto é possível a um europeu. O processo de trocar uma cultura por outra aguçou sua percepção da realidade dos múltiplos valores culturais.

Sua habilidade especial de reconhecer sistemas nos relacionamentos e seu interesse pela comunidade humana, independentemente da diversidade cultural, manifestaram-se naqueles anos. Viu que muitos rituais e costumes zulus tinham estrutura e função similares aos elementos da missa católica, apontando para experiências humanas comuns; por isso, tentou integrar a música e os rituais zulus à missa. Aceita plenamente a excelência da variedade humana e cultural, e acha válido fazer coisas de modos diferentes. O Sagrado está em toda parte.

Outra influência capital foi sua participação num curso inter-racial e ecumênico de dinâmica de grupo, promovido pelo clero anglicano. Os promotores haviam trazido dos Estados Unidos um método de trabalho com grupos que valorizava o diálogo, a fenomenologia e a experiência humana individual. Ele experimentou então, pela primeira vez, uma dimensão nova de tratamento das almas, relatando que, certa vez, um dos instrutores perguntou ao grupo: "O que é mais importante para vocês, seus ideais ou as pessoas? Qual das duas coisas vocês sacrificariam?" Seguiu-se uma noite em claro, pois as implicações da pergunta eram profundas. Diz Hellinger: "Sou muito grato ao ministro por ter feito essa pergunta. Num certo sentido, ela mudou minha vida. A preocupação fundamental com o ser humano modelou desde então todo o meu trabalho. Uma boa pergunta vale muito."

Sua decisão de deixar a ordem após 25 anos foi amigável. Hellinger conta que, aos poucos, foi percebendo que ser padre já não era uma expressão apropriada de sua evolução interior. De modo caracteristicamente impecável e conseqüente, renunciou à existência que levava há tanto tempo. Voltou à Alemanha, iniciou um curso de psicanálise em Viena, conheceu sua futura esposa e casou-se logo depois. Não têm filhos.

A psicanálise seria a próxima influência importante. Como sempre fizera, mergulhou no estudo e leu a obra completa de Freud, bem como boa parte da literatura psicanalítica em geral. Mas, com um amor igualmente típico pela investigação, quis conhecer mais ao receber de seu analista instrutor um exemplar de *Primal Scream*, de Janov, pouco antes de terminar o curso (livro que o próprio instrutor ainda não lera). Visitou Janov nos Estados Unidos, onde fez com ele e com seu ex-assistente um curso de nove meses, em Denver e Los Angeles.

Em Viena, a comunidade psicanalítica não estava muito entusiasmada com a decisão de Hellinger de incluir experiências corporais no processo terapêutico e ele se viu outra vez às voltas com o dilema: O que é mais importante, a lealdade ao grupo ou o amor à verdade e à pesquisa? Esse amor triunfou, tornando inevitável o rompimento com a psicanálise. Sua habilidade em psicoterapia à base de experiências corporais, no entanto, continuou a ser um elemento essencial de seu trabalho muito depois de a associação com Janov deixar de dar frutos.

Muitas outras escolas de terapia influenciaram seu trabalho: a orientação fenomenológica/dialógica da dinâmica de grupo dos anglicanos, a necessidade fundamental dos homens de obedecer às forças da natureza, que aprendeu com os zulus da África do Sul, a psicanálise estudada em Viena e o trabalho corporal conhecido na América.

Interessou-se pela gestalt-terapia graças a Ruth Cohen e Hilarion Petzold, com quem estudou. Por essa época, conheceu Fanita English, que o introduziu à análise transacional e à obra de Eric Bern. Com sua esposa, Herta, integrou o que já sabia de dinâmica de grupo e psicanálise à gestalt-terapia, terapia primal e análise transacional. Seu trabalho com análise de *scripts* levou-o à descoberta de que alguns *scripts* atuam ao longo de gerações e nos sistemas de relacionamento familiar. Também a dinâmica de identificação foi aos poucos ficando clara nessa época. O livro de Ivan Boszormenyi-Nagy, *Invisible Bonds*, com sua detecção das lealdades ocultas e da necessidade de equilíbrio entre o dar e o receber nas famílias, também foi importante.

Adestrou-se em terapia familiar com Ruth McClendon e Leslie Kadis, descobrindo então as constelações familiares. "Fiquei muito impressionado com o trabalho deles, embrora não o compreendesse. Mesmo assim, decidi trabalhar sistematicamente. Pensei no que já fizera e concluí: 'Também é bom. Não vou desistir até entender realmente a terapia familiar sistêmica.' Assim, continuei trabalhando como antes. Após um ano, pensei de novo no caso e descobri, surpreso, que estava trabalhando sistematicamente."

Lendo o artigo de Jay Haley sobre "triângulo perverso", atinou com a importância da hierarquia nas famílias. Seguiu-se trabalho adicional em terapia familiar com Thea Schönfelder e com hipnoterapia e Programação Neurolinguística (PNL) com Milton Erickson. A terapia provocativa de Frank Farelly foi outra influência importante, bem como a 'terapia do abraço forte', de Irena Precop. O elemento principal que tomou à PNL foi sua ênfase no trabalho com recursos e não com problemas. O costume de contar histórias durante a terapia constitui um tributo, é claro, a Milton Erickson. A primeira que contou foi "Felicidade Dual".

As pessoas plenamente familiarizadas com a psicoterapia hão de reconhecer que a contribuição maior de Hellinger é sua integração de elementos diversos. Ele não reivindica invenções, mas não se discute que realizou uma integração nova. Possui o talento natural para mergulhar numa situação inusitada e sair dela depois de ter visto ali o que havia para ver. Sem dúvida, suas primeiras experiências ensinaram-lhe para sempre a importância e a paciência de escutar a autoridade da alma — o que, embora não seja infalível, é a única proteção real que temos contra a sedução das falsas autoridades. Sua insistência em *ver* o que *é* em vez de aceitar cegamente o que se ouve, combinada com a confiança leal e inabalável na própria alma, constitui a base em que se apóia a obra de Hellinger.

Num certo sentido, ele é o último empírico.

Em tudo isso, seu guia filosófico foi Martin Heidegger, ele próprio vulnerável aos perigos da falsa autoridade — embora a busca profunda de Heidegger pelas palavras verdadeiras que ressoam na alma se pareça com as frases que os clientes proferem nas constelações, anunciando mudanças para melhor e fluxo renovado de amor.

Uma derradeira influência, ou melhor, um derradeiro guia precisa ser mencionado: o amor arquetipicamente germânico pela música. Sim, a ópera: a ópera de Wagner, é claro.

ORDENS DO AMOR

UM GUIA PARA O TRABALHO COM CONSTELAÇÕES FAMILIARES

Bert Hellinger

Ordens do Amor é a obra fundamental de Bert Hellinger: densa, viva e cheia de idéias surpreendentes. Nela, o autor convida o leitor a acompanhá-lo no caminho do conhecimento, onde a compreensão libertadora e saneadora nasce da observação das complexidades do sistema familiar. A partir desse momento, torna-se claro que muitas crises e enfermidades começam a desenvolver-se nos casos em que a pessoa ama sem conhecer as Ordens do Amor. O conhecimento dessas ordens converte-se, portanto, no ponto de partida para a solução e a cura.

Toda pessoa interessada em conhecer e estudar o trabalho com as Constelações Familiares, desenvolvido e praticado por Bert Hellinger, encontrará neste livro um amplo material didático.

Ordens do Amor inspira-nos humildade e nos comove ao nos fazer presenciar a veemência das forças do Destino. Ao mesmo tempo, contudo, nos oferece uma saída, por levarnos por caminhos que às vezes mudam os destinos considerados os mais problemáticos.

EDITORA CULTRIX

O ESPECTRO DA CONSCIÊNCIA

Ken Wilber

Este trabalho de Ken Wilber pode ser considerado a principal teorização no campo da Psicologia Transpessoal, numa abordagem que amplia as concepções sobre a consciência desenvolvidas pela psicologia ocidental.

Neste livro notável, o autor compara a consciência ao espectro eletromagnético. A partir dessa analogia, tal como qualquer radiação eletromagnética, a consciência é "una" e se manifesta por uma multiplicidade de aspectos, de níveis ou de faixas, que correspondem aos diferentes comprimentos das ondas eletromagnéticas.

Para o autor, o "espectro da consciência" implica a integração dos conhecimentos fragmentados das escolas psicológicas ocidentais com os principais elementos das tradições esotéricas, resultando numa visão holística da consciência.

Desta forma, enfoques aparentemente contraditórios das diferentes abordagens são considerados complementares, pois as diferenças entre eles preenchem as lacunas existentes, criando uma síntese que valoriza igualmente as visões de Freud, de Jung, de Maslow, de May e de outros psicólogos renomados, assim como as de grandes líderes espirituais, desde Buda até Krishnamurti.

MARCIA TABONE
Autora de *A Psicologia Transpessoal*

EDITORA CULTRIX

PRÓXIMOS LANÇAMENTOS

Para receber informações sobre os lançamentos da Editora Cultrix, basta cadastra-se no site: www.editoracultrix.com.br

Para enviar seus comentários sobre este livro, visite o site www.editoracultrix.com.br ou mande um e-mail para atendimento@editoracultrix.com.br